Becker • Braunert • Schlenker

Grundkurs Lehrbuch

Unternehmen Deutsch

Ernst Klett Sprachen
Barcelona Belgrad Budapest Ljubjana London
Posen Prag Sofia Stuttgart Zagreb

Unterrichtssymbole in **Unternehmen Deutsch**:

 Hörtexte

 Partnerarbeit

Unternehmen Deutsch Grundkurs

von Norbert Becker, Jörg Braunert und Wolfram Schlenker

Wir danken Herrn Bernd Zabel vom Goethe-Institut für seine kompetente Beratung.

1. Auflage 1 8 7 6 5 | 2011 2010 2009 2008

Alle Drucke dieser Auflage können nebeneinander benutzt werden,
sie sind untereinander unverändert. Die letzte Zahl bezeichnet das Jahr des Druckes.

Internet: www.klett-edition-deutsch.de
E-Mail: edition-deutsch@klett.de

Nach der neuen Rechtschreibung (Stand: August 2006)

Zeichnungen: Hannes Rall, Stuttgart
Fotos: FotoStudio Leupold, Stuttgart
Satz: media office GmbH, Kornwestheim; Jürgen Rothfuß, Neckarwestheim
Druck: Graspo CZ, a. s., Zlín • Printed in Czech republic

ISBN: 978-3-12-675740-9

9 783126 757409

Vorwort

Liebe Lernerinnen und Lerner,

Unternehmen Deutsch Grundkurs ist geeignet für Anfänger mit geringen Vorkenntnissen, die Deutsch lernen, um beruflich weiter zu kommen. Sie erreichen mit dem Grundkurs das Niveau A2 des „Gemeinsamen europäischen Referenzrahmens".

Unternehmen Deutsch Grundkurs vermittelt eine umfassende Handlungsfähigkeit am Arbeitsplatz. Eine Vielzahl an Szenarien aus unterschiedlichen Berufsfeldern und Arbeitsbereichen bereitet Sie auf den Berufsalltag vor und vermittelt berufssprachliche und interkulturelle Kompetenz.

Unternehmen Deutsch Grundkurs umfasst 10 Kapitel à 14 Seiten. Je fünf Unterkapitel bieten verschiedene Facetten des Kapitelthemas. Je zwei Journalseiten geben die Möglichkeit, mit dem Erlernten freier zu agieren und es so zu vertiefen. Die Grammatikseite am Ende jedes Kapitels fasst den Grammatikstoff übersichtlich zusammen.

Unternehmen Deutsch Grundkurs enthält im Anhang Datenblätter mit einem spielerischen Angebot zum gelenkten Sprechen und eine alphabetische Wörterliste.

Unternehmen Deutsch Grundkurs bietet Ihnen zusätzlich ein reichhaltiges Übungsangebot in einem separaten Arbeitsbuch. Eine Audio-CD mit allen Hörtexten aus dem Lehrbuch, ein einsprachiges Wörterheft und ein Lehrerhandbuch mit methodisch-didaktischen Hinweisen, den Lösungen zu den Aufgaben im Lehrbuch und den Transkriptionen der Hörtexte komplettiert unser Angebot.

Viel Spaß und Erfolg mit **Unternehmen Deutsch Grundkurs** wünschen Ihnen
Autoren und Verlag.

Inhalt

Syllabus

Kapitel	Thema/Sprechhandlung	Grammatik/Lexik
1	Eine andere Person und sich vorstellen	Name, Herkunft, Wohnort Verben im Präsens *(ich, er/sie)* Possessivartikel: *mein, sein/ihr* Aussprache: Vokale – Knacklaut
	Über den Beruf und die Familie sprechen	Berufe, Familienstand Verben im Präsens *(ich, er/sie, sie/Sie)* Das Alphabet
	Über die Teilnehmer von einem Seminar sprechen	*und, aber, oder, auch* Aussprache: *-ch-, -ig, -sch-, -sp-, -st-*
	Visitenkarten und Ausweise lesen und verstehen	Zahlen: null bis hundert (0–100) Possessivartikel: *Sein/Ihr* Aussprache: Zahlen
	Informationen zur Person erfragen	schon, erst, noch Aussprache: *-t*
2	Besucher begrüßen Über die Reise sprechen	Begrüßung, Verkehrsmittel Präsens/Präteritum: *haben* und *sein* Aussprache: Intonation
	Ein Programm planen Uhrzeiten nennen	Zeitangaben: Kalendertag, Wochentag, Tageszeit, Uhrzeit (offiziell) Aussprache: das Datum
	Um eine Führung/Informationsmaterial bitten	Länder und Sprachen Nomen und Artikel Aussprache: lange und kurze Vokale
	Über Aufgaben und Termine sprechen	Zeitangaben: *Wann?/Wie lange?* Aussprache: *-zehn/-ig*
	Einen Praktikumsplan besprechen Einen Praktikumsplan machen	Satzbau: Aussagesatz Aussprache: Konsonanten
3	Über die Familie sprechen Verwandtschaftbezeichnungen nennen	Verwandtschaftbezeichnungen Negation: *nicht/kein* Aussprache: lange Vokale
	Personen beschreiben	Kleidungsstücke, Farben, Eigenschaften Verben mit Vokaländerung: *e* → *i(e)* Aussprache: *e – i*
	Sich verabreden E-Mails lesen	Anrede: *du* oder *Sie*? Verben im Präsens
	Über die Freizeit und seine Hobbys sprechen	Zusammengesetzte Nomen: Artikel Zeitangaben der Frequenz: *nie, selten, manchmal, oft, immer* Aussprache: Konsonanten
	Ein Formular ausfüllen Lexikonartikel lesen	Satzbau: Aussagesatz, die W-Frage, die Ja-/Nein-Frage, der Imperativsatz mit *Sie*

Kapitel	Thema/Sprechhandlung	Grammatik/Lexik
4	Einen Bestellschein ausfüllen	Büromöbel, -material *haben, brauchen* unbestimmter Artikel *ein-* / Negation *kein.* Aussprache: *-ei-*
	Wünsche ausdrücken	*ich hätte/möchte/würde gern* Aussprache: *ö – ü*
	Waren vergleichen Beraten, auswählen	Preise Zahlen bis *eine Million* Frage: *Welch-?* / Antwort: bestimmter Artikel + Adjektiv/*dies-* Aussprache: Zahlen
	Bestellen, buchen, reservieren	Frühstücksbüfett, Lebensmittel Imperativ mit *Sie* und *du* Personalpronomen: Akkusativ *wofür?/für wen?* Aussprache: *z = ts*
	Kleidungsstücke auswählen	Kleidungsstücke *(nicht) genug/kein- haben*
5	Sagen, wo die Bürogegenstände sind	Bürogegenstände Ortsangaben: Wechselpräpositionen mit Dativ
	Fahrpläne verstehen Den Weg beschreiben	Trennbare Verben Ordinalzahlen Aussprache: trennbare Verben
	Dinge an ihren Platz tun	*legen, stellen, hängen / liegen, stehen, hängen* Mülltrennung Richtungsangaben: Wechselpräpositionen mit Akkusativ Aussprache: *m – n*
	Nach dem Weg fragen Den Weg beschreiben	Perfekt mit *haben* und *sein* Partizip Perfekt der regelmäßigen und unregelmäßigen Verben
	Pläne und Vorschläge machen	Modalverben: *wollen, können, müssen* Aussprache: *m – n*
6	Den Weg, die Anfahrt beschreiben	*Wie?, Von wo/Woher?, Wo?, Wohin?*
	Eine Firma beschreiben Über Erlaubnis, Pflichten, Verbote sprechen	Abteilungsnamen Modalverben: *können/dürfen, müssen, nicht dürfen* Aussprache: *ä, ö, ü* – lang oder kurz
	Arbeit organisieren	Anweisungen geben. Bitten mit dem Modalverb *können* Imperativ mit *Sie* oder *du*
	Geräte vergleichen	*so, sehr, zu* Vergleichen: *genauso ... wie* / Komparativ + *als* / *nicht so ... wie*
	Menschen und Dinge charakterisieren	Eigenschaften Adjektivdeklination mit dem unbestimmten Artikel, *kein-* und Possessivartikel

Kapitel	Thema/Sprechhandlung	Grammatik/Lexik
7	Versicherungen vergleichen Stellenanzeigen lesen und vergleichen	Steigerung: Komparativ, Superlativ
	Stellenanzeigen bewerten	Aussprache: *s + s, s +sch, s + st, s+ z*
	Ein Home-Office einrichten Telefonieren	Indefinitpronomen Aussprache: *-ng, -nk(-)*
	Über Versicherungen sprechen und sie vergleichen	Adjektivdeklination mit dem bestimmten Artikel Komparativ und Superlativ als Attribut Zahlen bis *eine Milliarde* Aussprache: Komparativ, Superlativ
	Städte vergleichen	Aussprache: *h-* und Knacklaut
8	Termine planen Uhrzeiten nennen	Uhrzeit (inoffiziell) Aussprache: *b, d, g* am Silbenende = *p, t, k*
	Terminänderungen besprechen und organisieren	Zeitangaben: *vor, seit, in, ab, von ... bis* Modalverb: *sollen* Aussprache: *s* (im Anlaut stimmhaft, im Auslaut stimmlos) – *ss/ß* (stimmlos)
	Eine Reise planen	Aussprache: *ch* nach *e, i, ä, ö, ü*; nach den Konsonanten *n, l, r* und bei *-ig*; *ch* nach *a, o, u*
	Aufgaben erledigen Abläufe planen und vortragen Terminänderungen mitteilen und begründen	Reihenfolge: *Als Erstes/Zweites/Drittes/... Als Letztes* Nebensatz mit *weil*
	Termine vergessen, verschieben Informationen ausrichten	Präsens und Präteritum der Modalverben *wollen, müssen, können, dürfen, sollen* Personalpronomen: Dativ Aussprache: *v – f – w*
9	Anweisungen verstehen Geräte bedienen, mit Programmen arbeiten	Aufzählung und Reihenfolge Aussprache: *st-/sp-, -st-/-sp-, -st/-sp*
	Über Störungen, Beschädigungen, Defekte sprechen	(Verbal-) Adjektive Aussprache: Wortakzent im Partizip
	Über Störungen und ihre Ursachen sprechen	Nebensatz mit *dass* Aussprache: zusammengesetzte Nomen
	Störungen, Defekte beheben	Ursache und Folge: *weil/deshalb* Aussprache: *b – w/v*
	Störungen reklamieren und Problemlösungen finden	Aussprache: *-tion*
10	Einen Mitarbeiter und seine Aufgaben vorstellen Über das Intranet sprechen	Aussprache: *au – eu/äu*
	Glückwünsche aussprechen Eine Einladung bekommen und dafür danken	Verb: *werden* im Präsens Aussprache: *-ng*
	Smalltalk machen Über das Wetter sprechen	*es ist ... / es wird ...* Aussprache: *-ig* oder *-ige (-r, -n)*
	Eine Speisekarte lesen Über das Essen sprechen	Aussprache: *r* wie in *Betrieb* oder wie in *für*
	Einen Mitarbeiter verabschieden Wünsche, Dank, Bedauern und Hoffnungen ausdrücken	Nebensatz mit *dass* Aussprache: *r* oder *l*?

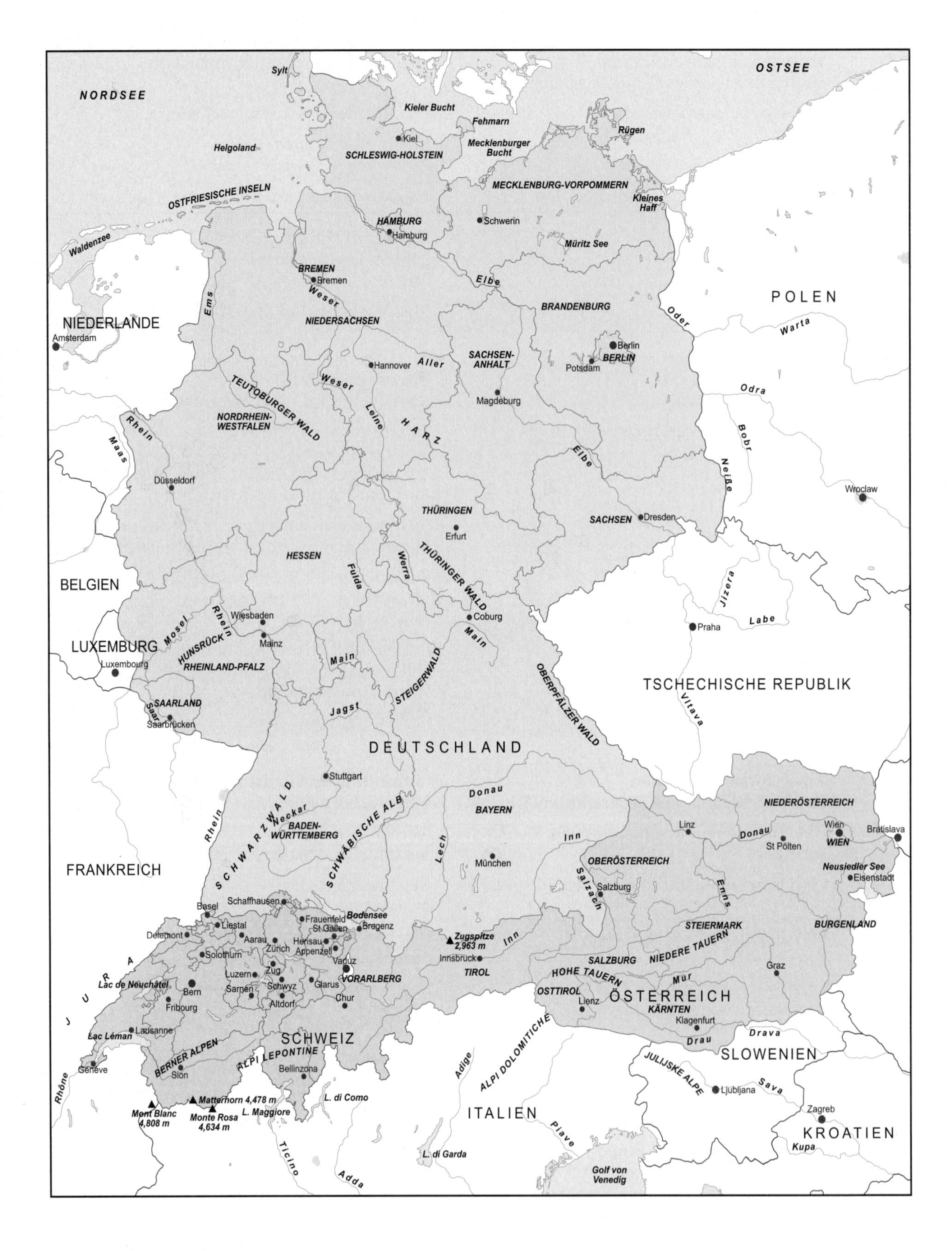
NORDSEE
OSTSEE
Sylt
Helgoland
Kieler Bucht
Fehmarn
Rügen
Kiel
SCHLESWIG-HOLSTEIN
Mecklenburger Bucht
MECKLENBURG-VORPOMMERN
Kleines Haff
OSTFRIESISCHE INSELN
Waldenzee
HAMBURG
Hamburg
Schwerin
Müritz See
BREMEN
Bremen
Weser
Elbe
Ems
NIEDERLANDE
Amsterdam
NIEDERSACHSEN
BRANDENBURG
POLEN
Oder
Warta
Hannover
Aller
SACHSEN-ANHALT
Berlin
BERLIN
Potsdam
Weser
Magdeburg
Odra
TEUTOBURGER WALD
NORDRHEIN-WESTFALEN
Leine
HARZ
Rhein
Maas
Bobr
Elbe
Neiße
Düsseldorf
Wroclaw
THÜRINGEN
SACHSEN
Dresden
Erfurt
HESSEN
Fulda
Werra
THÜRINGER WALD
BELGIEN
Jizera
Coburg
Wiesbaden
Rhein
Mosel
Praha
Labe
LUXEMBURG
HUNSRÜCK
Mainz
Main
Luxembourg
RHEINLAND-PFALZ
Main
STEIGERWALD
OBERPFÄLZER WALD
TSCHECHISCHE REPUBLIK
SAARLAND
Saar
Saarbrücken
Jagst
Vltava
DEUTSCHLAND
Stuttgart
SCHWARZWALD
Neckar
SCHWÄBISCHE ALB
Donau
BAYERN
NIEDERÖSTERREICH
Rhein
BADEN-WÜRTTEMBERG
Linz
Wien
Bratislava
Donau
St Pölten
WIEN
Inn
Lech
FRANKREICH
München
OBERÖSTERREICH
Neusiedler See
Eisenstadt
Salzach
Salzburg
Enns
Schaffhausen
Basel
Frauenfeld
Bodensee
Liestal
St Gallen
Bregenz
STEIERMARK
BURGENLAND
Delémont
Aarau
Herisau
Zugspitze 2,963 m
Inn
Solothurn
Zürich
Appenzell
NIEDERE TAUERN
Vaduz
Innsbruck
SALZBURG
JURA
Luzern
Zug
TIROL
HOHE TAUERN
Graz
Lac de Neuchâtel
Bern
Sarnen
Schwyz
Glarus
VORARLBERG
Mur
Fribourg
Altdorf
Chur
OSTTIROL
Lienz
ÖSTERREICH
KÄRNTEN
Lausanne
Klagenfurt
Lac Léman
SCHWEIZ
Drau
Drava
BERNER ALPEN
ALPI LEPONTINE
ALPI DOLOMITICHE
SLOWENIEN
Genève
Sion
Bellinzona
Adige
JULIJSKE ALPE
Ljubljana
Sava
Rhône
Matterhorn 4,478 m
L. di Como
Mont Blanc 4,808 m
Monte Rosa 4,634 m
L. Maggiore
ITALIEN
Zagreb
KROATIEN
Piave
Kupa
Ticino
L. di Garda
Golf von Venedig
Adda

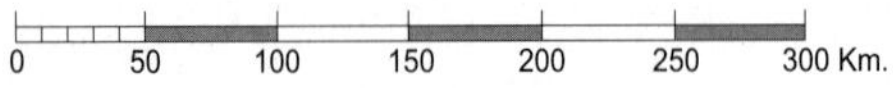
0
50
100
150
200
250
300 Km.

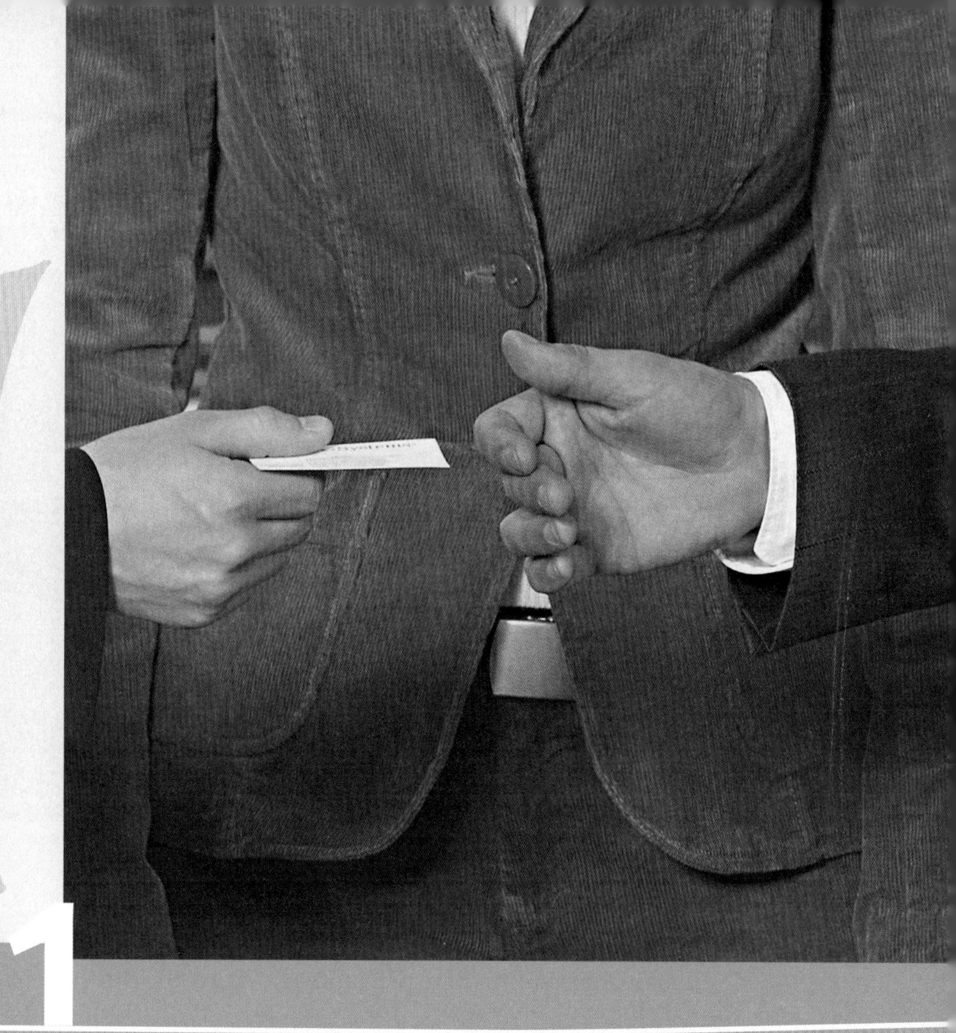

Kapitel 1

Erster Kontakt

Hier lernen Sie:
- den Namen, die Adresse und den Beruf sagen
- Personen kennen lernen
- über die Familie sprechen
- fragen, wie es geht

Guten Tag!

A Ich heiße Christian Waldner. Das ist Frau Weinberger.

1 Wer sind die Personen auf dem Bild?

Willem de Boor / Amsterdam / Holland
Klaus Brinkmann / Dresden / Deutschland
Roberto Prado / Granada / Spanien
Christian Waldner / Berlin / Deutschland
Nicole Bellac / Grenoble / Frankreich
Anna Bellini / Neapel / Italien
Petra Nowak / Graz / Österreich
Dorothea Weinberger / Bern / Schweiz

Das ist ... ______________________________

____

2 Ergänzen Sie.

1 Dorothea *Weinberger* ________ kommt aus der ________________.

2 Das ist Herr Waldner. Sein Vorname ist ________________. Er kommt aus ________________ in ________________.

3 Das ist Frau Bellini. Ihr Vorname ist ________________. Sie kommt aus ________________ in ________________.

4 Ich heiße ________________. Mein Vorname ist ________________. Ich komme aus ________________ in ________________.

B Susanne, das ist ...

Schreiben Sie auf die Stellkarten.

Klaus Brinkmann
Dresden, Deutschland

Personalpronomen/Verben: Präsens			Possessiv-Artikel
ich	bin	komme	mein/meine
der Herr/Herr … = **er**	ist	kommt	sein/seine
die Frau/Frau … = **sie**	ist	kommt	ihr/ihre

C Das ist Herr Prado. Ergänzen Sie.

Das ist Herr Prado.
Sein Familienname ist ________.
______ Vorname ist ________.
______ kommt aus ________.
Das ist in ________________.

Das ist ________ Bellini.
______ Familienname ist ________.
______ Vorname ist ________.
______ kommt aus ________.
Das ist in ________________.

Das bin ich.
______ Familienname ist ________.
______ Vorname ist ________.
______ komme aus ________.
Das ist in ________________.

D Aussprache: Vokale – Knacklaut

1 Lange und kurze Vokale

lang: Name – sagt – Tag – Beruf – wohnt kurz: Frankreich – Amsterdam – lang – kurz – kommt

2 Knacklaut (♦)

Das ♦ ist ♦ in ♦ Italien.
Der Herr kommt ♦ aus ♦ Österreich.

Sie ♦ ist Studentin.
Ich wohne ♦ in Dresden.

Sprach ♦ arbeit

E Guten Tag!

1 Nicole Bellac. Lesen Sie.

Ich heiße Bellac, Nicole Bellac. Mein Vorname ist Nicole. Ich komme aus Frankreich. Ich wohne in Grenoble. Das ist in Frankreich.

2 Ergänzen Sie.

1 Frau Bellac _kommt_ ________ Frankreich. Sie wohnt ________ Grenoble.
Bellac ist ________ Familienname. Ihr ________ ist Nicole. Sie ist Marketingmanagerin.

2 ________ Weinberger ________ ________ der Schweiz. Ihr ________ ist Dorothea.
Sie ________ in Bern.

3 Ich ____.

F Meine Klasse. Sprechen Sie im Kurs. Berichten Sie.

Ich heiße …
Ich komme aus …
Mein Vorname/Familienname ist …

Das ist Herr/Frau …
Er/Sie kommt aus …
Sein/Ihr Vorname/Familienname ist …

Familie und Beruf

A Ich bin … von Beruf?

1 Was glauben Sie:
Wer ist was von Beruf?

- [7] Studentin
- [ ] Hotelkauffrau
- [ ] Elektriker
- [ ] Marketingmanagerin
- [ ] Bankkaufmann
- [ ] Sekretärin
- [ ] Ingenieur
- [ ] Industriekauffrau
- [ ] Informatiker

Ich glaube, der Mann auf Bild 4 ist Informatiker.

Ich glaube, die Frau auf Bild 7 ist …

2 Stellen und beantworten Sie Fragen über die Personen auf den Bildern 1–9.

▶ Was ist die Frau / der Mann auf dem Bild … von Beruf?	▶ Sie / Er ist …

B Herr Sikora

Hören Sie das Gespräch und ergänzen Sie.

habe	Beruf	Sikora	Bankkaufmann	Kinder
verheiratet	aus	in	~~Name~~	Ingenieur

- ▶ Guten Tag!
- ▶ Guten Tag! Mein _Name_ ist Müller.
- ▶ Ich heiße _Sikora_.
- ▶ Wie bitte?
- ▶ Mein Familienname ist Sikora. Moment, ich buchstabiere: es, i, ka, o, er, a.
- ▶ Ah, vielen Dank, Herr Sikora. Und was sind Sie von _Beruf_?
- ▶ _Ingenieur_. Ich bin Ingenieur von Beruf. Und Sie?
- ▶ Ich bin _verheiratet_ (Bankkaufmann). Ich bin verheiratet und habe zwei _Kinder_.
- ▶ Ich bin auch _verheiratet_. Aber ich _habe_ keine Kinder.
- ▶ Wohnen Sie auch _in_ München?
- ▶ Ja, aber ich komme _aus_ Polen.

Verben: Präsens				
ich	bin	habe	heiße	wohne
er / sie	ist	hat	heißt	wohnt
sie / Sie	sind	haben	heißen	wohnen

C Hören Sie die Dialoge und ergänzen Sie.

Dialog 1
Frau Sörensen ist ___ von Beruf.
Sie ist ___.
Sie hat ___.
Sie kommt aus ___.
Sie wohnt in ___.

Dialog 2
Frau Bellini ist ___.
Ihr Vorname ist ___.
Sie wohnt in ___.
Sie kommt aus ___.
Sie ist nicht ___. Sie ist ___.

D Das Alphabet

1 Hören Sie und sprechen Sie.

a	a	Anton	k	ka	Kaufmann	u	u	Ulrich
b	be	Berta	l	el	Ludwig	v	fau	Viktor
c	tse	Cäsar	m	em	Martha	w	we	Wilhelm
d	de	Dora	n	en	Nordpol	x	iks	Xanthippe
e	e	Emil	o	o	Otto	y	üpsilon	Ypsilon
f	ef	Friedrich	p	pe	Paula	z	zet	Zürich
g	ge	Gustav	q	ku	Quelle			
h	ha	Heinrich	r	er	Richard	ä	ä	Ärger
i	i	Ida	s	es	Samuel	ö	ö	Ökonom
j	jot	Juli	t	te	Theodor	ü	ü	Übermut

2 Buchstabieren Sie Städte, Länder, Vornamen und Familiennamen.

E Ein Interview

1 Fragen Sie Ihre Kolleginnen und Kollegen. Machen Sie Notizen.

- ▶ Wie heißen Sie? — ▶ Burnett. / Kalias. …
- ▶ Wo wohnen Sie? — ▶ In London. / In Athen. …
- ▶ Woher kommen Sie? — ▶ Aus England. / Aus Griechenland. …
- ▶ Sind Sie verheiratet? — ▶ Ja. / Nein.
- ▶ Haben Sie Kinder? — ▶ Ja. / Nein.
- ▶ Wie viele Kinder haben Sie? — ▶ Ich habe keine Kinder / ein Kind / zwei Kinder …

2 Berichten Sie.

Beispiel:
Das ist Leo Burnett. Er ist ledig. Er hat keine Kinder. Er ist Taxifahrer von Beruf. Er wohnt in …
Er kommt aus …
Das ist Amelia Kalias. Sie ist verheiratet. Sie hat ein Kind. Sie wohnt in … Sie kommt aus …

F PARTNER A benutzt Datenblatt A1, S. 149. PARTNER B benutzt Datenblatt B1, S. 161.

Die Gruppe Allianz

Hotel Splendide Kongresse, Seminare					
Teilnehmerliste der Gruppe Allianz					
Nr.	**Name**	**Vorname**	**aus**	**Zimmer-Nr.**	
1	de Boor	Wilhelm	NL (Amsterdam)	08	EZ
2	Brinkmann	Klaus	Dresden	11	EZ
3	Nowak	Petra	A (Graz)	05	EZ
4	Roberto	Prado	E (Granada)	01	EZ
5	Röder	Hellen	Berlin	10	EZ
6	Waldner	Christian	Berlin	04	EZ
7	Weinberger	Dorothea	CH (Bern)	12	DZ
8	Weinberger	Theodor	CH (Bern)	12	DZ

A Die Teilnehmerliste

1 Sprechen Sie über die Teilnehmerliste.

Beispiel:
Teilnehmerin 3 ist Frau Nowak. Der Familienname ist Nowak. Der Vorname ist Petra.
Die Dame kommt aus Graz in Österreich. Sie hat Zimmer Nummer fünf. Das ist ein Einzelzimmer.

2 Hören Sie und antworten Sie.

1 Wo ist Herr Waldner?
2 Wie viele Einzelzimmer und wie viele Doppelzimmer braucht die Gruppe Allianz?
3 Ist alles richtig? Ist die Liste in Ordnung?
4 Wie heißt der Mann von Dorothea Weinberger?
5 Wie heißt die Frau von Christian Waldner?
6 Wer hat ein Einzelzimmer? Wer braucht ein Doppelzimmer?
7 Was ist richtig?
a) Frau Postleitner kommt nicht, aber Frau Nowak kommt.
b) Frau Nowak kommt und Frau Postleitner kommt auch.
c) Frau Nowak kommt oder Frau Postleitner kommt.
d) Frau Nowak kommt nicht, aber Frau Postleitner kommt.
e) Frau Nowak kommt nicht und Frau Postleitner kommt auch nicht.

3 Hören Sie noch einmal und korrigieren Sie die Teilnehmerliste.

B Richtig oder falsch?

Antworten Sie.

1 Anna Bellini ist Studentin. – *Ja, das ist richtig. Anna Bellini ist Studentin.*
2 Der Vorname von Herrn de Boor ist Wilhelm. – *Nein, das ist falsch. Sein Vorname ist …*
3 8 + 3 = 11 – ______
4 Petra Nowak hat ein Zimmer. Aber sie kommt nicht. – ______
5 Dorothea Weinberger ist ledig. – Nein, das ist falsch. Dorothea Weinberger ist nicht ledig.
Richtig ist: ______
6 Herr Waldner hat ein Einzelzimmer. Aber er braucht ein Doppelzimmer. – ______
7 Ein Doppelzimmer ist für zwei Personen. – ______

und, aber, oder, auch

	Kommen alle?
2 Personen	Herr Rot und Frau Grün kommen. Herr Rot kommt und Frau Grün kommt auch.
1 Person	Herr Rot kommt, aber Frau Grün kommt nicht. Frau Grün oder Herr Rot kommt.
0 Personen	Herr Rot und Frau Grün kommen nicht. Herr Rot kommt nicht und Frau Grün kommt auch nicht.

C *Und, aber, oder, auch.*

Ergänzen Sie.

1 Kommt Petra Nowak _oder_ kommt sie nicht?
2 Herr __________ Frau Weinberger haben ein Doppelzimmer.
3 Der Familienname von Herrn de Boor ist richtig, __________ der Vorname ist falsch.
4 Herr Brinkmann hat ein Einzelzimmer. Frau Postleitner hat __________ ein Einzelzimmer.
5 Anton Sikora wohnt in München, __________ er kommt aus Polen.
6 Erika Sörensen ist verheiratet __________ hat ein Kind.
7 Woher kommt Frau Weinberger? Aus der Schweiz __________ aus Österreich?

D Aussprache: -ch-, -ig, -sch-, -st-, -sp-

Das ist nicht richtig. Das ist falsch. – Kommen Sie aus Österreich oder aus der Schweiz? – Der Student schreibt und berichtet. – Die Aussprache ist nicht richtig. – Frankreich, Deutschland, die Schweiz, Griechenland – Ich bin nicht ledig. Ich bin verheiratet. – Schreiben Sie nicht, buchstabieren Sie.

E Ist das hier die Gruppe Allianz?

Machen Sie Dialoge.

Entschuldigung. Ist das hier die Gruppe Allianz?

▼

Ja, ich heiße ...

▼

Freut mich. Mein Name ist .../Ich heiße ... Ist Herr/Frau ... auch schon da?

▼ Herr/Frau ... kommt nicht.

▼ Ja, er/sie ist da. Herr/Frau ..., das ist Herr/Frau ...

▼

Und Herr/Frau ...?

▼

Die Liste ist nicht richtig. Herr/Frau kommt nicht. Aber Herr/Frau ... ist da.

▼

Guten Abend, Herr/Frau ...

Karten, Ausweise, Scheine

A Die Visitenkarte von Dipl.-Ing. Bernd Lüthi, Produktionsplanung

1 Ordnen Sie zu.

der Firmenname
der Titel
die Funktion
die Privatadresse
der Wohnort
die Telefonnummer
die Fax-Nummer
die E-Mail-Adresse
die Vorwahl

www.Terraquadra.de

Dipl.-Ing. Bernd Lüthi
Produktionsplanung

Terraquadra Systembau GmbH
Schwerinstraße 7–11
50753 Köln
Telefon (02 21) 6 89 53-74
Telefax (02 21) 6 90 53-33
b.luethi@terraquadra.de

privat:
Meisenweg 13 A
50345 Hürth
(0 22 51) 2 69 53

der Vorname
der Familienname
die Geschäftsadresse
die Straße
der Firmensitz
die Postleitzahl
die Internet-Adresse
die Hausnummer

2 Sprechen Sie über die Visitenkarte.

Die Postleitzahl von Hürth ist 50345.

Der Firmensitz von Firma Terraquadra ist Köln.

Die Vorwahl von Köln ist 02 21.

0	null	10	zehn	20	zwanzig			100	hundert
1	eins	11	elf	21	einundzwanzig				
2	zwei	12	zwölf	22	zweiundzwanzig				
3	drei	13	dreizehn	23	dreiundzwanzig	30	dreißig		
4	vier	14	vierzehn	24	vierundzwanzig	40	vierzig		
5	fünf	15	fünfzehn	25	fünfundzwanzig	50	fünfzig		
6	sechs	16	sechzehn	26	sechsundzwanzig	60	sechzig		
7	sieben	17	siebzehn	27	siebenundzwanzig	70	siebzig		
8	acht	18	achtzehn	28	achtundzwanzig	80	achtzig		
9	neun	19	neunzehn	29	neunundzwanzig	90	neunzig		

B Herr Lüthi, Herr Viren oder Frau Balzer? Wer sagt das?

1 Ich habe hier ein Seminar.
2 Ich wohne und arbeite in Tampere.
3 Herr Viren ist der Produktmanager von Firma Finplä.
4 Ich habe eine Besprechung mit Frau Balzer.
5 Und ich habe einen Termin mit Herrn Lüthi.

C Mäki Viren und Sandra Balzer. Sprechen Sie über die Personen.

Mäki Viren
Industriemechaniker

Täpinet 35
33210 Tampere / Finnland
Tel. +358-3-253 8851
Fax +358-3-253 8833

mäki_viren@finplä-meki.fi
www.finplä-meki.fi

Sandra Balzer
Kunden-Service

Promotio GmbH & Co. KG
Salierring 10
50677 Köln
Telefon (02 21) 6 89 53-74
Telefax (02 21) 6 90 53-33
Sbalzer@promotio.com
www@promotiogmbh.de

privat:
Blumenhof 9
53179 Bonn-Mehlem
Tel. (02 28) 2 69 53

Der Herr / Die Dame heißt …
Seine / Ihre Funktion ist …
Er / Sie arbeitet bei Firma …
Er / Sie wohnt in …
Seine / Ihre Telefonnummer ist …
Seine / Ihre E-Mail-Adresse ist …

D Die Karte, der Ausweis, der Schein

1 Welche Karten, Ausweise und Scheine haben Sie dabei?

2 Ordnen Sie die Begriffe zu.

eine Kreditkarte	eine Speisekarte	ein Besucherschein
~~ein Fahrschein~~	eine Telefonkarte / ein Führerschein	eine Eintrittskarte – entry ticket
ein Firmenausweis	ein Personalausweis	

1 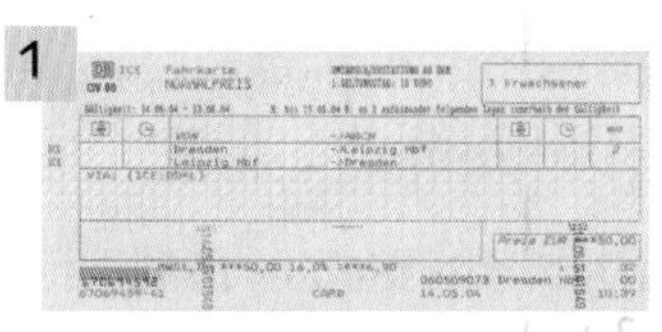

2 

3 

4 

5 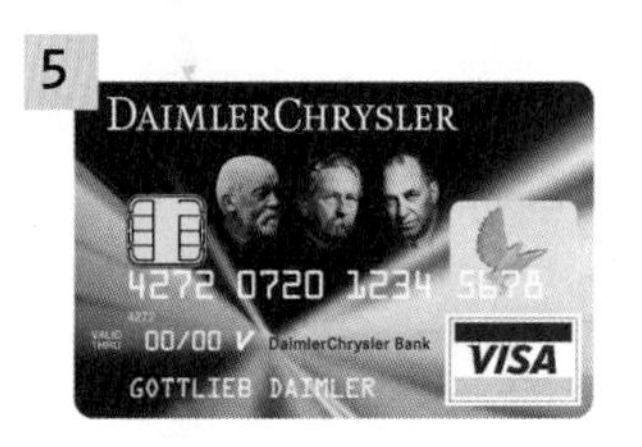

6 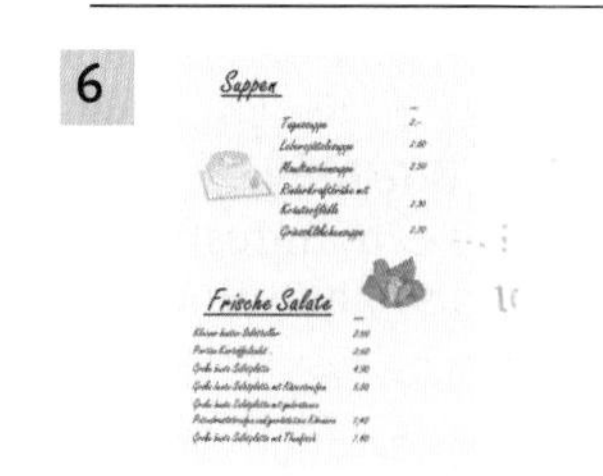

7 

8 

9 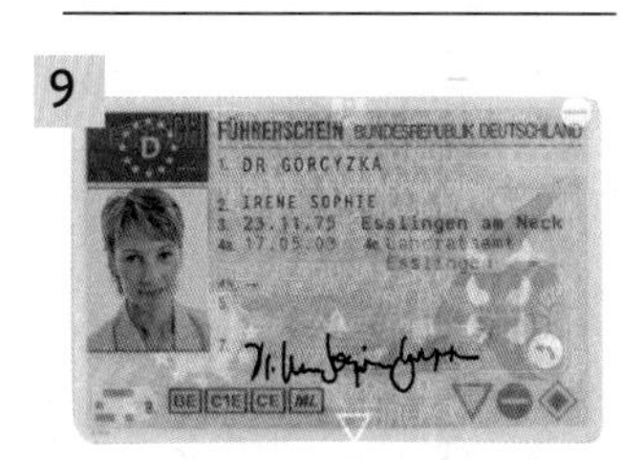

3 Sprechen Sie.

Beispiel:

▶ Ist das Ihr Personalausweis?

▶ Oh ja, das ist mein Personalausweis. Danke. / Nein, das ist nicht mein Personalausweis.

E Aussprache: Zahlen

dreizehn – dreißig
vierzehn – vierzig
fünfzehn – fünfzig
sechzehn – sechzig
siebzehn – siebzig
achtzehn – achtzig
neunzehn – neunzig

F Herr Lüthi, Herr Viren und Frau Balzer

Hören Sie den Text von Aufgabe B noch einmal.

1 Herr Lüthi sagt: „Wie geht es Ihnen?“ → Was antwortet Herr Viren?
2 Herr Lüthi sagt: „Was machen Sie hier, Herr Viren?“ → Was antwortet Herr Viren?
3 Herr Lüthi sagt: „Hallo, Frau Balzer, guten Tag.“ → Was sagt Frau Balzer?
4 Herr Lüthi sagt: „Frau Balzer, das ist Herr Viren.“ → Was sagt Frau Balzer?
5 Herr Viren buchstabiert seinen Namen und sagt: „Hier ist meine Karte.“ → Was sagt Frau Balzer?
6 Herr Viren sagt: „Und hier in München habe ich ein Seminar.“ → Was sagt Frau Balzer?

G PARTNER A benutzt Datenblatt A 2, S. 149. PARTNER B benutzt Datenblatt B 2, S. 161.

Neue Kollegen

A Was hören Sie in den Dialogen 1, 2, 3?

1 Tragen Sie ein: 1, 2 oder 3.

▶ ☐ Guten Tag. Mein Name ist Kurnik.
[1] Guten Morgen. Mein Name ist Mitsakis, Leo Mitsakis.
☐ Guten Abend. Mein Name ist Leonie Frederikson.

▶ ☐ Freut mich, Herr Mitsakis. Wie geht es Ihnen?
☐ Schön, Frau Frederikson. Wie geht es Ihnen?
☐ Hallo, Herr Kurnik. Wie geht es Ihnen?

▶ ☐ Danke, sehr gut. Geht es Ihnen auch gut?
☐ Gut, danke.
☐ Danke, es geht. Und wie geht es Ihnen?

▶ ☐ Sind Sie Informatiker von Beruf?
☐ Gut, danke. Was machen Sie hier?
☐ Ja, danke.

▶ ☐ Wie lange arbeiten Sie schon hier?
☐ Nein, Industriekaufmann. Und Sie?
☐ Ich habe eine Besprechung. Und Sie?

▶ ☐ Ich habe einen Termin mit der Konstruktion.
☐ Schon zwei Jahre. Und Sie?
☐ Ich bin Servicetechnikerin.

▶ ☐ Noch nicht lange. Erst zehn Tage.
☐ Wie lange bleiben Sie hier?
☐ Wie lange arbeiten Sie schon bei der Firma HPM?

▶ ☐ Wie lange wohnen Sie schon hier?
☐ Schon zwei Jahre. Und Sie? Wie lange arbeiten Sie schon hier?
☐ Noch eine Stunde. Und Sie? Wie lange bleiben Sie hier in München?

▶ ☐ Noch nicht lange.
☐ Bis heute Abend.
☐ Ich wohne nicht hier. Ich wohne in Zürich.

▶ ☐ Gut, Frau Frederikson. Es ist Zeit für mich.
☐ Oh, Herr Kurnik. Mein Taxi ist da.
☐ Schön, Herr Mitsakis. Mein Termin. Ich habe einen Termin.

2 Spielen Sie die Dialoge.

B Wie lange lernen Sie schon Deutsch?

1 Fragen Sie Ihre Kolleginnen und Kollegen.

Anmeldung	
NAME:	Miller, Carl
LAND:	USA
KURS:	Wirtschaft
BEGINN:	07.06.2005
ENDE:	28.06.2005

▶ Wie lange lernen Sie hier schon Deutsch?
▶ Erst zwei Tage.
▶ Und wie lange noch?
▶ Noch drei Wochen. Und Sie?
▶ Ich bleibe auch noch drei Wochen.
▶ Und wie lange lernen Sie hier schon Deutsch?

2 Berichten Sie.

- Frau Lahtinen ist schon drei Monate in Deutschland. Sie bleibt noch zwei Jahre.
- Herr Kharas arbeitet erst eine Woche in Wien. Er bleibt noch sechs Monate in Wien.
- Delia wohnt …

Wie lange schon? Wie lange noch?		
	Frage	**Antwort**
Wie lange wohnen Sie schon hier? Schon fünf Jahre. (≅ viel) Erst zwei Tage. (≅ wenig)	Wie lange schon?	Schon fünf Jahre. Erst zwei Tage.
Wie lange bleiben Sie noch? Noch fünf Jahre. Noch eine Woche.	Wie lange noch?	Noch fünf Jahre. Noch eine Woche.

C Wie lange schon? Wie lange noch? Wie lange insgesamt?

Machen Sie ähnliche Dialoge und berichten Sie dann.

1 Es ist 8.00 Uhr. Bernd Ritter arbeitet: Beginn 7.00 Uhr, Ende 18.00 Uhr
2 Es ist elf Uhr. Eine Besprechung: Beginn 9.00 Uhr, Ende 13.00 Uhr
3 Es ist jetzt Oktober. Frau Greiner ist/bleibt in München: Beginn September, Ende Dezember

Beispiel:

▶ Herr Ritter, arbeiten Sie schon lange?
▶ Nein, ich arbeite erst eine Stunde.
▶ Und wie lange ...?
▶ ... noch ...

Es ist acht Uhr. Bernd Ritter arbeitet erst eine Stunde. Er arbeitet noch zehn Stunden. Insgesamt arbeitet er elf Stunden.

D Aussprache: *-t*

haben – hat	sagen – sagt	berichten – berichtet	studieren – studiert
arbeiten – arbeitet	fragen – fragt	antworten – antwortet	bleiben – bleibt

E Rollenspiele

1 Spielen Sie Herrn Morina, Herrn Kramnik und Herrn Rall.

1 Herr Morina wohnt schon drei Tage im Hotel Eden. Er hat ein Einzelzimmer. Er braucht das Einzelzimmer noch einen Tag.

3 Herr Rall: 1 Tag in Leipzig – noch 2 Tage – insgesamt 3 Tage

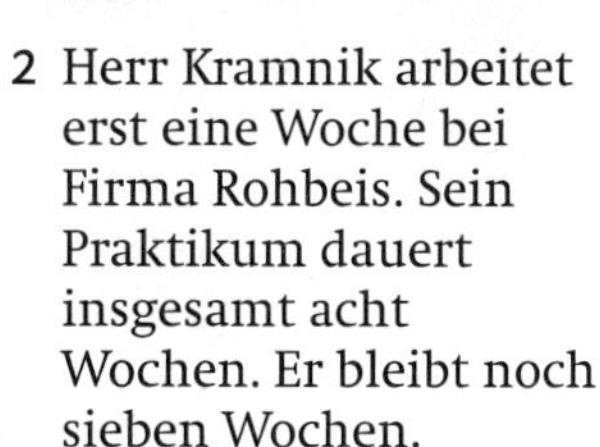

2 Herr Kramnik arbeitet erst eine Woche bei Firma Rohbeis. Sein Praktikum dauert insgesamt acht Wochen. Er bleibt noch sieben Wochen.

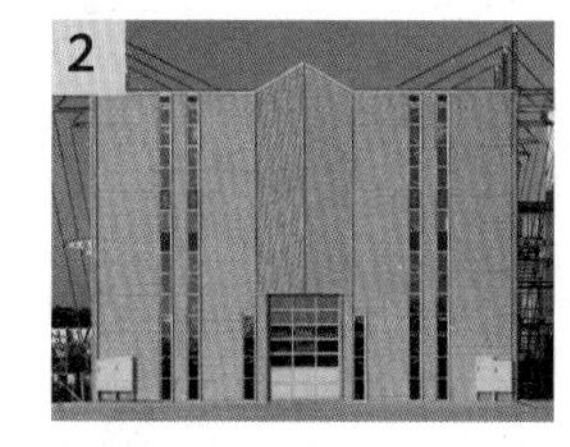

2 PARTNER **A** benutzt Datenblatt A 3, S. 149. PARTNER **B** benutzt Datenblatt B 3, S. 162.

Begrüßung

Begrüßung

1 Wie begrüßen sich die Personen auf den Bildern?
2 Wie begrüßt man sich in Ihrer Heimat?

Visitenkarten

Visitenkarten

1 Was ist Herr Schulze von Beruf?
2 Wer hat das Gasthaus Sonne?
3 Wer arbeitet im Kunden-Service?
4 Wo arbeitet Sabine Richter?
5 Wer wohnt in Esslingen?
6 Wer hat die Telefonnummer 0711/45 47 28
7 Wer arbeitet in Köln?
8 Wer hat die Adresse Rotebühlstraße 77?

Sabine Richter
Vertrieb

Promotio GmbH & Co. KG
Salierring 10
50677 Köln
Telefon (02 21) 6 89 53-61
Telefax (02 21) 6 90 53-30
Srichter@promotio.com
www@promotiogmbh.de

Bernhauser Straße 9
70599 Stuttgart-Plieningen
Telefon 07 11 / 45 47 28
Telefax 07 11 / 16 78 444
Gästehaus
Telefon 07 11 / 16 78 40

Auf Ihren Besuch
freut sich Familie Stoll

Klaus **Schulze**
Dipl. Ingenieur
Hauptstraße 11
73733 Esslingen

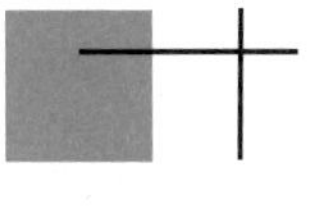

Tel/Fax: 07 11 / 5 24 74
Mobil: 01 70 / 82 72 55 13
E-Mail: KlausSchulze@aol.com

Thomas Dettinger
Kundenservice

Ernst Klett Sprachen GmbH
Rotebühlstraße 77
70178 Stuttgart

Tel 0711 · 66 72 10 10
Fax 0711 · 66 72 13 33
t.dettinger@klett.de

Kapitel 1 Grammatik

Präsens

→ S. 11, 13

ich	bin habe komme, wohne	Ich bin verheiratet. Ich habe zwei Kinder. Ich wohne in Dresden.
er/sie Herr Prado / Frau Balzer der Informatiker / die Informatikerin	ist hat kommt, wohnt	Er ist verheiratet. Frau Balzer hat zwei Kinder. Der Informatiker kommt aus Spanien.
(Herr Prado) Sie (Frau Balzer) Sie (Meine Damen und Herren) Sie (Hellen und Christian) sie	sind haben kommen wohnen	Sind Sie verheiratet? Frau Balzer, haben Sie einen Termin? Mein Damen und Herren, Sie haben Zeit. Hellen und Christian kommen aus Berlin, sie wohnen in Berlin.

Possessiv-Artikel

→ S. 11

ich – mein/meine	Ich heiße Brinkmann. Mein Vorname ist Klaus. Hier ist meine Karte. Ich heiße Balzer. Mein Vorname ist Herta. Hier ist meine Karte.
er – sein/seine	Roberto kommt aus Spanien. Prado ist sein Familienname. Hier ist seine Karte.
sie – ihr/ihre	Anna kommt aus Italien. Bellini ist ihr Familienname. Hier ist ihre Karte.
Sie – Ihr/Ihre	Sie heißen Karl? Ist das Ihr Vorname oder Ihr Familienname? Ist Ihre Kollegin auch da?

und, aber, oder, auch

→ S. 15

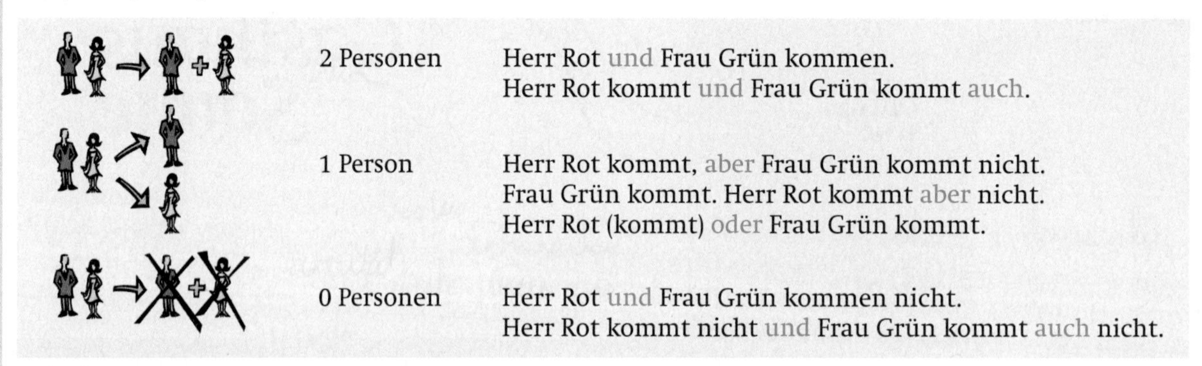

2 Personen	Herr Rot und Frau Grün kommen. Herr Rot kommt und Frau Grün kommt auch.
1 Person	Herr Rot kommt, aber Frau Grün kommt nicht. Frau Grün kommt. Herr Rot kommt aber nicht. Herr Rot (kommt) oder Frau Grün kommt.
0 Personen	Herr Rot und Frau Grün kommen nicht. Herr Rot kommt nicht und Frau Grün kommt auch nicht.

Die Zahlen von *null* bis *hundert* (0–100)

→ S. 16

0 null	1 eins	2 zwei	3 drei	4 vier	5 fünf	6 sechs	7 sieben	8 acht	9 neun
10 zehn	11 elf	12 zwölf	13 drei- zehn	14 vier- zehn	15 fünf- zehn	16 sech- zehn	17 sieb- zehn	18 acht- zehn	19 neun- zehn
		20 zwanzig	30 dreißig	40 vierzig	50 fünfzig	60 sechzig	70 siebzig	80 achtzig	90 neunzig
100 hundert									

siebenundachtzig hundertsiebzehn zweihundertvierundzwanzig

Wie lange schon? / Wie lange noch?

→ S. 19

Wie lange ist sie schon hier?	Wie lange bleibt sie noch?
Sie ist schon drei Tage hier. (= viel) Sie ist erst einen Tag hier. (= wenig)	Sie bleibt noch drei Tage. Sie bleibt noch eine Woche.

Wie war die Reise?

Herzlich willkommen!

Die Leute sind da!

Wer sind die Leute?

Kate Carlson beginnt ihr Praktikum.

Kapitel 2

Besucher kommen

Hier lernen Sie:

- Besucher begrüßen
- über Termine sprechen – speak about meetings
- Uhrzeiten nennen – name times of day
- einen Terminplan machen make an agenda

Wie war die Reise?

A Welcher Text passt zu welchem Dialog?

1 Frau Bernrath kommt pünktlich, aber ihre Fahrt war nicht angenehm. Zwischen Kassel und Frankfurt war die Autobahn sehr voll.

Das ist Dialog ________.

2 Das Flugzeug von Frau Vargas hatte schon in Budapest eine Stunde Verspätung. Der Flug war angenehm. Aber jetzt kommt sie eine halbe Stunde zu spät.

Das ist Dialog ________.

3 Frau Kloiber und ihr Kollege Herr Müller waren pünktlich um 11.00 Uhr bei Firma terraquadra. Der Zug von Frau Kloiber war voll. Aber das war nicht schlimm. Sie hatte einen Sitzplatz.

Das ist Dialog ________.

4 Der Flug von Frau Windisch war pünktlich. Aber die Reise war nicht so angenehm. Sie hat jetzt noch zwei Stunden Zeit: Ihr Termin ist erst um 16.00 Uhr. Sie kommt zu früh. Sie hat noch Zeit.

Das ist Dialog ________.

B Guten Tag! Herzlich willkommen!

1 Begrüßen Sie einen Besucher oder eine Besucherin. Benutzen Sie die Redemittel.

Guten Tag, Frau ... / Herr ... Herzlich willkommen!

▼

Guten Tag, Herr ... / Frau ... Danke! Vielen Dank!

▼

Wie war die Reise?
War Ihr Flugzeug pünktlich?
War Ihr Zug pünktlich?
War die Autobahn frei / voll?
Wie viel Verspätung hatten Sie?
Hatten Sie ...?

▼

Glücklicherweise war der Zug / das Flugzeug / die Autobahn ...
Das war gut.
Leider hatte der Zug / das Flugzeug ...
Leider war die Autobahn ... Aber das war nicht so schlimm.

▼

Ah, der Zug / das Flugzeug / die Autobahn war ...
Das freut mich!
Oh, der Zug / das Flugzeug hatte ...
Oh, die Autobahn war ...
Das tut mir leid.
Alles Gute hier in ...

die Autobahn ist frei / voll

der Zug ist pünktlich / hat Verspätung

das Flugzeug ist pünktlich / hat Verspätung

2 PARTNER A benutzt Datenblatt A 4, Seite 150. PARTNER B benutzt Datenblatt B 4, Seite 162.

Verben: *sein* und *haben*				
	jetzt / morgen		gestern	
ich	bin	habe	war	hatte
er / sie	ist	hat	war	hatte
wir	sind	haben	waren	hatten
sie / Sie	sind	haben	waren	hatten

C Guten Tag! Herzlich willkommen!

Jetzt, morgen oder gestern. Ergänzen Sie das richtige Verb.

1 Der Zug *hatte* ein wenig Verspätung. Aber ich ______ jetzt pünktlich hier. Das ______ gut. Die Reise ______ nicht angenehm. Der Zug ______ sehr voll. Aber das ______ nicht so schlimm.

2 Der Flug ______ angenehm. Aber wir ______ schon in Budapest eine Stunde Verspätung. ______ Herr Jara und Frau Bill schon im Hotel?

D Sagen und schreiben Sie das Gegenteil.

1 Das freut mich.
2 Das Flugzeug war pünktlich.
3 Die Autobahn war sehr voll.
4 Wir fahren ins Hotel.
5 Ich wohne hier erst wenige Tage.
6 Unpünktlich und viele Probleme.
7 Die Fahrt war angenehm.
8 Der Termin war gestern.

a) Die Autobahn war frei.
b) Die Fahrt war nicht angenehm.
c) Das tut mir leid.
d) Ich wohne hier schon lange.
e) Der Termin ist morgen.
f) Wir hatten Verspätung.
g) Pünktlich und alles in Ordnung.
h) Wir bleiben hier.

E Aussprache: Intonation

Hören Sie und sprechen Sie.

Computerstimme:	Das Flugzeug von Frau Vargas hatte eine Stunde Verspätung.
normal:	Das Flugzeug von Frau Vargas hatte eine Stunde Verspätung.
aufgeregt:	Das Flugzeug von Frau Vargas hatte eine Stunde Verspätung.
sehr aufgeregt:	Das Flugzeug von Frau Vargas hatte eine Stunde Verspätung.

F Dialoge

1 Ergänzen Sie und sprechen Sie.

Dialog 1

▶ Guten Tag! Wie geht es Ihnen?
▶ *Danke gut.*
▶ Wie war die Fahrt?
▶ ______
▶ Oh, das tut mir leid. War der Zug sehr voll?
▶ ______
▶ Gut, wir fahren jetzt zum Kongresszentrum.
▶ ______
▶ Nein, Herr Berger ist heute nicht da. Er kommt aber morgen.
▶ ______

Kommt Herr Berger auch?

~~Danke gut.~~

Ja, aber ich hatte eine Reservierung.

Das freut mich.

Leider hatte der Zug Verspätung.

2 Schreiben Sie ähnliche Dialoge und sprechen Sie.

Herzlich willkommen!

A Frau König und Herr Kallmann

Was sagt Frau König? Ergänzen Sie den Dialog und sprechen Sie.

Frau König: Guten Tag. Mein Name ist König. Ich habe einen Termin mit Herrn Kallmann.

Pförtner: Herr Kallmann, Frau König ist da.

Herr Kallmann: Hallo, Frau König. Willkommen in Hamburg. Wie war die Reise?

Frau König: Danke gut, aber ______

Herr Kallmann: So, Frau König, bitte nehmen Sie Platz.

Frau König: Vielen Dank. ______

Herr Kallmann: Das ist in Ordnung. Was möchten Sie? Möchten Sie Kaffee oder Tee oder Mineralwasser?

Frau König: Vielleicht ______. Geht das?

Herr Kallmann: Und das ist für Sie.

Frau König: Ah, das ist ______, nicht wahr?

Herr Kallmann: Herr Kogel, Frau König ist da. Herr Direktor Kogel kommt gleich. Er möchte Sie begrüßen.

Frau König: Oh, vielen Dank! Das ______.

B Das Programm für Frau König

1 Am Vormittag, am Nachmittag oder am Abend? Was macht Frau König wann?

Dienstag, 19. August
10.00 Ankunft
10.30 Begrüßung (Kallmann)
11.00 Führung durch den Betrieb
12.30 Mittagessen (Kantine)
13.30 Besichtigung (Produktion)
19.00 Abendessen (Hotel Excelsior)

Mittwoch, 20. August
9.00 Messebesuch
14.00 Stadtbesichtigung
19.30 Theater (Besuch der alten Dame)

Donnerstag, 21. August
11.00 Gespräch mit Vertrieb
12.00 Mittagessen (Kantine)
13.00 Präsentation
15.30 Abreise

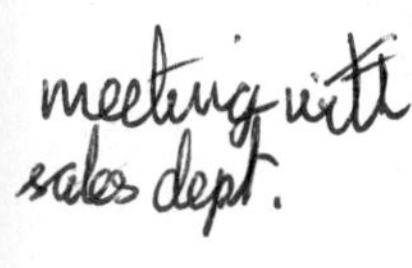

	Vormittag	Nachmittag	Abend
1 Besichtigung	☐	☐	☐
2 Theater	☐	☐	☐
3 Abreise	☐	☐	☐
4 Stadtbesichtigung	☐	☐	☐
5 Begrüßung	☐	☐	☐
6 Betriebsführung	☐	☐	☐

2 Sprechen Sie mit Frau König über Termine.

- Frau König, ein Kundengespräch … am Donnerstagvormittag, geht das?
- Ja, das geht. Ich habe von acht bis elf Uhr Zeit.

- Frau König, ein Termin mit Herrn Reimann am zweiundzwanzigsten August, geht das?
- Nein, das geht leider nicht. Meine Abreise ist am Donnerstagnachmittag um 15.30 Uhr.

- Frau König, …

Wann?			
Kalendertag: am ... -(s)ten	Wochentag: am ...	Tageszeit: am ...	Uhrzeit: um ...
am ersten – am zweiten – am dritten – am vierten – am fünften – am sechsten – am siebten – ... am zwanzigsten – am einundzwanzigsten – ...	am Montag am Dienstag am Mittwoch am Donnerstag am Freitag am Samstag am Sonntag	am Morgen am Vormittag am Mittag am Nachmittag am Abend on	um sieben Uhr dreißig um fünf Uhr zwanzig um vierzehn Uhr zehn at

C Was haben Sie wann? Was machen Sie wann?

4 Montag Juli	5 Dienstag Juli	6 Mittwoch Juli	7 Donnerstag Juli	8
Praktikum Abend: Deutschkurs	9 Uhr: Peter kommt 16 Uhr: Besprechung	11.30: Frau Keim Nachmittag: Messebesuch	8–12 Uhr: Besuch 14–16 Uhr: Besichtigung Firma Kraus	10 Prä 15

Am fünften Juli um neun Uhr kommt Peter. __________ begrüße ich Frau Keim. Am Donnerstagvormittag von __________ bis __________ habe ich __________. Am 7. Juli von 14.00 bis 16.00 Uhr __________ __________. Am Montagvormittag habe ich __________. __________ habe ich eine Besprechung. Am __________ besuche ich die Messe.

D Zurück zu Frau König

1 Wann begrüßt Herr Kallmann Frau König?
2 Wann besichtigt Frau König die Stadt?
3 Wann besucht Frau König die Messe?
4 Wann hat Frau König ein Abendessen?
5 Wann ist die Abreise von Frau König?
6 Wann hat Frau König ein Gespräch im Vertrieb?

- Am ... -ten/-sten ... von ... bis ...
- Am Montag/Mittwoch/Donnerstag ...
- Am Morgen/Vormittag/Nachmittag ...
- von ... bis ...

E Aussprache: das Datum

am 05.01. – am 15.02. – am 25.03. – am 03.04. – am 13.05. – am 23.06. – am 07.07. – am 10.08. – am 27.09. – am 02.10. – am 12.11. – am 22.12.

F

PARTNER A benutzt Datenblatt A 5, S. 150. PARTNER B benutzt Datenblatt B 5, S. 163.

G Machen Sie ein Besuchsprogramm für einen Partner / eine Partnerin.

13 Montag Juli	14 Dienstag Juli	15 Mittwoch Juli	16 Donnerstag Juli	17
9–11 Uhr: Besprechung (Dr. Keim), 14–18 Uhr: Produktion	Konstruktionsabteilung	8.00: Besichtigung Fa. Lundquist ab 13.00: frei	10–13 Uhr: Kundengespräche 13–18 Uhr: Textilia	7.3 11.0

Am Montagnachmittag kommen die Damen und Herren von Firma DentyPly. Ist das so in Ordnung?

Ja, das geht (von zwölf bis vierzehn Uhr).

Nein, das geht leider nicht. (Von vierzehn bis achtzehn Uhr arbeite ich in der Produktion.)

Die Leute sind da!

1 Führung

2 Firmenbesichtigung

3 Messestand

4 Ausstellung

5 Cocktail-Party

A Die Leute

1 Was glauben Sie? Sind die Leute Kunden, Seminarteilnehmer, Interessenten, Touristen, Gäste, Besucher oder Mitarbeiter?

Messestand: Besucher, und Interessenten

Ausstellung: Besucher, Interessenten

Firmenbesichtigung: Mitarbeiter und Gäste

Führung: Touristen

Cocktailparty: Gäste

2 Fragen Sie die Leute.

Was möchten / machen Sie hier?

Ich möchte Kontakte / Informationen / eine Führung.
Ich suche Kontakte / Informationen / Gespräche.
Ich möchte eine Ausstellung besuchen / Verhandlungen führen.
Ich möchte einkaufen / essen und trinken.

B Die Leute sind ...

1 Hören Sie.

Dialog 1	Dialog 2	Dialog 3	Dialog 4	Dialog 5
Besucher,				
Interessenten				

2 Was bekommen die Leute? Hören Sie noch einmal.

- [1] eine Führung
- [2] Prospekte
- [4] Informationsmaterial
- [5] Seminarunterlagen
- [2] Essen und Trinken

3 Was sagen die Leute?

gut	In Ordnung	Leider …
[2] Super!	[4] Okay.	[1] haben wir etwas Verspätung.
[4] Wunderbar!	[1] Das macht nichts.	[5] ist Herr Ballauf nicht dabei.
[5] Herzlich willkommen!	[3] Das ist nicht schlimm.	[2] fehlt Frau Haras.
[3] Das freut mich!	[5] Ja, natürlich.	[4] hat Frau Kallina nur 30 Minuten Zeit.
[1] Prima!	[2] Kein Problem.	[3] kommen zwei Herren erst um 9.00 Uhr.

4 Was gibt es auf Deutsch und/oder auf Englisch und/oder auf …?

Sprache	Was?
1 Deutsch oder Englisch	a) die Prospekte
2 Holländisch	b) die Seminarunterlagen
3 Englisch und Deutsch	c) die Führung
4 Englisch und Französisch	d) das Informationsmaterial
5 Griechisch	e) die Begrüßung

C Aussprache: lange Vokale sehr lang, kurze Vokale sehr kurz.

Das Land heißt Spanien. — Die Sprache heißt Spanisch.
Das Land heißt England. — Die Sprache heißt Englisch.
Das Land heißt Frankreich. — Die Sprache heißt Französisch.
Das Land heißt Italien. — Die Sprache heißt Italienisch.
Das Land heißt Griechenland. — Die Sprache heißt Griechisch.
Das Land heißt Deutschland. — Die Sprache heißt Deutsch.

der Artikel, das Geschlecht

der/ein	die/eine	das/ein	die/–
der/ein Ausweis	die/eine Karte	das/ein Bild	die/– Ausweise, Karten, Bilder
der/ein Flug	die/eine Autobahn	das/ein Hotel	die/– Flüge, Autobahnen, Hotels
der/ein Besuch	die/eine Führung	das/ein Seminar	die/– Besuche, Führungen, Seminare

D Machen Sie fünf Beispiele. Sprechen Sie so:

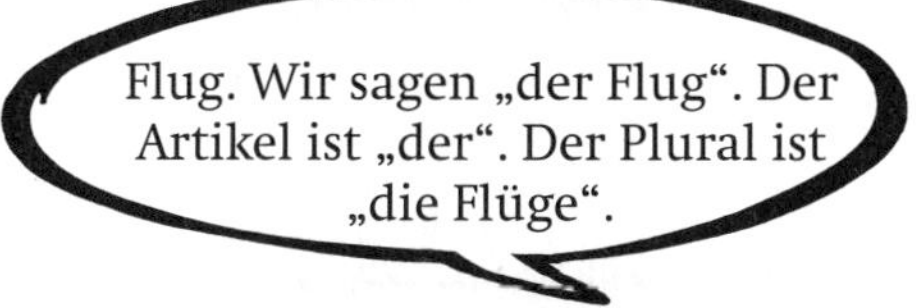

Der Flug war angenehm.

> **TIPP**
> **Nomen lernen Sie so:**
> Artikel + Nomen + Plural + Kontext

E Üben Sie ähnliche Dialoge.

Meine Damen und Herren, die Führung beginnt.
▼
Prima!
▼
Wir haben leider zwanzig Minuten Verspätung.
▼
Das ist nicht schlimm.
▼
Hier ist das Informationsmaterial.
▼
Gibt es das Informationsmaterial auch auf Italienisch?
▼
Ja, natürlich. Die Führung dauert zwei Stunden.
▼
Ich habe aber nur eine Stunde Zeit.

Wer sind die Leute?

A Frau Weinberger – Frau Bellini

1 Ergänzen Sie.

Dialog 1

▷ Frau Weinberger, wie lange arbeiten Sie schon bei der Firma Nova?

▶ In Zürich 6 Jahre. Jetzt arbeite ich in Winterthur.
In Winterthur bin ich schon 4 Jahre.

▷ Aber immer bei der Firma Nova, nicht wahr?

▶ Ja. Also insgesamt 10 Jahre.

Dialog 2

▷ Frau Bellini, wie lange studieren Sie schon in Augsburg?

▶ Schon 3 Jahre.

▷ Und wie lange bleiben Sie noch in Deutschland?

▶ Noch 8 monate.

Wer?	Wo?	Wie lange?
Weinberger	in Zürich in Winterthur bei Firma Nova	6 Jahre 4 Jahre 10 Jahre
Bellini	in Augsburg in Deutschland	3 Jahre 8 Monate

2 Fragen Sie einige Kollegen. Machen Sie Notizen. Berichten Sie.

▷ Herr/Frau ..., wie lange arbeiten/studieren/wohnen Sie schon in/bei ...? ▶ Schon ...

▷ Und wie lange ... noch? ▶ Noch ... Also insgesamt ...

B Sechs kurze Dialoge

1 Welches Bild passt zu welchem Dialog?

1 

2 

3 

4 

5 

6 

Bild 1: Dialog 3 Bild 2: 6 Bild 3: 5

Bild 4: 2 Bild 5: 1 Bild 6: 4

2 Wer sind die Leute? Was machen sie? Wann/Wie lange machen sie das? Wo machen sie das?

Dialog	Wer?	Was?	Wann?	Wie lange?	Wo?
1	Frau Weinberger	~~In Zürich~~ arbeit	--------	10 Jahre	Zurich und Winter.
2	Frau Bellini	Informatik	--------	8 monate.	Augsburg
3	Herr Viren	Ein Seminar	9.30	--------	Raum 6
4	Herr Karbun	Reparatur	--------	3 tage	--------
5	Herr ~~Valtner~~		um 21.05 Uhr	--------	--------
6	Valdner → Herr Prado	Urlaub	im September	3 wochen	--------

Wann? Wie lange?	
Wann?	**Wie lange?**
im September heute um einundzwanzig Uhr fünf am Sonntag	vierzehn Jahre drei Nächte von Mai bis August von neun Uhr dreißig bis zwölf Uhr

C Ordnen Sie zu.

1 Wie lange brauchen Sie das Zimmer?
2 Ich arbeite bei der Firma Physmat.
3 Im September habe ich vier Wochen Urlaub.
4 Mein Praktikum beginnt am ersten Mai.
5 Wann ist Ihr Flug?
6 Wie lange dauert das Seminar heute Nachmittag?

a) Und wie lange schon?
b) Und wann ist es zu Ende?
c) Drei Nächte.
d) Um 16.30 Uhr ist es zu Ende.
e) Was? So lange?
f) In zehn Minuten.

D Aussprache: *-zehn / -ig*

1 Was hören Sie? Kreuzen Sie an.

☒ 14	☐ 19	☐ 16	☒ 15	☐ 13	☒ 80	☐ 90	☒ 70
☐ 40	☒ 90	☒ 60	☐ 50	☒ 30	☐ 18	☒ 19	☐ 17

2 Hören Sie und sprechen Sie.

TIPP

schreiben	**sprechen**
7.30 Uhr	sieben Uhr dreißig
7,30 €	sieben Euro dreißig
7,30 m	sieben Meter dreißig

E Wie lange dauert das Seminar?

1 Schreiben Sie.

1 das Seminar: 9.00 – 12.30 Uhr *Das Seminar dauert von neun bis zwölf Uhr dreißig.*
2 die Besprechung: 13.00 – 14.15 Uhr ______________________.
3 der Flug: 8.05 – 11.20 Uhr ______________________.

2 PARTNER A benutzt Datenblatt A6, S. 151. PARTNER B benutzt Datenblatt B6, S. 163.

F Morgen gibt es eine Besprechung. Lesen Sie den Dialog.

Hallo, Frau Lagos! Morgen gibt es eine Besprechung.

Um wie viel Uhr ist die Besprechung?

Um acht Uhr dreißig.

Tut mir leid. Das geht nicht. Um 8.30 Uhr habe ich eine Präsentation.

Und wie lange dauert die Besprechung?

Von 8.30 Uhr bis 10.30 Uhr, also zwei Stunden.

So lange? Das geht nicht. Tut mir leid.

Also gut. Morgen von 8.30 bis 10.30 Uhr Besprechung.

G Spielen Sie ähnliche Dialoge.

Dialog	Was gibt es?	Wann?	Was haben Sie?	Wie lange dauert das?
1	einen Kundenbesuch	um 13.45 Uhr	eine Präsentation	von 13.45 – 14.30 Uhr, 45 Min.
2	eine Besichtigung	um 16.20 Uhr	ein Kundengespräch	von 16.20 – 17.00 Uhr, 40 Min.
3	eine Cocktail-Party	um 17.00 Uhr	keine Zeit	von 17.00 – 18.00 Uhr, 1 Std.

Kate Carlson beginnt ihr Praktikum

1. Woche: 2. bis 6. Juni
Serviceabteilung:
Anfragen, Aufträge / Bestellungen, Reklamationen

2. Woche: 9. bis 13. Juni
Vertrieb

3. Woche: 16. bis 20. Juni
Labor: Testen, Qualitätssicherung

4. Woche: 23. bis 27. Juni
Konstruktion: planen, zeichnen

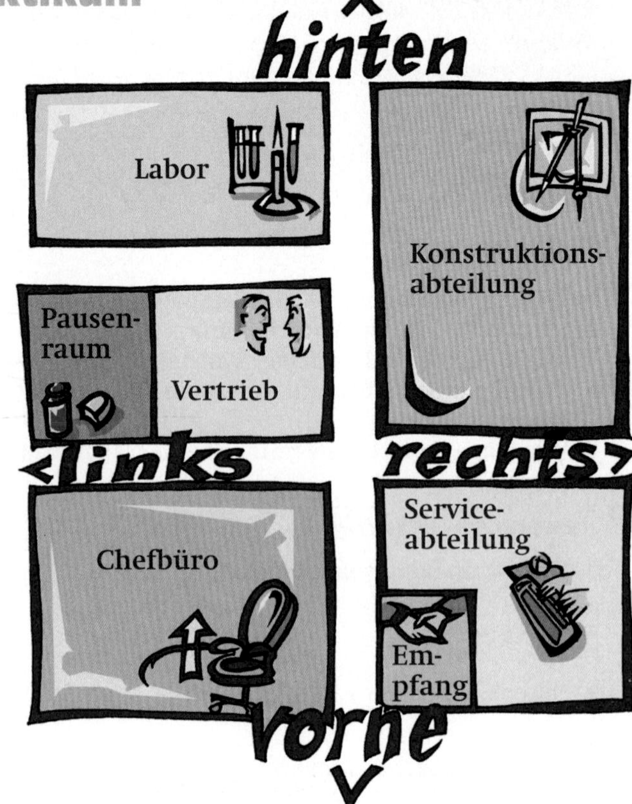

A Der Praktikumsplan von Kate Carlson

1 Wo macht Frau Carlson ihr Praktikum?
2 Wo sind die Abteilungen und Räume auf dem Plan rechts?

In Woche 1/2/3/4 ist sie	in der ... im ...	
Der / Die / Das ... ist	hinten vorn(-e)	rechts. links.

B Frau Carlson, bitte nehmen Sie Platz.

1 Was hören Sie? Kreuzen Sie an.

1 Bitte nehmen Sie Platz.
- ☐ Hier sehen Sie den Plan.
- ☐ Bitte lesen Sie jetzt den Plan.
- ☒ Das ist Ihr Plan, sehen Sie?

2 Ich habe eine kurze Besprechung.
- ☐ Die Besprechung dauert lange.
- ☐ Die dauert eine Stunde.
- ☒ Das dauert nicht lange.

3 So, hier bin ich wieder.
- ☐ Die Büros sind dahinten rechts.
- ☒ Also, hier vorne rechts sind zwei Büros.
- ☐ Vorne links sind zwei Büros.

4 Aber Herr Roden hat jetzt keine Zeit.
- ☒ Er hat Besuch. – He is in the know
- ☐ Er weiß Bescheid. -
- ☐ Er ist nicht da.

5 Ich habe Ihren Plan.
- ☐ Ich weiß nicht Bescheid. I don't know
- ☒ Ich weiß also Bescheid.
- ☐ Ich sage Bescheid. – I'll tell them

6 Frau Kern, haben Sie einen Moment Zeit?
- ☐ Wir besichtigen jetzt die Konstruktion.
- ☐ Jetzt besichtigen wir die Konstruktion.
- ☒ Also, wir besichtigen die Konstruktion.

7 Ganz kurz, Frau Kern. very briefly
- ☐ Wir haben noch viel Zeit.
- ☐ Wir haben keine Zeit.
- ☒ Wir haben nicht viel Zeit.

2 Eine Partnerin oder ein Partner möchte die Firma sehen. Nehmen Sie die Zeichnung und zeigen Sie die Firma. Was ist wo?

C Der neue Plan

1 Wann bekommt Frau Carlson die Nachricht? In Woche 1, 2, 3 oder 4?
Was steht im Praktikumsplan, was steht im Brief?

Liebe Frau Carlson,
in der nächsten Woche sind Sie nicht bei Frau Galb im Vertrieb. Frau Galb ist von Montag bis Mittwoch bei einem Kunden. Sie bleiben also am Montag bei Herrn Lex. Sie bearbeiten bei Herrn Lex Anfragen und Aufträge. Am Dienstag von 9 bis 12 Uhr haben Sie eine Präsentation in der Produktion und am Nachmittag sind Sie im Labor. Am Mittwoch auch. Im Labor macht Frau Feinbauer am Dienstag und am Mittwoch Materialanalysen. Am Donnerstag beginnt Ihr Programm bei Frau Galb (Prospekte auf Englisch korrigieren!). Bitte entschuldigen

correct

2 Wann? Wie lange? Wo? Was? Sprechen Sie.

Montag	bei Herrn Lex	Anfragen und Aufträge bearbeiten
Dienstag von 9 – 12 Uhr	in der Produktion	Präsentation
am Nachmittag	im Labor	Materialanalysen
Mittwoch	im Labor	Materialanalysen
Donnerstag	bei Frau Galb	Prospekte auf Englisch korrigieren

D Aussprache: Konsonanten

jetzt – links – Besprechungszimmer – Ansichtskarte – rechts – Aufträge – Praktikumsplan – Text – fünfzehn – Informationsmaterial – Deutschland

E Was ist wann wo?

1 Die Nachricht an Frau Carlson: Schreiben Sie.

Position 1	Verb (konjugiert)	
In der nächsten Woche	*sind*	Sie nicht bei Frau Galb.
		von Montag bis Mittwoch bei einem Kunden.
Am Montag		Sie bei Herrn Lex.
		Sie eine Präsentation.
Am Mittwoch	sind	Sie im Labor.
Im Labor	macht	Frau Feinbauer Materialanalysen.
Am Donnerstag	beginnt	Ihr Programm bei Frau Galb.

2 Was macht Frau Carlson wann wo? Sprechen Sie.

F Ihr Plan

1 Schreiben Sie einen Praktikumsplan.

Praktikumsplan für ______________
1. Woche: ______________
2. Woche: ______________
3. Woche: ______________

2 Zeichnen Sie einen Gebäudeplan.

3 Sprechen Sie mit einem Partner über den Praktikumsplan und über den Gebäudeplan.

Das Seminarzentrum

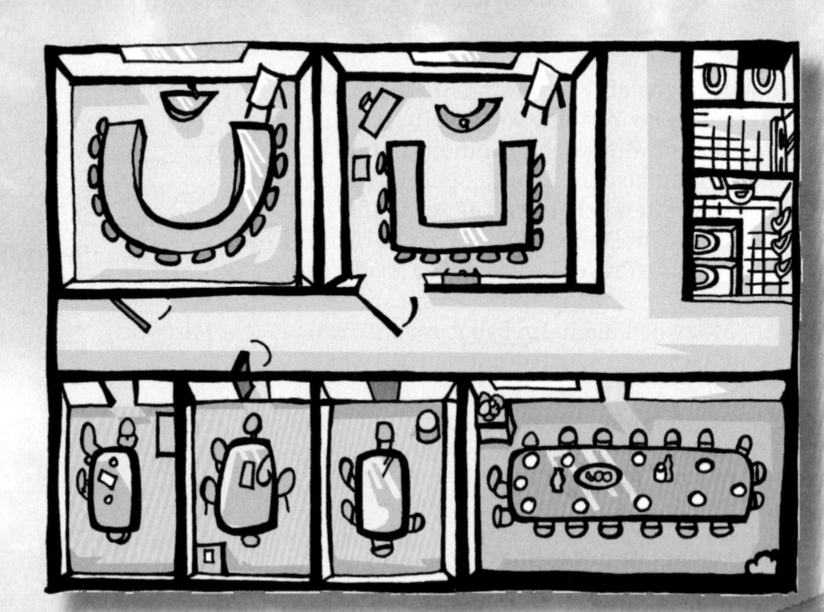

Das Seminarzentrum

1 Was ist ein Seminar?
2 Was ist wo:
   - Seminarräume?
   - Gruppenräume?
   - Aufenthaltsräume?
   - Toiletten?
3 Was machen die Leute auf den Bildern?

Service am Bahnhof

Service am Bahnhof

1 Was gibt es in den Bahnhöfen:
- Berlin Ostbahnhof?
- Berlin Zoo?
- Berlin-Spandau?
- Braunschweig Hauptbahnhof?

2 Was gibt es da nicht?

Bahn & Auto Mietwagen

Hier können Sie auf einen Mietwagen von AVIS, Europcar, Hertz oder Sixt umsteigen. Für den Bahn & Auto-Mietwagen-Service im Reisezentrum benötigen Sie eine Reservierung. Andernfalls leiten die DB-Mitarbeiter Ihren Mietwunsch bei Eintreffen am Zielbahnhof während der Öffnungszeiten direkt an die örtlichen Autovermiet-Partner weiter. Daraufhin wird Ihr Fahrzeug am Bahnhof bereitgestellt.

Bahnhofsmission

Die Bahnhofsmission unterstützt Reisende beim Ein- und Aussteigen und leistet Umsteigehilfen. Sie bietet Rat und Informationen in Notsituationen und vermittelt Fachstellen für weitergehende Hilfen.

BGS – Bahnpolizei im Bahnhof

Wir sind rund um die Uhr für Sie erreichbar. BGS-Hotline 01805-234566 (12 ct/Min.). Wegschauen hilft nur dem Täter.

FundService

Wenn Sie im Zug oder Bahnhof etwas verloren haben, wenden Sie sich bitte an unsere Mitarbeiter oder an die FundService-Hotline 01805-990599 (12 ct/Min.).

Gepäckträger-Service

Gepäckträger tragen gerne Ihr Gepäck für EUR 2,50 (die ersten beiden Gepäckstücke), EUR 1,20 für jedes weitere. Mit oder ohne Vorbestellung.

Rauchfreier Bahnhof

Zur Verbesserung der Sauberkeit und aus Rücksichtnahme auf Nichtraucher ist das Rauchen auf diesem Bahnhof nicht gestattet. Bitte benutzen Sie die gekennzeichneten Raucherbereiche.

DB Lounge

Aufenthaltsbereich mit Rezeption (Informationen, Betreuung), Laptop-Arbeitsplätzen, Internetzugang, Inklusiv-Getränken und Besprechungsräumen (Frankfurt/M. HBf, Leipzig). Zugang kostenlos für Reisende mit DB-Fernverkehrsfahrscheinen 1. Klasse sowie bahn.comfort-Kunden (1 Begleitperson frei). Weitere Begleitpersonen 10 EUR.

ServicePoint

Zentrale Anlaufstelle mitten im Bahnhof mit Informationen rund um die Reise (z.B. Fahrplan-Informationen) sowie Treffpunkt für Reisende.

Fahrradservice

Mietfahrräder (Preise zwischen EUR 3,00 und 12,70 pro Tag) und andere Services für Radfahrer direkt am Bahnhof oder in unmittelbarer Nähe.

Call a Bike

Hier stehen im Stadtgebiet – und auch an Bahnhöfen – silber-rote Räder zur sofortigen Nutzung bereit. Sie rufen die Nummer auf dem Fahrradschloss an, nennen Ihre Kundennummer und schon erhalten Sie den Öffnungscode und können losfahren. Mehr Infos unter 07000-5225522 (12,4 ct/min: Montag bis Freitag von 9–18 Uhr im 30/30-Takt, 6,2 ct/min: Montag bis Freitag von 18–9 Uhr, Samstag, Sonntag und Feiertag im 60/60-Takt) oder unter www.callabike.de.

Bahn & Auto DB Carsharing

Hier können Sie DB-Carsharing nutzen. Unter 01801-282828 (Ortstarif) bzw. unter www.dbcarsharing.de können Sie sich jederzeit anmelden und nach Erhalt der Unterlagen ein Fahrzeug nach Wunsch buchen. Am Bahnhof steht Ihr Fahrzeug bereit. Sie öffnen das Fahrzeug mit Ihrer persönlichen Kundenkarte und können sofort losfahren.

Kapitel 2 Grammatik

Präsens/Präteritum: *sein* und *haben*

→ S. 25

13 Montag Juli	gestern	ich er/sie wir sie/Sie	war war waren waren	hatte hatte hatten hatten	Gestern hatte ich viel Arbeit. Heute Morgen war die Autobahn voll. Um 11 Uhr hatte ich einen Termin.
14 Dienstag Juli	heute Morgen				
	Heute ist Dienstag, der 14. Juli. Es ist jetzt 12 Uhr.				
	heute Nachmittag	ich er/sie wir sie/Sie	bin ist sind sind	habe hat haben haben	Es ist jetzt 12 Uhr. Heute Nachmittag ist eine Präsentation. Morgen habe ich ein Kundengespräch.
15 Mittwoch Juli	morgen				

Wann?

→ S. 27

Kalendertag: am ... -(s)ten	Wochentag: am ...	Tageszeit: am ...	Uhrzeit: um ...
am ersten – am zweiten – am dritten – am vierten – am fünften – am sechsten – am siebten – am achten – am neunten – am zehnten – ... am zwanzigsten – am einundzwanzigsten – ...	am Montag am Dienstag am Mittwoch am Donnerstag am Freitag am Samstag am Sonntag	am Morgen am Vormittag am Mittag am Nachmittag am Abend am Montagmorgen am Dienstagmittag ...	um sieben Uhr zehn um fünf Uhr zwanzig um siebzehn Uhr dreißig

Wann? Wie lange?

→ S. 31

Wann?	Wie lange?
im September heute gestern Nachmittag um einundzwanzig Uhr fünf am Sonntag	einen Tag vierzehn Jahre drei Nächte von Mai bis August von neun Uhr dreißig bis zwölf Uhr

Nomen und Artikel

→ S. 29

Sg	der/ein die/eine das/ein	Mitarbeiter, Ausweis, Flug Mitarbeiterin, Stunde, Karte Bild, Hotel, Seminar	Wie lernt man ein Nomen? Lernen Sie:
Pl	die/ –	Mitarbeiter, Ausweise, Flüge Mitarbeiterinnen, Stunden, Karten Bilder, Hotels, Seminare	1. den Artikel: *das* 2. das Nomen: *das Bild* 3. den Plural: *die Bilder* 4. einen Kontext: *Sind das Ihre Bilder?*

Satzbau: Aussagesatz

→ S. 33

Positon 1	Verb (konjugiert)	
Frau Klaiber	begrüßt	am Montag die Gäste auf Französisch.
Am Montag	begrüßt	Frau Klaiber die Gäste auf Französisch.
Die Gäste	begrüßt	Frau Klaiber am Montag auf Französisch.
Auf Französisch	begrüßt	Frau Klaiber die Gäste am Montag.

Meine Familie
Auf einem Seminar
Eine Verabredung
Freizeit und Hobbys
An der Pforte

Kapitel 3

Leute

Hier lernen Sie:

- über Personen und die Familie sprechen
- E-Mails lesen und einen Termin machen
- über die Freizeit sprechen
- ein Formular ausfüllen
- *du* oder *Sie* verwenden

Meine Familie

A Ein Familienfoto

1 Was sehen Sie? Wie viele Personen hat die Familie?

2 Zwei Bewerbungsgespräche

1 Bewerbungsgespräch 1: Frau ____________
2 Bewerbungsgespräch 2: Frau ____________
3 Wer ist das auf dem Bild rechts? Ist das die Familie von Frau Maier oder die Familie von Frau Müller?
4 Ist Frau Maier verheiratet oder geschieden?

B Die Familie von Frau Maier und Frau Müller.

1 Antworten Sie bitte.

1 Was sind Frau Maier und Frau Müller von Beruf: Technische Zeichnerin oder Sekretärin?
2 Arbeiten Frau Maier und Frau Müller gern?
3 Wie heißen ihre Kinder?
4 Wie alt sind die Kinder?
5 Hat Frau Maier Geschwister?
6 Ist der Bruder von Frau Müller verheiratet?

2 Ergänzen Sie.

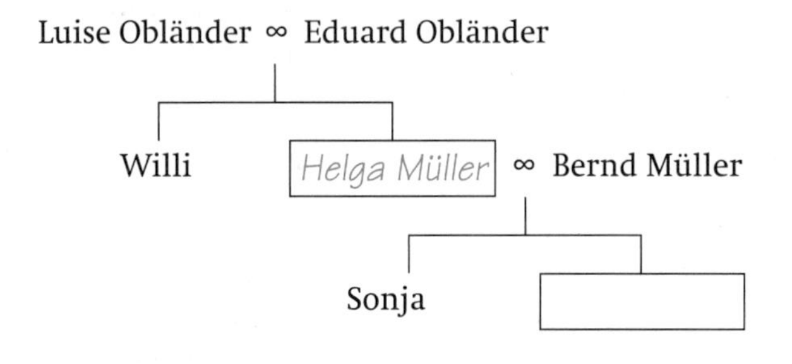

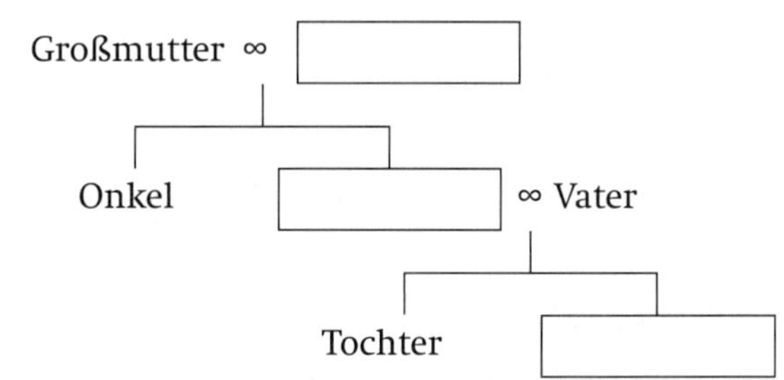

C Frau Pleisteiner, die Personalleiterin, erzählt. Lesen Sie und ergänzen Sie.

Ich bin verheiratet und habe zwei Kinder. Mein Mann und ich, wir wohnen in Frankfurt. Ich habe auch schon eine Enkelin. Meine Tochter, mein Schwiegersohn und meine Enkelin wohnen auch in Frankfurt. Mein Sohn ist nicht verheiratet. Er studiert noch in Berlin. Da wohnen auch die Eltern von meinem Mann, meine Schwiegereltern. Mein Vater wohnt bei meinem Bruder in Bonn. Leider habe ich keine Mutter mehr.

die Großmutter	der Großvater	die Großeltern
die Mutter		
	der Sohn	die Kinder
die Schwester		die Geschwister
	der Enkel	die Enkel
die Schwiegermutter	der Schwiegervater	
die Schwiegertochter		

D Fragen und Antworten. Ordnen Sie zu.

1 Haben Sie noch Großeltern?
2 Wie viele Kinder haben Sie?
3 Sind Sie verheiratet?
4 Wie alt ist Ihre Tochter?
5 Hat Ihr Bruder Kinder?
6 Wie heißt Ihr Mann?
7 Ist Ihre Familie groß?
8 Wie ist Ihr Familienstand?
9 Haben Sie Enkel?
10 Haben Sie einen Schwiegervater?

a) Mein Mann heißt Tilmann Fender.
b) Ich habe zwei Söhne.
c) Meine Familie ist nicht groß, nur drei Personen.
d) Nein, er hat keine Kinder.
e) Nein, ich bin geschieden.
f) Ich bin ledig.
g) Nein, ich habe keinen Schwiegervater.
h) Ja, ich habe noch zwei Großmütter.
i) Sie ist 12.
j) Ja, eine Enkelin. Sie ist schon fünf Jahre alt.

Die Negation		
Negation mit *nicht*	Ich bin verheiratet.	Ich bin nicht verheiratet.
Negation mit *kein*	Wir haben einen Sohn. Sie hat eine Tochter. Er hat ein Kind. Sie haben Kinder.	Wir haben keinen Sohn. Sie hat keine Tochter. Er hat kein Kind. Sie haben keine Kinder.

if the negative is before noun use keine.
all other cases use nicht

E Aussprache: Vokale

Markieren Sie die langen Vokale!

der Vater	die Tochter	der Sohn
der Großvater	die Schwiegertochter	der Schwiegersohn
die Mutter	die Geschwister	der Schwager
die Großmutter	die Schwester	die Schwägerin

F Sprechen Sie mit einem Kursteilnehmer über Familie Müller.

Benutzen Sie das Schaubild in Aufgabe B 2.

Wie heißt der Bruder von Sonja?

Der Bruder von Sonja heißt Erik.

G PARTNER A benutzt Datenblatt A7, S. 151. PARTNER B benutzt Datenblatt B7, S. 164.

H Meine Familie.

1 Fragen Sie eine Kollegin oder einen Kollegen und machen Sie Notizen.

Familienstand	Sind Sie ...? Wie ist Ihr ...?
Familiengröße	Wie groß ...? Wie viele Personen hat ...?
Eltern, Großeltern, Kinder	Haben Sie noch ...? Wie alt ist / sind ...? Wo lebt / leben ...?
Geschwister, Tanten, Onkel	Haben Sie ...? Wie viele ...? Haben Sie einen Bruder/eine ... Wie alt ...? Wo ...?

2 Berichten Sie in der Klasse.

3 Nehmen Sie ein Familienfoto und sprechen Sie.

Auf einem Seminar

A Die Gruppe Allianz

1 Was machen die Leute? Wo sind sie?

2 Welche Person ist das?

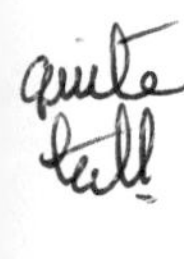

Nummer 3
Die Dame hinten links ist ziemlich groß. Ihr Rock ist grün. Sie trinkt Tee und liest Zeitung.

Nummer 7
Der Herr hinten rechts trinkt Bier. Sein Hemd ist schwarz. Er ist schlank.
'slim

Nummer 4
Der Herr in der Mitte links telefoniert. Sein Anzug ist braun. Er ist sehr groß.

3 Beschreiben Sie die Personen. Benutzen Sie diese Sätze.

- Er / Sie ist klein / groß / dick / schlank / jung / alt.
- Er / Sie ist nett / lustig / interessant / langweilig.
- Sein / Ihr Pullover / Jackett / Anzug / Hemd / Rock ist schwarz / blau / grün / grau / weiß / gelb.
- Seine / Ihre Hose / Jacke / Bluse / Brille / Krawatte ist schwarz / rot / gelb / braun / blau / grau.

- Er / Sie steht / sitzt.
- Ein Herr / Eine Dame telefoniert / macht Notizen / spricht.
- Sie essen nichts.
- Er/Sie trinkt Kaffee / Tee / Wasser / Saft / Bier / etwas.

Beispiel:
Der Herr vorne trinkt Weißwein. Er ist ziemlich alt. Sein Jackett ist grau.

Verben mit Vokaländerung: e → i(e)				
ich	sehe	spreche	lese	esse
er / sie	sieht	spricht	liest	
wir	sehen	sprechen	lesen	essen
sie / Sie	sieht	sprechen	liest	essen

B Wer ist wer?

1 Bitte antworten Sie.

1 Wer spricht? Wo sind die zwei Leute?
2 Kennt der Herr die Dame?
3 Wie lange hatte ihr Zug Verspätung?
4 Wie findet der Mann Herrn Prado?
5 Woher kommt Herr Prado?
6 Woher kommt Herr de Boor?
7 Wie viele Frauen sind im Seminar?
8 Wie findet die Dame Frau Postleitner?
9 Woher kommt Herr Brinkmann?
10 Wie findet der Mann Herrn Weinberger?

2 Sprechen und schreiben Sie.

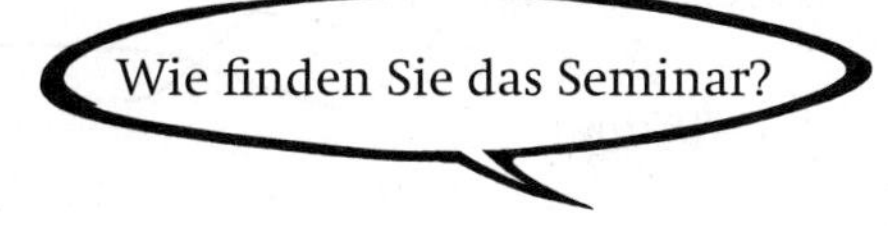

Lehrerin
Buch Hotel
Trainer
Unterricht
~~Seminar~~

1 *Ich finde das Seminar interessant.*
2 ______
3 ______
4 ______
5 ______

langweilig
gut
schlecht nett
~~interessant~~
unfreundlich

C Aussprache: *e – i(e)*

1 Was ist lang? Markieren Sie.

ich lese – sie liest ich esse – er isst ich spreche – sie spricht ich sehe – er sieht

2 Wo sind *i* und *e* kurz? Markieren Sie?

☐ sehr ☐ ihr ☐ er ☐ ist ☐ sie
☒ dick ☐ nicht ☐ sieht ☐ Herr ☐ nett

D In der Hotelbar

1 Sprechen Sie über die Leute.

Beispiel:
▶ Wer sitzt hinten links?
▶ Da sitzt Frau Postleitner.
▶ Was macht sie?
▶ Sie liest Zeitung und trinkt Tee.
▶ Wie ist ihre Jacke?
▶ Sie hat keine Jacke.

- Wo sitzt/steht Herr/Frau …?
- Wer ist die Dame vorn links?
- Wie heißt Nummer …?
- Wie finden Sie …?

2 Schreiben Sie.

Frau Postleitner sitzt hinten links. Sie …

E Familiennamen in Deutschland. Lesen Sie und spielen Sie die Situation.

▶ Guten Tag, Frau Waldner. Mein Name ist de Boor.
▶ Guten Tag. Freut mich. Aber ich heiße nicht Waldner. Mein Name ist Röder, Hellen Röder.
▶ Oh, Entschuldigung. Herr Prado sagt, Sie sind verheiratet.
▶ Ja, ja, das stimmt auch! Herr Waldner ist mein Mann! Aber unsere Familiennamen sind verschieden. Das geht in Deutschland.
▶ Ach so!

Tipp

So viele Möglichkeiten!

Frau Müller	Herr Lutz
Familienname:	Familienname:
Lutz	Lutz
Müller	Müller
Müller	Lutz-Müller
Müller-Lutz	Lutz
Müller	Lutz

F Gehen Sie im Klassenraum umher. Beschreiben Sie zu zweit andere Kursteilnehmer.

Eine Verabredung

A Eine E-Mail

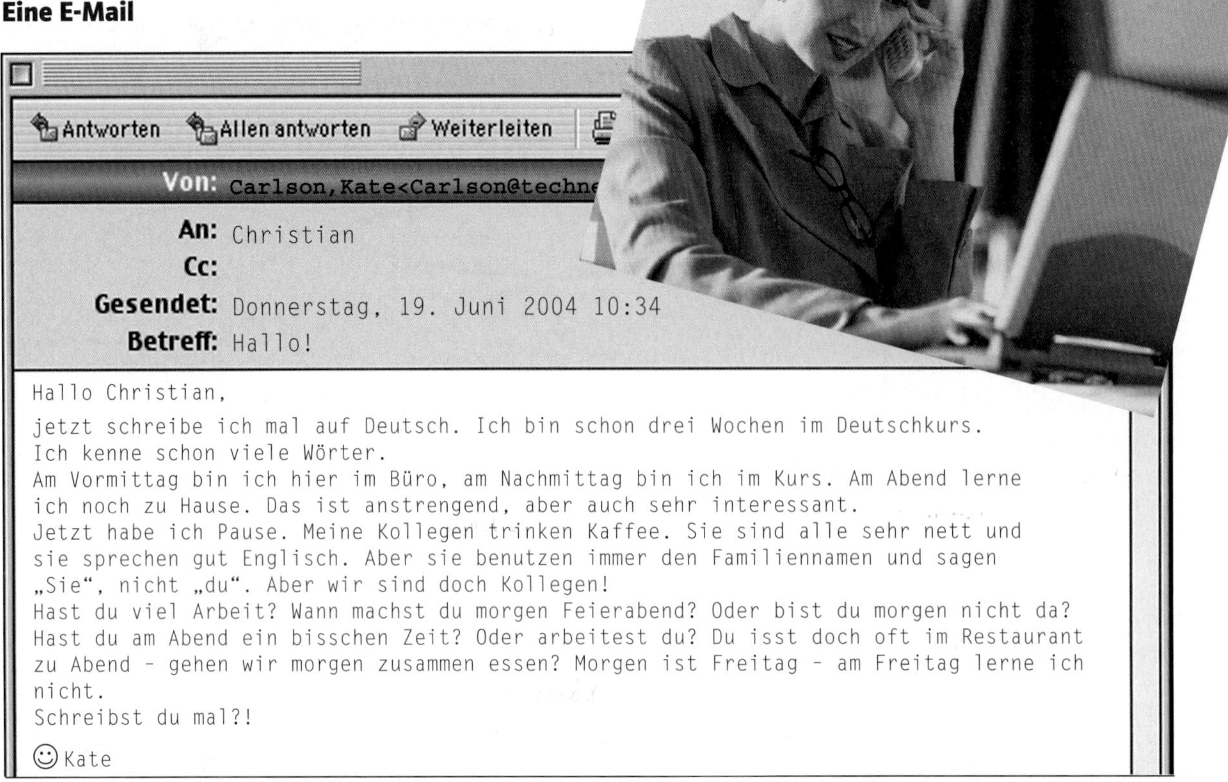

Antworten Allen antworten Weiterleiten

Von: Carlson, Kate<Carlson@techn
An: Christian
Cc:
Gesendet: Donnerstag, 19. Juni 2004 10:34
Betreff: Hallo!

Hallo Christian,
jetzt schreibe ich mal auf Deutsch. Ich bin schon drei Wochen im Deutschkurs.
Ich kenne schon viele Wörter.
Am Vormittag bin ich hier im Büro, am Nachmittag bin ich im Kurs. Am Abend lerne ich noch zu Hause. Das ist anstrengend, aber auch sehr interessant.
Jetzt habe ich Pause. Meine Kollegen trinken Kaffee. Sie sind alle sehr nett und sie sprechen gut Englisch. Aber sie benutzen immer den Familiennamen und sagen „Sie", nicht „du". Aber wir sind doch Kollegen!
Hast du viel Arbeit? Wann machst du morgen Feierabend? Oder bist du morgen nicht da? Hast du am Abend ein bisschen Zeit? Oder arbeitest du? Du isst doch oft im Restaurant zu Abend – gehen wir morgen zusammen essen? Morgen ist Freitag – am Freitag lerne ich nicht.
Schreibst du mal?!
☺ Kate

1 Lesen Sie schnell und antworten Sie.

1 Ist diese E-Mail dienstlich oder privat?
2 Was lernt Kate: Englisch oder Deutsch?
3 Was möchte sie: Mit Christian essen oder mit Christian lernen?

2 Was antwortet Christian Bühler? Passt Antwort 1 oder Antwort 2?

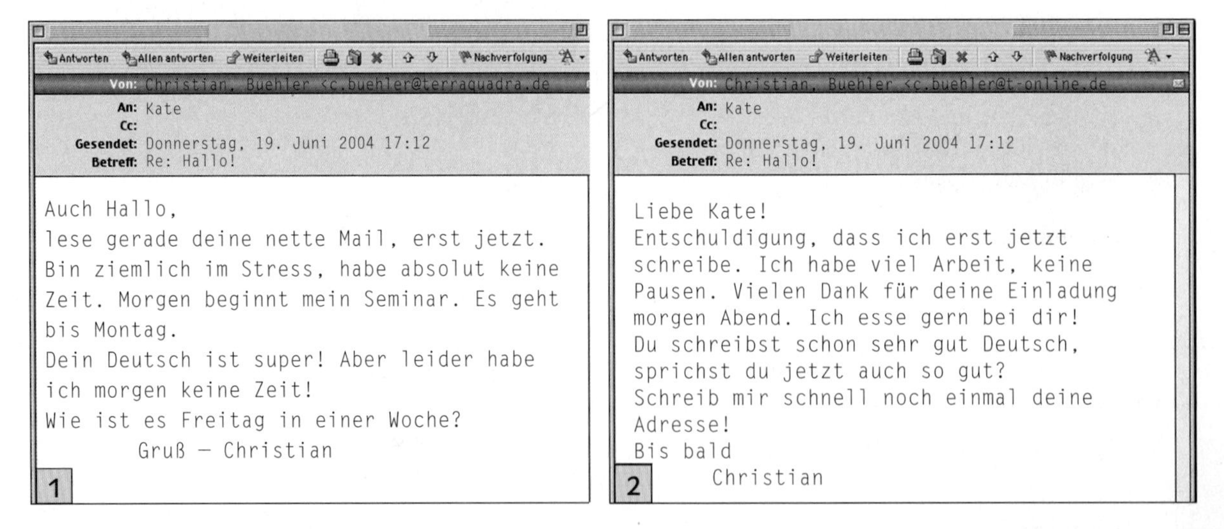

Von: Christian Buehler <c.buehler@terraquadra.de>
An: Kate
Cc:
Gesendet: Donnerstag, 19. Juni 2004 17:12
Betreff: Re: Hallo!

Auch Hallo,
lese gerade deine nette Mail, erst jetzt.
Bin ziemlich im Stress, habe absolut keine Zeit. Morgen beginnt mein Seminar. Es geht bis Montag.
Dein Deutsch ist super! Aber leider habe ich morgen keine Zeit!
Wie ist es Freitag in einer Woche?
Gruß – Christian

1

Von: Christian Buehler <c.buehler@t-online.de>
An: Kate
Cc:
Gesendet: Donnerstag, 19. Juni 2004 17:12
Betreff: Re: Hallo!

Liebe Kate!
Entschuldigung, dass ich erst jetzt schreibe. Ich habe viel Arbeit, keine Pausen. Vielen Dank für deine Einladung morgen Abend. Ich esse gern bei dir!
Du schreibst schon sehr gut Deutsch, sprichst du jetzt auch so gut?
Schreib mir schnell noch einmal deine Adresse!
Bis bald
Christian

2

3 Lesen Sie die E-Mails noch einmal. Was ist richtig [r]? Was ist falsch [f]?

1 Christian lernt schon einen Monat lang Englisch. ______ [f]
2 Kate ist am Nachmittag im Deutschkurs. ______ [ ]
3 Sie arbeitet bei der Firma **terraquadra**. ______ [ ]
4 Die Kollegen haben Pause, aber Kate arbeitet. ______ [ ]
5 Kate benutzt gern den Vornamen, nicht den Familiennamen. ______ [ ]

4 Warum benutzen Kate und Christian *du*? Was glauben Sie?

Verben: Präsens

ich		habe	lerne			arbeite	spreche	esse
du			lernst					
er / sie / es	ist	hat	lernt			arbeitet		isst
wir		haben	lernen			arbeiten	sprechen	
ihr	seid	habt	lernt			arbeitet		esst
sie / Sie	sind	haben	lernen	schreiben	machen			essen

B *Du* und *Sie*. Schreiben Sie.

1 Wie heißen Sie? Wie heißt du?
2 Woher kommen Sie? Woher kommst du
3 Wie alt sind Sie? Wie alt bist du
4 Was sind Sie von Beruf? Was bist du von Berouf
5 Haben Sie Kinder? Hast du Kinder
6 Arbeiten Sie in Stuttgart? Arbeitest du in Stuttgart

C *Du* oder *Sie*?

1 Was sagen die Leute?

A

B

C

D

E

F

2 Hören Sie sechs Kurzdialoge. Welche Situation passt zu welchem Bild?

Situation 1: F
Situation 2: ______
Situation 3: ______
Situation 4: ______
Situation 5: ______
Situation 6: ______

3 Wie ist das in Ihrem Land, in Ihrer Sprache: *du* oder *Sie*? Und in folgenden Situationen?

- Chef und Mitarbeiter
- Studenten und Professor
- Ehemann und Ehefrau
- Vater und Kind

D Rollenspiele

1 Spielen Sie Kate und Christian am Telefon, wie in den E-Mails in Aufgabe A.

2 PARTNER **A** benutzt Datenblatt A8 S. 152. PARTNER **B** benutzt Datenblatt B8 S. 164.

3 Fragen Sie in der Klasse. Benutzen Sie *du* und fragen Sie wie in Aufgabe B.
Machen Sie Notizen. Berichten Sie.

Freizeit und Hobbys

A Was macht Frau Maier?

Bewerbungsgespräch. Über drei Punkte spricht Frau Maier nicht. Welche sind das?

1 Sie zeichnet gerne.
2 Ihre Tochter ist jetzt groß.
3 Frau Maier geht oft ins Kino und treibt Sport.
4 Frau Maier macht gerne lange Spaziergänge.
5 Sie hat genug Freizeit.
6 Sie joggt oft und fährt gern Fahrrad.
7 Frau Maier ist verheiratet.

B Kolleginnen

1 Hören Sie den Dialog und ordnen Sie ihn.

☐	Frau Müller:	Ja, gern, warum nicht? Ich heiße Helga.
☐	Frau Müller:	Und treibst du keinen Sport? Du bist so schlank!
☐	Frau Maier:	Musik höre ich selten. Aber meine Tochter hört den ganzen Tag Musik, furchtbar.
☐	Frau Maier:	Ich zeichne gern.
☐	Frau Maier:	Und ich Astrid.
☐	Frau Maier:	Ja, aber oft bin ich müde. Dann schlafe ich lange, lese Zeitung, sehe fern. Und natürlich kaufe ich ein, putze die Wohnung – du kennst das.
1	Frau Maier:	Wir sind ja vielleicht bald Kolleginnen: Warum sagen wir nicht du?
☐	Frau Müller:	Du zeichnest? Das ist toll.
☐	Frau Müller:	Jetzt warten wir aber schon lange! Was machst du denn am Wochenende immer? Hast du ein Hobby?
☐	Frau Maier:	Ich esse wenig. Ich jogge manchmal, aber nicht oft. Ich finde es ein bisschen langweilig.
☐	Frau Müller:	Ja, natürlich. Mein Mann joggt immer am Wochenende. Ich jogge manchmal auch, aber es macht mir nicht viel Spaß. Lieber wandere ich oder höre zu Hause Musik.

2 Was macht Frau Maier gern? Was sagt sie zur Personalleiterin in Dialog A? Was sagt sie zu Frau Müller in Dialog B? Warum ist das nicht gleich?

3 Ergänzen Sie. Suchen Sie in Dialog B.

Frequenz

nie				immer

Ich sehe nie fern.
Sie hört immer Musik.

0 % — 100 %

C Was machen Frau Maier und Frau Müller gern? Und Sie?

1 Schreiben Sie eine Liste.

Helga Müller	Astrid Maier	Ich

2 Vergleichen Sie Ihre Liste mit den Listen von Ihren Kollegen. Berichten Sie.

D Noch mehr Hobbys

1 Beliebte Freizeitbeschäftigungen. Was passt? Sprechen Sie.

a) Hörst du auch gerne Musik? ☐
b) Ich gehe gern ins Konzert. Und Sie? ☐
c) Machst du gern Gartenarbeit? ☐
d) Ich spiele lieber Tennis. ☐
e) Ich singe nicht oft. ☐
f) Liest du auch Bücher? ☐
g) Computerspiele machen Spaß. ☐
h) Fährst du gern Rad? ☐

2 Stellen und beantworten Sie Fragen, zum Beispiel:

▶ Liest du auch oft Bücher?	▶ Ja, ich lese oft Bücher.
▶ Ich höre gern Musik. Und Sie?	▶ Ich höre nicht gern Musik.
▶ Fahren Sie gern Rad?	▶ Ich gehe lieber ins Konzert.
▶ Machst du auch gern Gartenarbeit?	▶ Ja, Gartenarbeit macht Spaß!

E Aussprache: Konsonanten

Wie heißt_du? Wo wohnst_du? Was liest_du? Singst_du gern? Machst_du gern Gartenarbeit? Treibst_du Sport? Spielst_du Gitarre? Joggst_du auch? Wanderst_du manchmal?

Artikel

Nomen + Nomen **Adjektiv + Nomen**	der Garten + die Arbeit → die Gartenarbeit rot + der Wein → der Rotwein	„Gartenarbeit" ist feminin, „Rotwein" maskulin.

F Analysieren Sie die Komposita.

1 die Gartenarbeit *der Garten, die Arbeit*
2 der Deutschkurs ____________
3 das Personalbüro ____________
4 der Weißwein ____________

G Fragen Sie Ihre Kolleginnen und Kollegen. Sagen Sie *du* oder *Sie*.

Machen Sie Notizen und berichten Sie im Kurs.

Hast du	ein Hobby? Hobbys?
Was machen Sie am	Wochenende? Abend?

Tanzen Sie gern?
Hörst du gern Musik?
Treibst du gern Sport?
Spielen Sie gern …?

Was machst du	gern? nicht gern? lieber?

Bist du oft müde?

Was	meinen Sie: Ist meinst du: Ist	Fernsehen Gartenarbeit Tennis	langweilig? interessant? schön?

Gehst du	oft manchmal	ins Kino? ins Konzert?

An der Pforte

A Der Besucherschein.

Füllen Sie den Besucherschein der Firma *DONAUENERGIE* aus.
Was ist ein Gesprächspartner?

Grüß Gott, lieber Besucher,
wir freuen uns über Ihren Besuch.
Wir wünschen Ihnen einen angenehmen Aufenthalt bei *DONAUENERGIE*.

Name:
Firma:
Adresse:
Unterschrift:
Gesprächspartner:
Abteilung:
Datum: Uhrzeit:
kommt: geht:
Unterschrift:

DONAUENERGIE AG

BUNDESREPUBLIK DEUTSCHLAND FEDERAL REPUBLIC OF GERMANY REPUBLIQUE FEDERALE D'ALLEMAGNE
PERSONALAUSWEIS IDENTITY CARD/CARTE D'IDENTITE 5173993588
Name/Surname/Nom
DR GORCZYKA
Vornamen/Given names/Prénoms
IRENE SOPHIE
Geburtstag und -ort/Date and place of birth/Date et lieu de naissance
05.11.65 TUTTLINGEN
Staatsangehörigkeit/Nationality/Nationalité Gültig bis/Date of expiry/Date d'expiration
DEUTSCH /05.10.11
Unterschrift des Inhabers/Signature of bearer/Signature du titulaire

IDD<<DR GORCZYKA.<<IRENE SOPHIE<<<<<
6173373786D<<4941412<0204104<<<<<<8

B Frau Gorcyzka hat einen Termin.

1 Wer spricht? Wo?

2 Was ist richtig?

1 Der Pförtner möchte
a) den Personalausweis.
b) den Pass.
c) den Besucherschein.

2 Die Frau schreibt
a) eine Notiz.
b) ihren Namen.
c) ihre Adresse

3 Das Wetter ist
a) schlecht.
b) gut.
c) sehr warm.

4 Der Pförtner ist
a) nett.
b) unfreundlich.
c) lustig.

3 Was ist das Problem?

4 Wer sagt das? Die Besucherin oder der Pförtner? Ordnen Sie dann den Dialog.

		Pförtner	Besucherin
☐	Um wie viel Uhr bitte?	☐	☐
☐	Hier bitte.	☐	☐
1	Sie wünschen?	☐	☐
☐	Das ist schwierig. Zeigen Sie bitte den Personalausweis.	☐	☐
☐	Um 15.45 Uhr.	☐	☐
☐	G – o – r – c – y - ...	☐	☐
☐	Ah ja. Füllen Sie bitte diesen Besucherschein aus.	☐	☐
☐	Wie ist Ihr Familienname? Buchstabieren Sie bitte!	☐	☐
☐	Ich habe einen Termin mit Herrn Dr. Breuer.	☐	☐

Imperative is an instruction.

Satzbau: Aussagesätze, W-Fragen, Ja-/Nein-Fragen und Imperativsätze			
	Position 1	**Verb (konjugiert)**	
Der Aussagesatz	Er	möchte	den Besucherschein.
	Ich		einen Termin.
Die W-Frage	Was		hier?
	Wie	ist	Ihr Familienname?
Die Ja-/Nein-Frage		Haben	Sie einen Termin?
			Sie einen Ausweis?
Der Imperativ-Satz mit *Sie*		Schreiben	Sie ihren Namen!
			Sie bitte Ihren Personalausweis!

C Imperativsätze

1 Unterstreichen Sie die Imperativsätze in Aufgabe B4.

2 Geben Sie Anweisungen und Antworten!

- Hat er einen Personalausweis?
- Hat er auch einen ...?
- Ich brauche einen ...
- Ich hätte gern ...

- Zeigen Sie den ...
- Haben Sie ...
- Bringen Sie ...
- Holen Sie bitte ...

- Ich habe ...
- Ich habe keinen ...
- Ich bringe ...
- Hier ist ...

3 Spielen Sie die Situation an der Pforte.

D Wer ist wer?

1 Lesen Sie die Lexikonartikel und setzen Sie die richtigen Namen ein.

__________, Gottlieb, *Schorndorf 17.3.1834, † Stuttgart-Bad Cannstatt 6.3.1900, dt. Maschinenbauingenieur und Unternehmer. Entwickelte den Ottomotor weiter, baute 1886 ein Auto, ein Jahr nach Carl Benz (1885). Gründete 1890 in Stuttgart-Bad Cannstatt die „Daimler-Motoren-Gesellschaft".

__________, Adam, *Rüsselsheim 9.5.1837, † ebd. 8.9.1895, dt. Maschinenbauingenieur und Unternehmer. – Gründete 1862 eine Fabrik für Nähmaschinen und produzierte ab 1886 als 1. dt. Fabrikant Fahrräder. 1898 begann seine Firma mit der Produktion von Autos.

Porsche

Opel

Daimler

Ford

2 Bitte notieren und sprechen Sie.

Vorname:	Gottlieb	
Familienname:		
Alter:		
Wohnort:		
Beruf:		
Produkte:		

E Kennen Sie einen Kursteilnehmer oder eine Kursteilnehmerin noch nicht sehr gut?

1 Fragen Sie ihn/sie! Benutzen Sie *du* oder *Sie*. Machen Sie Notizen.

- Alter
- Beruf
- Wohnort
- Hobby
- Kleidung

2 Berichten Sie; aber sagen Sie nicht den Namen. Die anderen raten.

Familien in Deutschland

Familien in Deutschland

In Deutschland gibt es immer weniger „richtige" Familien mit zwei Eltern und mindestens einem Kind. Oder: Diese Familien leben nicht zusammen in einem Haushalt. Schauen Sie das Schaubild an und lesen Sie den Text dazu – zuerst ohne Wörterbuch.

1 Können Sie die Lücken im Text füllen.
2 Welche Information im Text gibt es nicht im Schaubild?

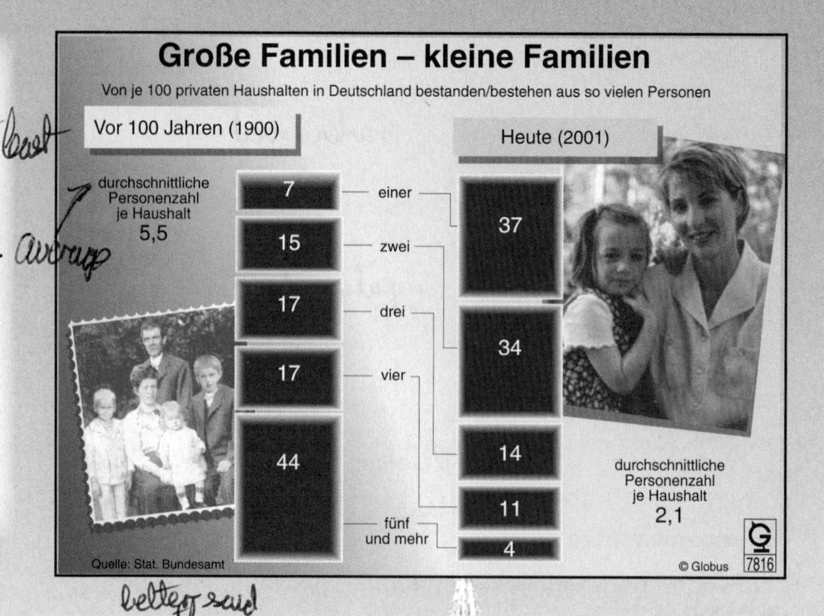

Vor hundert Jahren waren die Familien oder besser: die Haushalte in Deutschland noch ____________. Fast die Hälfte hatte ____________ oder mehr Familienmitglieder. Oft waren das drei Generationen unter einem Dach: Kinder, Eltern und ein oder zwei Großeltern. Heute gibt es das fast nicht mehr. ____% der Haushalte bestehen nur aus einer Person. Sehr viele Menschen leben nicht mehr in einer Familie. In Single-Haushalten findet man aber nicht nur jüngere Leute, die noch nicht geheiratet haben oder nicht heiraten wollen. Auch sehr viele alte Leute leben allein, nachdem die Partnerin oder der Partner gestorben sind.

Allein in der Großstadt

Von je 100 Privathaushalten sind Einpersonenhaushalte in Gemeinden mit

Gemeindegröße	Einpersonenhaushalte
500 000 Einwohnern und mehr	48
200 000 bis unter 500 000	45
50 000 bis unter 200 000	40
2 000 bis unter 50 000	31
weniger als 2 000 Einwohnern	26

Quelle: Statistisches Bundesamt, Stand 2001 © Globus 8071

Schauen Sie das Schaubild links an.
1 Wie ist die Situation in großen Städten?
2 Wie ist die Situation in kleinen Städten?
3 Wie ist die Situation in Dörfern?
4 Vergleichen Sie mit Ihrem Land: Ist es dort wie in Deutschland?

Wir heiraten! Hochzeitsanzeigen

Wir heiraten
Hellen Röder,
Magdeburg
und
Christian Waldner,
Berlin

Wir heiraten
Hellen Waldner geb. Röder,
Magdeburg
und
Christian Waldner,
Berlin

Wir heiraten
Hellen Röder,
Magdeburg
und
Christian Röder geb. Waldner,
Berlin

Wir heiraten
Hellen Röder-Waldner,
Magdeburg
und
Christian Waldner,
Berlin

Wir heiraten
Hellen Röder,
Magdeburg
und
Christian Waldner-Röder,
Berlin

Wir heiraten! Hochzeitsanzeigen

Wenn in Deutschland zwei Menschen heiraten, dann gibt es für den Namen fünf Möglichkeiten:
Die Frau behält ihren Namen und der Mann behält seinen Namen:
Hellen Röder + Christian Waldner
Die Frau wählt den Namen des Mannes:
Hellen Waldner (geb. Röder) + Christian Waldner
Der Mann bekommt den Namen der Frau:
Hellen Röder + Christian Röder (geb. Waldner)
Die Frau wählt einen Doppelnamen:
Hellen Röder-Waldner + Christian Waldner
Der Mann wählt einen Doppelnamen:
Hellen Röder + Christian Waldner-Röder

Wie ist das in Ihrem Land?
1 Wie machen Sie bekannt, dass Sie heiraten?
2 Welchen Namen tragen Sie nach der Hochzeit?

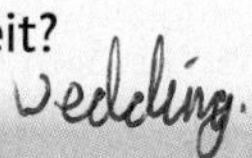

Kapitel 3 Grammatik

Präsens

→ S. 43

	sein	haben	lernen	schreiben	machen	arbeiten
ich	bin	habe	lerne	schreibe	mache	arbeite
du	bist	hast	lernst	schreibst	machst	arbeitest
er/sie/es	ist	hat	lernt	schreibt	macht	arbeitet
wir	sind	haben	lernen	schreiben	machen	arbeiten
ihr	seid	habt	lernt	schreibt	macht	arbeitet
sie/Sie	sind	haben	lernen	schreiben	machen	arbeiten

Verben mit Vokaländerung: e → i(e)

→ S. 40

	essen	sprechen	lesen	sehen
ich	esse	spreche	lese	sehe
du	isst	sprichst	liest	siehst
er/sie/es	isst	spricht	liest	sieht
wir	essen	sprechen	lesen	sehen
ihr	esst	sprecht	lest	seht
sie/Sie	essen	sprechen	lesen	sehen

Komposita

→ S. 45

Nomen + Nomen	das Seminar + der Teilnehmer das Hotel + die Bar der Computer + das Spiel	→ der Seminarteilnehmer → die Hotelbar → das Computerspiel
Adjektiv + Nomen	schwarz + der Tee frei + die Zeit klein + das Kind	→ der Schwarztee → die Freizeit → das Kleinkind

Negation: nicht/kein

→ S. 39

Negation mit *nicht*	Ich bin verheiratet.	Ich bin nicht verheiratet.
Negation mit *kein*	Wir haben einen Sohn. Sie hat eine Tochter. Er hat ein Kind. Sie haben Kinder.	Wir haben keinen Sohn. Sie hat keine Tochter. Er hat kein Kind. Sie haben keine Kinder.

Satzbau

→ S. 47

	Position 1	Verb (konjugiert)	
Der Aussagesatz	Ulrich	liest	viele Bücher.
Die W-Frage	Woher	kommt	Nicole?
Die Ja-/Nein-Frage		Joggen	Sie gern?
Der Imperativsatz mit *Sie*		Sprechen	Sie bitte langsam!

Possessivartikel

→ S. 41/42

du – dein/deine	Hast du Geschwister? Wie alt ist deine Schwester, wie alt ist dein Bruder?
wir – unser/unsere	Wir haben zwei Kinder. Unsere Tochter ist vier, unser Sohn zwei Jahre alt.
ihr – euer/eure	Habt ihr Kinder? Wie alt ist eure Tochter, wie alt ist euer Sohn?

Wir brauchen einen Drucker

Ich möchte einen Wagen mieten

Das Angebot

Im Tagungshotel

Die Dienstreise

Kapitel 4

Bedarf, Bestellung, Kauf

Hier lernen Sie:

- bestellen
- Wünsche ausdrücken
- beraten und auswählen
- buchen und reservieren

Wir brauchen einen Drucker

A Der Bestellschein

1 Füllen Sie den Bestellschein aus.

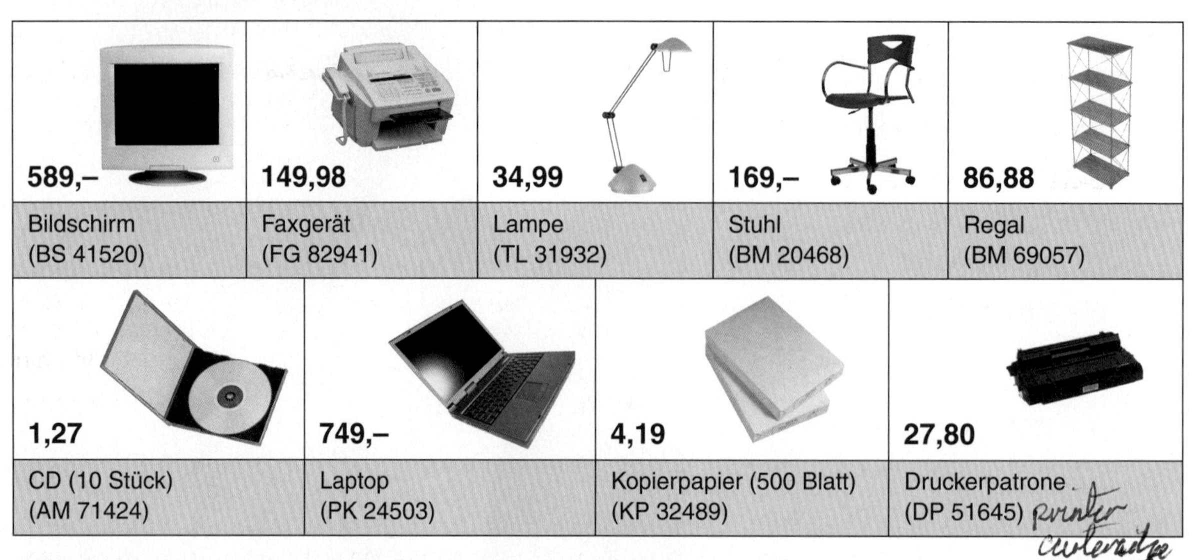

Bestellnummer							Menge/ Anzahl	Bezeichnung	Einzelpreis	Gesamtpreis
							2	Bildschirm	589,00	1178,00
A	M	7	1	4	2	4	10		1,27	12,70
									Summe	

2 Ich brauche eine Lampe. Und Sie? Fragen und antworten Sie.

- eine Lampe / ein Faxgerät
- ein Regal / fünf Bildschirme
- einen Laptop / Kopierpapier
- zehn CDs / eine Druckerpatrone
- einen Stuhl / ein Regal

▶ Ich brauche eine Lampe. – Und Sie?
▶ Ich brauche ein Faxgerät.

▶ Ich bestelle ein Regal. – Und Sie?
▶ Ich bestelle ...

B Bestellungen

1 Hören Sie und ergänzen Sie.

Dialog 1
Firma Alsco hat kein ____________ mehr. Sie braucht ein neues ____________.

Dialog 2
Firma Krone hat noch ____________. Sie braucht im Moment kein ____________.

Dialog 3
Firma Hartmann hat schon ____________. Sie braucht keine ____________ mehr.

Bedarf – kein Bedarf		
(noch) kein- ... / kein- ... mehr haben = brauchen	Ich brauche einen Scanner. Wir brauchen zwei Faxgeräte.	mit Mengenangabe: mit Artikel oder Zahl
	Wir brauchen Disketten. Ich brauche Kopierpapier.	ohne Mengenangabe: ohne Artikel
(schon / noch) (ein-) haben = nicht brauchen	Wir brauchen keine Regale.	Menge = 0

2 Spielen Sie ähnliche Dialoge.

▶ Haben wir noch Papier?
▶ • Ja, wir haben noch Papier.
• Wir brauchen kein Papier.

▶ Haben wir noch CDs?
▶ • Ja, wir haben noch CDs.
• Wir brauchen keine CDs.

▶ Haben wir ein Faxgerät?
▶ • Ja, wir haben ein ...
• Wir brauchen kein ...

CDs Faxgerät
Lampe Laptop
Stuhl Papier
Druckerpatronen
Regal Bildschirm

C Aussprache: – *ei* –

Schreiben Sie in den Bestellschein. – eine Lampe – zwei Regale – drei Stühle – Brauchen wir auch ein Faxgerät? – Nein, kein Faxgerät. – Ich weiß nicht. – Kommen Sie aus Frankreich? – Nein, aus der Schweiz. – Wie heißen Sie? – Mein Name ist Heinz Klein. – Hans Klein? – Nein Heinz, Heinz Klein.

D Brauchen wir noch Papier?

1 Was passt? Ordnen Sie zu. Sprechen und schreiben Sie.

Anzahl/Menge, Gewicht, Länge

eine Rolle zwei (Stück) 500 Gramm
15 Pack zu 500 Blatt
ein Paket zehn Meter 20 Stück
ein Pack

Bezeichnung

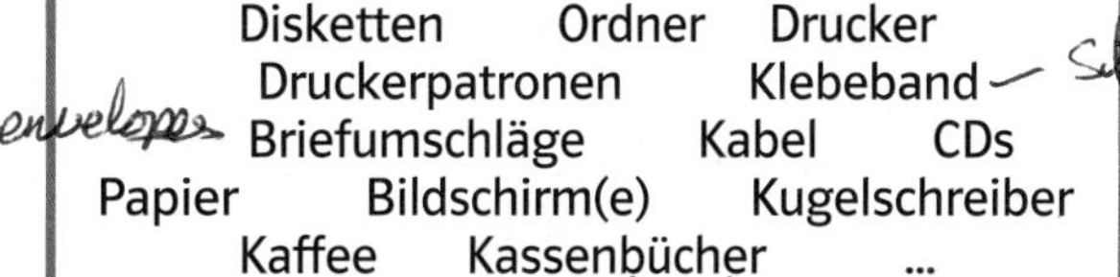

Disketten Ordner Drucker
Druckerpatronen Klebeband
Briefumschläge Kabel CDs
Papier Bildschirm(e) Kugelschreiber
Kaffee Kassenbücher ...

▶ Wie viele Kassenbücher brauchen Sie?
▶ 20 Stück.

▶ Wie viel Klebeband brauchen Sie?
▶ Drei Rollen.

2 Sprechen Sie mit einem Partner.

▶ Brauchen wir noch Briefumschläge?
▶ Ja, wir haben keine mehr.
▶ Und wie viele brauchen wir?
▶ Zehn Pack zu 100 Stück.

▶ Hast du noch Kopierpapier?
▶ Ja, ich habe noch 5000 Blatt. Ich brauche jetzt noch kein Papier.

▶ Haben Sie schon Disketten?
▶ Nein, ich habe noch keine, ich brauche 50 Stück.

▶ Haben Sie schon Ordner?
▶ Ja, Ordner habe ich schon, ich brauche keine mehr.

▶ Hast du ...?
▶ ...

E PARTNER A benutzt Datenblatt A9, S. 152. PARTNER B benutzt Datenblatt B9, S. 164.

Ich möchte einen Wagen mieten

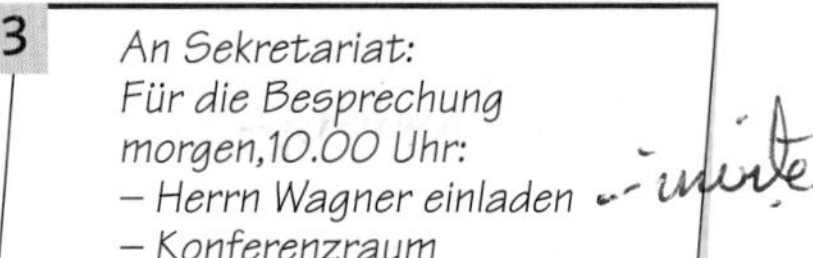
3
An Sekretariat:
Für die Besprechung
morgen,10.00 Uhr:
– Herrn Wagner einladen
– Konferenzraum
– Kaffee, Mineralwasser
Kallmann

A Sie wünschen bitte?

1 Sehen Sie die Bilder an: Wo sind die Leute? Was brauchen die Leute?

2 Beantworten Sie die Fragen.

1 Zu welchem Bild 1–6 passt der Dialog?
2 Wo ist das? In der Bank, am Besucherempfang, im Büro, bei der Autovermietung oder auf dem Bahnhof?
3 Wen genau möchte Herr Waldner sprechen?
4 Wo arbeitet sein Gesprächspartner?

3 Wo sind die Leute? Was brauchen die Leute?

Dialog 1
- ▶ Ich hätte gern eine Auskunft. Ich möchte morgen von München nach Zürich fahren.
- ▶ Und wann ungefähr möchten Sie fahren?
- ▶ Ich würde gern vor 13.00 Uhr in Zürich ankommen.
- ▶ Ja, das geht. Abfahrt in München um 8.12 Uhr mit dem ICE, Ankunft in Zürich um 12.27 Uhr. Hier bitte sehr.
- ▶ Vielen Dank.

Dialog 2
- ▶ Ich möchte einen Wagen mieten. Ich brauche ihn sofort.
- ▶ Ich habe hier gerade einen Mercedes C 220. Ist das in Ordnung?
- ▶ Der ist zu groß. Ich hätte gern einen Polo oder Golf. Geht das?
- ▶ Ja, das geht. Und wie lange möchten Sie ihn haben?
- ▶ Zwei Tage, bis Donnerstag.

B Im Reisezentrum, im Restaurant, am Telefon

Sprechen Sie mit einem Partner.

1 eine Fahrkarte nach München – nach München fahren – morgen um 7.00 Uhr fahren – Abfahrt um 7.12 Uhr, Ankunft um 10.32 Uhr

- ▶ Sie wünschen bitte?
- ▶ Ich hätte gern ...
- ▶ Und wann möchten Sie...?
- ▶ Ich würde gern ...
- ▶ Ja, das geht. ... Hier, bitte sehr.
- ▶ Vielen Dank.

2 einen Tee – den Tee trinken – mit Zucker

- ▶ Sie wünschen bitte?
- ▶ Ich hätte gern ...
- ▶ Und wie möchten Sie ...?
- ▶ Bitte nur ...
- ▶ Gut, nur ... Hier, bitte.
- ▶ Danke sehr.

3 einen Termin mit Herrn Kallmann – Herrn Kallmann sprechen – morgen – brauchen Sie – eine Stunde – morgen von elf bis zwölf

- ▶ Sie wünschen bitte?
- ▶ Ich hätte gern ...
- ▶ Und wann möchten Sie ...?
- ▶ Ich würde gern ... kommen.
- ▶ Und wie lange ...?
- ▶ ...
- ▶ Ja, das geht. ...
- ▶ Besten Dank. Auf Wiederhören.

Wünsche/Absichten				
ich	hätte	möchte	würde	mit Nomen
du	hättest	möchtest	würdest	Ich hätte gern einen Termin.
er/sie/es	hätte	möchte	würde	Herr Müller möchte keinen Mercedes C 220.
wir	hätten	möchten	würden	mit Infinitiv
ihr	hättet	möchtet	würdet	Wir möchten zwei Faxgeräte bestellen.
sie/Sie	hätten	möchten	würden	Ich würde gern mit Herrn Kallmann sprechen.

C Herr Müller möchte mit dem Zug nach Hamburg fahren.

Ordnen Sie zu und schreiben Sie die Sätze in die Tabelle.

1 Herr Müller möchte mit dem Zug
2 Wie viele Geräte
3 Ich möchte
4 Entschuldigung, ich hätte gern
5 Möchten Sie noch

a) einen Kaffee trinken.
b) eine Auskunft.
c) nach Hamburg fahren.
d) etwas trinken?
e) möchten Sie bestellen?

Satzklammer

Position 1	Verb (konjugiert)		Verb (Infinitiv)
Herr Müller	*möchte*	*mit dem Zug nach Hamburg*	*fahren.*

D Aussprache: *ö – ü*

lang (l) oder kurz (k)? Markieren Sie.

1	nach München	l	k	5	er würde gern	l	k	9	ich möchte	l	k
2	fünfzehn	l	k	6	hören	l	k	10	Herr Müller	l	k
3	Frau Schröder	l	k	7	die Tür	l	k	11	pünktlich	l	k
4	morgen früh	l	k	8	französisch	l	k	12	in Zürich	l	k

E Die Besprechung

1 Herr Kallmann notiert für den Termin morgen um 10 Uhr:

– Herrn Wagner einladen
– Konferenzraum
– Kaffee, Mineralwasser

2 Er informiert seine Sekretärin. Sprechen Sie:

- Bitte rufen Sie Herrn Wagner an.
- Ich möchte ihn ...
- Für die Präsentation brauchen wir ...
- Wir hätten ...

3 Die Sekretärin erklärt der Praktikantin. Sprechen Sie:

- Herr Kallmann würde gern ...
- Um 10 Uhr braucht er ...
- Er hätte auch ...

F

PARTNER A benutzt Datenblatt A10, S. 152. PARTNER B benutzt Datenblatt B10, S. 164.

Das Angebot

Multifunktions-kopierer mit Zoom und Lasertechnik  **1321,–**	**Notebook** 20 GB Festplatte Pentium 4 Prozessor 2,0 GHz 256 MB RAM  **1699,–**	**Spiegelreflexkamera** bewährte Technik **519,–**
Tischkopierer klein und handlich  **498,–**	**Notebook** 40 GB Festplatte Pentium 4 Prozessor 3,0 GHz 256 MB RAM  **1998,–**	**Digitalkamera** Praktisch: Direktanschluss an PC oder Drucker  **239,–**

A Welcher Laptop ist praktisch, modern, ...? Welchen nehmen Sie?

1 Fragen Sie Ihre Kollegen.

- Welcher Laptop ist billig und modern?
- Der zu 1699 Euro ist billig. Welchen nehmen Sie/nimmst du?
- Ich nehme den zu 1998 Euro. Der hat eine große Festplatte. Den finde ich gut.
- Welches Kopiergerät ist klein und handlich?
- ...

2 Berichten Sie.

Václav nimmt ... Er findet die ... zu 239 Euro praktisch. Carole nimmt ... zu ... Sie findet ...

B Ich suche einen Schreibtisch.

1 Hören Sie.

1 Welchen Schreibtisch nimmt der Kunde? Den zu 274,80 Euro oder den zu 370,40 Euro?
2 Wie findet er den Schreibtisch? Billig, groß oder schön?

2 Sprechen Sie. Kaufen Sie einen Schreibtisch, eine Lampe, einen Stuhl und ein Regal.

Beispiel:
- Ich suche einen Schreibtisch.
- Der hier kostet 274,80 Euro, der andere kostet 370,40 Euro.
- Ich glaube, ich nehme den großen, den zu 370,40 Euro. Den finde ich bequem.

Stuhl: 73,80 € / 152,10 €	Lampe: 19,90 € / 48,50 €
Schreibtisch: 274,80 € / 370,40 €	Regal: 99,25 € / 273,50 €

groß billig schön
elegant breit
bequem
praktisch modern

Frage: *Welch-?* / Antwort: bestimmter Artikel + Adjektiv/*dies-*

Wir brauchen			Ich nehme	Und ich nehme
einen Drucker. eine Lampe. ein Regal.	Welcher ist ...? Welche ist ...? Welches ist ...?	Welchen möchtest du? Welche möchtet ihr? Welches möchten Sie?	den billigen. die billige. das billige.	diesen. diese. dieses.
Drucker. Lampen. Regale.	Welche sind ...?	Welche möchten Sie?	die billigen.	diese.

C Wie teuer ist der Laptop?

1 Nennen Sie die Preise.

Ein Kopiergerät zum Preis von siebenhundertsechsundachtzig Euro achtundneunzig. Ein Laptop ...

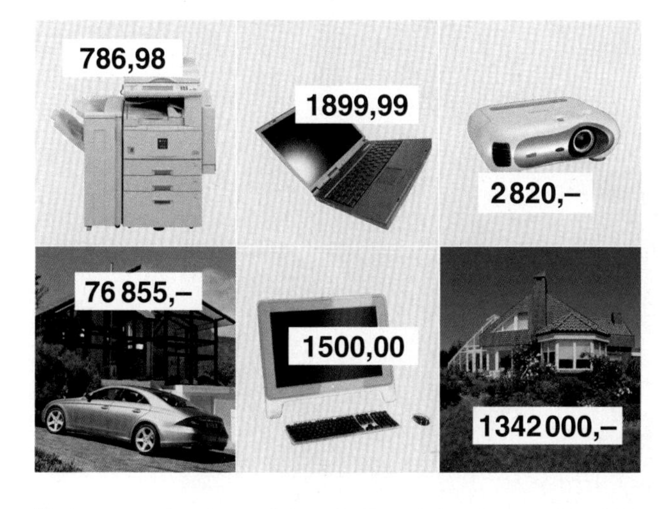

Zahlen bis 1 000 000

100	einhundert
200	zweihundert
201	zweihunderteins
999	neunhundertneunundneunzig
1000	eintausend
2000	zweitausend
10000	zehntausend
20000	zwanzigtausend
100000	hunderttausend
1000000	eine Million
2000000	zwei Millionen

2 Aussprache: In welcher Reihenfolge hören Sie die Zahlen? Sprechen Sie die Zahlen.

a) 12254 ☐	d) 899 ☐	g) 105000 ☐	j) 2340 ☐	m) 1245 ☐
b) 80600 ☐	e) 19220 ☐	h) 7232 ☐	k) 250555 ☐	n) 150000 ☐
c) 7323 ☐	f) 52250 ☐	i) 100500 ☐	l) 24584 ☐	o) 24845 ☐

3 Schnell, klar, deutlich. Sprechen Sie wie im Beispiel.

▶ Welchen Computer nehmen Sie? Den zu 1200 Euro oder den zu 985 Euro?
▶ Ich nehme den billigen, den zu 985 Euro.

▶ Welchen Kaffee möchten Sie? Den zu ... oder zu ...?
▶ Ich nehme ...

der Computer	1200,00 Euro		985,00 Euro	billig
der Kaffee	4,52 Euro		9,98 Euro	italienisch
das Regal	86,88 Euro		112,20 Euro	breit
die Kaffeemaschine	25,56 Euro		99,98 Euro	gut
der Beamer	2820 Euro	oder	3245,50 Euro	teuer
die Disketten (Plural!)	2,49 Euro		2,99 Euro	billig
das Haus	250000 Euro		325000 Euro	groß
die Briefumschläge (Plural!)	11,74 Euro		12,77 Euro	weiß

D Was brauchen Sie?

Suchen Sie das richtige Angebot in einem Katalog für Bürobedarf. Sprechen Sie.

Büromöbel: Schreibtisch, Regal, Bürostuhl, ...

Büromaschinen: Computer, Drucker, Bildschirm, Projektor, ...

Büromaterial: Papier, CDs, Disketten, Klebeband, Kugelschreiber, ...

Bedarf: ▶ Ich brauche einen Drucker.
Erklärung: Ich möchte auch Fotos drucken.
Angebot: ▶ Hier gibt es einen Drucker zu 198 Euro oder diesen hier zum Preis von 159 Euro. Welchen hättest du gern?
Entscheiden: ▶ Ich nehme den billigen, den zu 159 Euro.
Begründen: Den finde ich gut.

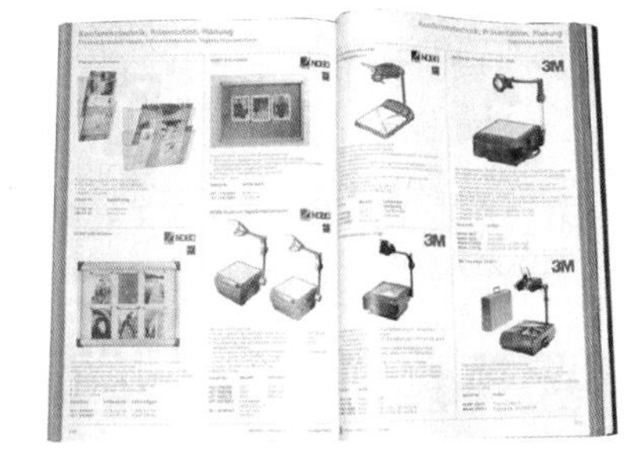

Im Tagungshotel

A Gespräche am Frühstücksbüfett

1 Welche Antwort passt: a) oder b)? Markieren Sie bitte.

1 Hellen, für dich auch einen Orangensaft?
a) Ja, gerne.
b) Ich nehme auch Jogurt.

2 Möchten Sie auch einen Kaffee?
a) Ja, bitte.
b) Nein, danke. Ich trinke keinen Tee.

3 Gibt es auch Müsli?
a) Ich nehme heute kein Müsli.
b) Hier ist das Müsli.

4 Nimmst du auch ein Ei?
a) Ich nehme zwei Brötchen.
b) Nein, danke.

2 Welche Person sagt welchen Satz aus Aufgabe A1.

Person I sagt: „Hellen, für dich auch einen Orangensaft?"

3 Wer sagt *du*, wer sagt *Sie*? Warum?

Herr Waldner, Person I, sagt *du*, denn Hellen ist seine Frau.

B Was nehmen Sie zum Frühstück?

Machen Sie Dialoge.

- Ich möchte gern Kaffee.
- Nehmen Sie auch ...?
- Möchten Sie auch ...?
- Hier ist ein- ... für Sie.
- Hier ist ein- ... für dich.
- Du trinkst doch ... zum Frühstück.

▼

- Ja, gern.
- Nein, danke. Ich ...
- Vielen Dank.
- Ich hätte gern ...
- Ich möchte ...
- Ich nehme ...

Obst
Äpfel
Bananen
Trauben

Brot
Graubrot
Weißbrot
Brötchen

Aufschnitt
Käse
Wurst
Schinken

Getränke
Milch
Kaffee
Orangensaft

du* und *Sie		
Sie kommen / nehmen / haben / sind du kommst / nimmst / hast / bist	Hätten Sie gern ...? Hättest du gern ...?	Nehmen / Trinken / Essen Sie! Nimm / Trink / Iss!

C Hotel Splendide

1 Wen spricht der Prospekt an? Für wen/wofür?

Für welche Absichten gibt es Angebote?	Für welche Personen sind diese Angebote?
für Geschäftsreisen	für Gruppen

hOtel Splendide
„Romantik in der Stadt“
für Geschäftsreisen
für Tagungen und Seminare
für Erholung und Freizeit
für Gruppen, Einzelreisende und die ganze Familie

in zwölf Städten in Deutschland, Österreich und der Schweiz

Wir bieten:
speziellen Service für Ihr Messeteam in Frankfurt, München, Basel u. a.

tolle Einrichtungen für Fitness und Kinder

individuelle Komplettprogramme mit Theater-, Opern- und Ausstellungsbesuch

EZ 80,– bis 170,– €
DZ 100,– bis 200,– €

www.splendide.at • info@splendide.at

Wofür? Für wen?

wofür?			für wen?
für den Beruf für die Reise für das Büro für die Kundenbesuche	dafür	(ich) (du) (er/sie/es) (wir) (ihr) (sie/Sie)	für mich für dich für ihn/sie/es für uns für euch für sie/Sie

2 Schreiben Sie Sätze.

	Position 1	Verb (konjugiert) — Satzklammer		Verb (Infinitiv)
1 Zimmer buchen	Ich	möchte	ein Zimmer	buchen.
2 Auto mieten		Möchten	Sie	?
3 Platz reservieren				reservieren.
4 Papier bestellen				.
5 Drucker kaufen				?
6 Termin machen	Die Sekretärin	würde	gern	.

D Aussprache: *z = ts*

Siezen oder duzen Sie Frau Balzer? – Ich hätte gern etwas zu essen und zu trinken. – Ich wohne in der Schweiz, in Zürich. – Meine Telefonnummer ist zweiundzwanzig vierzig zwölf zehn. – Nimmst du das Flugzeug oder den Zug? – Ich nehme den Zug, Ankunft fünfzehn Uhr fünfzehn.

E Buchen, bestellen, reservieren. Spielen Sie Dialoge.

Beispiel:

▶ Ich möchte einen Flug nach Rom reservieren.
▶ Für wen möchten Sie den Flug reservieren?
▶ Für mich und meinen Kollegen. Wir würden gern nächste Woche fliegen.
▶ Wir haben einen Flug um 8 Uhr zu 285 Euro oder einen Flug um 12 Uhr zu 324 Euro. Welchen möchten Sie?
▶ Ich nehme den um 8 Uhr zu 285 Euro.
▶ Vielen Dank.

▶ Ich möchte ein Zimmer / ein Auto / Karten buchen / bestellen / reservieren / ...
Ich hätte gern ein Zimmer / ein Auto / Karten.
▶ Wofür ...? / Für wen?
▶ Für das Büro / die Arbeit / den ... / meine Frau / mich / einen Freund ...
▶ Wir haben hier d- ... zu ... oder d- ... zu ... Welch- ...?
▶ Ich nehme d- ... zu ...
▶ Vielen Dank.

Die Dienstreise

A Kleidung für die Dienstreise.

1 Sie möchten verreisen. Kontrollieren Sie Ihren Kleiderschrank.

1 Was fehlt? Was brauchen Sie?
2 Was haben sie noch?

genug (nicht kaufen)	nicht genug (mehr kaufen)	kein- ... (kaufen)
Socken,	Hemden,	Sommermantel,

2 Berichten Sie.

Ich habe noch genug Socken. Ich habe nicht genug Hemden. Ich habe fünf Hemden und brauche noch vier. Die brauche ich für die Kundenbesuche. Ich habe keinen leichten Sommermantel. Den brauche ich noch. Ich habe noch genug ... Aber ich habe nicht genug ... Und ich habe kein ...

B Im Bekleidungsgeschäft.

Wofür brauchen Sie die Kleidungsstücke? Sprechen Sie.

Beispiel:
Ich nehme die sportlichen Jeans. Die brauche ich für das Wochenende.

Sven nimmt das blaue Hemd. Das braucht er für das Seminar.

den	leichte(n)	Jeans	für den	Opernbesuch
das	warme(n)	Anzug	für die	Reise
die	blaue(n)	Kostüm	für das	Seminar
	graue(n)	Mantel		Wochenende
die	rote(n)	Hemden		Fitness-Training
	sportliche(n)	Bluse		
	elegante(n)	Kleid		
	schöne(n)	Rock	für die	warmen Tage
	modische(n)	Schuhe		kühlen Abende
	dunkle(n)	Jackett		Kundenbesuche
	...	T-Shirt		...
		Hemd		

C Frau Massler packt den Koffer.

1 Was ist richtig [r]? Was ist falsch [f]?

1 Herr Massler macht eine Dienstreise. ______ [ ]
2 Herr Massler macht die Reise allein. ______ [ ]
3 Herr und Frau Massler gehen ins Theater. ______ [ ]
4 Herr Massler nimmt keinen Pullover mit. ______ [ ]
5 Herr Massler ist sportlich. ______ [ ]

2 Ergänzen Sie.

Herr Massler nimmt den ______ für die Termine mit den Kunden. Für die kühlen Abende braucht er den ______. Für das Theater nimmt er das ______ und die ______. Für das Fitnesstraining im Hotel braucht er auch seine ______ und die ______.

D E-Mail: Zimmerreservierung

Herr Massler möchte ein Zimmer im Hotel Splendide reservieren. Schreiben Sie seine E-Mail an das Hotel Splendide. Den Hotelprospekt finden Sie auf Seite 59. Schreiben Sie über folgende Punkte:

- was
- Preis
- für wen
- Dauer
- Ankunft

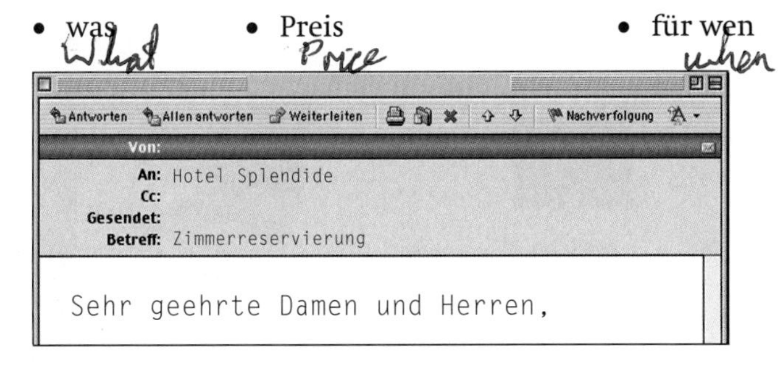
Antworten | Allen antworten | Weiterleiten | Nachverfolgung
Von:
An: Hotel Splendide
Cc:
Gesendet:
Betreff: Zimmerreservierung

Sehr geehrte Damen und Herren,

E Im Büromarkt, im Bekleidungsgeschäft, im Supermarkt

Wählen Sie eine Situation und spielen Sie. Was, welch-, wofür, für wen?

Was?	– Bildschirm – Drucker – Disketten – …	– Anzug – Kostüm – Hemd – …	– 500 g Kaffee – 5 Brötchen – Wein – …
Welch-?	– Laser oder Inkjet – 20 oder 30 GB – ein Pack zu 10 oder 20 – …	– blau oder grün – Größe 34 oder Größe 36 – elegant oder sportlich – …	– italienisch oder deutsch – frisch oder von gestern – zu 4,50 € oder zu 5,90 € – …
Wofür?	– für die Firma – für das Büro – für …	– für die Freizeit – für die Arbeit – für …	– für das Frühstück – für das Wochenende – für …
Für wen?	– für die Firma – für mich – für …	– für meine Frau – für meinen Mann – für …	– für die Gäste – für uns – für …

Richten Sie Ihr Büro ein.

Richten Sie Ihr Büro ein.

Sie wollen sich Ihr Büro einrichten und haben 2000 €.
1 Was kaufen Sie ein?
2 Was kostet Ihre Einrichtung?

Bürostuhl 169,– €	Schreibtisch 320,– €	Computertisch 299,– €	Regal 86,88 €
Drucker 245,– €	Computer 699,– €	Bildschirm 589,– €	Laptop 1348,– €
Kopiergerät 256,– €	Faxgerät 149,98 €	Bürolampe 34,99 €	Druckerpatrone 27,80 €

Noch mehr Büromaterial?
Besuchen Sie zum Beispiel:
- www.kaiserkraft.de
- www.viking.de
- www.buerodiscount.de

Einkaufen

Einkaufen

Kleidungsstücke
1 Was braucht eine Frau?
2 Was braucht ein Mann?

Anzug

Das costume

Noch mehr Kleidungsstücke?
Besuchen Sie zum Beispiel:
- www.witt-weiden.de
- www.peterhahn.de
- www.otto.de

Damenbekleidung	Herrenbekleidung
Bluse	Jackett

Kapitel 4 Grammatik

unbestimmter Artikel *ein-* / Negation *kein-*/Possessivpronomen → S. 53

		Nominativ	Akkusativ	
m	der	ein/kein/mein Drucker	einen/keinen/meinen Drucker	haben, brauchen, kaufen, bestellen, nehmen, ...
f	die	eine/keine/meine Lampe	eine/keine/meine Lampe	
n	das	ein/kein/mein Regal	ein/kein/mein Regal	
Pl	die	–/ keine/meine Drucker, Lampen, Regale	–/keine/meine Drucker, Lampen, Regale	

Frage: *Welch-?* / Antwort: *dies-* / bestimmter Artikel + Adjektiv → S. 56

		Nominativ	Akkusativ		
m	der	Welcher Drucker ist ...?	Welchen Drucker möchtest du?	Diesen.	Den neuen (Drucker).
f	die	Welche Lampe ...?	Welche Lampe möchtest du?	Diese.	Die neue (Lampe).
n	das	Welches Regal ...?	Welches Regal möchtest du?	Dieses	Das neue (Regal).
Pl.	die	Welche Drucker, Lampen, Regale sind ..?	Welche Drucker, Lampen, Regale möchtest du?	Diese.	Die neuen (Drucker, Lampen, Regale).

Wofür?/Für wen? → S. 59

wer?	wen?	für wen?	wofür?
ich	mich	für mich	für den/einen Beruf
du	dich	für dich	für die/eine Reise
er/sie/es	ihn/sie/es	für ihn/sie/es	für das/ein Büro
wir	uns	für uns	für die/– Kundenbesuche
ihr	euch	für euch	
sie/Sie	sie/Sie	für sie/Sie	

Imperativ mit *Sie* und mit *du* → S. 58

	Imperativ mit *Sie*		Imperativ mit *du*
Sie kommen	Kommen Sie!	du kommst	Komm!
Sie nehmen	Nehmen Sie!	du nimmst	Nimm!
Sie essen	Essen Sie!	du isst	Iss!

Wünsche/Absichten → S. 55, 59

ich	hätte		möchte		würde	
du	hättest		möchtest		würdest	
er/sie	hätten	gern einen Tee.	möchte	einen Tee.	würde	gern einen
wir	hätten		möchten	einen Tee trinken.	würden	Tee trinken.
ihr	hättet		möchtet		würdet	
sie/Sie	hätten		möchten		würden	

Bedarf/kein Bedarf → S. 53, 60

Kein Bedarf	Bedarf	mehr Bedarf
... haben schon/noch ... haben	kein- ... mehr haben noch kein- ... haben	nicht genug ... haben
kein- ... brauchen	ein- ... brauchen	noch ein-/zwei/mehr/... brauchen

Kapitel 5

Im Büro und unterwegs

Hier lernen Sie:

- sagen, wo die Bürogegenstände sind
- nach dem Weg fragen und den Weg beschreiben
- Dinge an ihren Platz tun
- Fahrpläne verstehen
- Pläne und Vorschläge machen

Das Praktikantenbüro

A Unser Arbeitstisch

Auf unserem Arbeitstisch ist immer Unordnung. Heute auch. Unter dem Tisch stehen ein Papierkorb und Walters Basketballschuhe. Auf dem Tisch liegen eine Zeitung, drei Bücher, mindestens zehn Kugelschreiber, Armandos Terminkalender und so weiter. Und außerdem stehen da eine Kaffeetasse, zwei Aktenordner und das Telefon. Aber das Telefonbuch fehlt. Wo ist das Telefonbuch?

1 Fragen Sie einen Partner.

- Wo ist denn mein/meine ...?
- Wo sind denn meine ...?

▶ Wo ist denn mein Terminkalender?
▶ Da.
▶ Wo da?
▶ Auf dem Tisch.
▶ Wo auf dem Tisch?
▶ Auf dem Tisch vorn rechts.

2 Was ist wo im Büro?

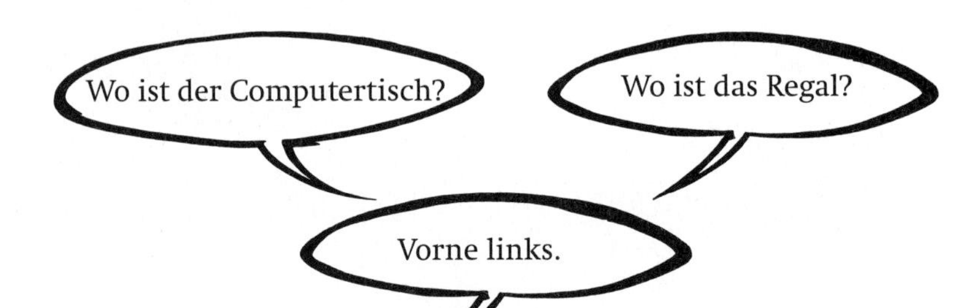

B Die Pinnwand

1 Was hängt wo an der Pinnwand?

- [3] Der Raumplan hängt über der Einladung.
- [ ] Die Fotos hängen neben dem Raumplan.
- [ ] Die Notizen hängen unter den Fotos.
- [ ] Die Schlüssel hängen über der Ansichtskarte.
- [ ] Die Ansichtskarte hängt neben den Notizen.
- [ ] Das Schild hängt unter dem Raumplan.
- [ ] Der Bleistift hängt unter der Einladung.
- [ ] Die Einladung hängt zwischen dem Schild und der Ansichtskarte.

Wo?			
	Nominativ	Dativ in, an, auf, unter, über, neben, zwischen, vor, hinter	
m und n	der Raumplan der Bleistift das Schild das Büro	dem an dem → am in dem → im	unter dem Raumplan über dem Bleistift am Schild im Büro
f	die Notiz die Einladung	der	über der Notiz unter der Einladung
PLURAL	die Schlüssel die Fotos	den ... -n den Büros / Autos / ...	neben den Schlüsseln über den Fotos

2 Ergänzen Sie.

1 Die Fotos hängen über den Notizen.
2 Das Schild hängt ________ Raumplan.
3 Die Einladung hängt ________ Schild.
4 Die Ansichtskarte hängt ________ Notizen und der Einladung.
5 Der Raumplan hängt ________ Einladung.

über der	zwischen den
neben dem	unter dem
über den	

C Das Büro ist für vier Praktikanten.

1 Sehen Sie sich das Bild an. Beantworten Sie möglichst viele Fragen.

1 Was steht zwischen Corinnas und Armandos Schreibtisch?
2 Steht Walter Greens Schreibtisch links oder rechts neben dem Arbeitstisch?
3 Wo ist Vera Pallaus Schreibtisch?
4 Was liegt und steht auf dem Schreibtisch hinten rechts?
5 Was liegt auf dem Arbeitstisch in der Mitte?
6 Wo ist die Tür: vorn links, vorn rechts oder vorn in der Mitte?
7 Wo liegt der Terminkalender?
8 Wo hängt die Pinnwand?
9 Was steht auf Corinnas Tisch?

2 Lesen Sie den Text und beantworten Sie die restlichen Fragen.

Das Büro ist für unsere vier Praktikanten. Aber nicht immer sind alle da. Dahinten haben zwei Praktikanten ihren Platz. Der Praktikant dahinten rechts hat immer viel Unordnung auf seinem Schreibtisch. Der Computer steht auf dem Computertisch am Fenster. Also, nur der Monitor und der Drucker stehen auf dem Tisch, der Rechner hängt unter dem Tisch. In der Mitte sehen Sie einen Arbeitstisch mit einem Telefon. Das Regal zwischen Vera Pallaus Schreibtisch vorn links und Walter Greens Schreibtisch ist für alle.

3 Armando Contini zeigt Vera Pallau das Praktikantenbüro. Hören Sie, was Armando sagt, und beantworten Sie die Fragen.

1 Wer sitzt am Fenster?
2 Wer hat einen Laptop?
3 Ist Corinna Mania krank?
4 Wo ist der Rechner?
5 Was findet Armando auf dem Arbeitstisch?
6 Was ist alles im Regal?
7 Wer braucht die Aktenordner?

D Ordnung – Unordnung – eine neue Ordnung

Arbeiten Sie in Gruppen. Machen Sie (Un-)Ordnung auf, über, unter, vor, hinter, neben einem Tisch im Klassenraum. Fragen Sie eine andere Gruppe: Wo ist / steht / liegt / hängt …?

1 Berichten Sie: Auf / Über / Unter / Vor / Hinter / Neben dem Tisch ist / steht / liegt / hängt …
2 Fragen Sie: Wo ist / steht / liegt / hängt …?
3 Machen Sie eine neue Sitzordnung für die Klasse und sprechen Sie über die Sitzordnung.

Entschuldigung, wie komme ich von hier zum ...?

A Mit der U-Bahn zur Industrie-Ausstellung nach Bonn-Beuel

Sehen Sie sich den Übersichtsplan an.

1 Wie viele U-Bahn-Linien gibt es?
2 Wie viele Linien fahren zum Hauptbahnhof?
3 Wie viele U-Bahn-Linien halten am Konrad-Adenauer-Platz?
4 Wie kommt man vom Konrad-Adenauer-Platz nach Bonn-Beuel?
5 Welche U-Bahn-Linie endet in Bornheim?
6 Welche Linien enden an der Stadthalle Bad Godesberg?
7 Wie viele Stationen sind es von Bonn Hauptbahnhof bis Dottendorf?
8 Wie viele U-Bahn-Linien fahren von Bonn nach Köln?

B Von Sankt Augustin Ort nach Bonn-Beuel

A mit U66 (→ Bad Honnef) bis Ramersdorf: 18 Stationen ab Ramersdorf mit U62 (→ Dottendorf): 5 Stationen

B Man fährt mit der U67 sieben Stationen in Richtung Bad Godesberg bis zum Konrad-Adenauer-Platz. Am Konrad-Adenauer-Platz steigt man in die U65 in Richtung Bonn-Beuel um. Vom Konrad-Adenauer-Platz nach Bonn-Beuel sind es fünf Stationen.

1 Suchen Sie die Wegbeschreibungen A, B, C, D auf dem Plan.

1 Welche Beschreibung ist richtig und gut? Warum?
2 Welche Beschreibung ist richtig, aber nicht so gut?
3 Welche Beschreibung ist falsch? Was ist falsch?

2 Schreiben Sie die Beschreibungen A, B und D in Form von Beschreibung C.

C
- Einsteigen in U67 in Richtung Hauptbahnhof/Bad Godesberg
- Nach 9 Haltestellen aussteigen: Stadthaus
- Umsteigen in U65 in Richtung Ramersdorf
- Nach 5 Haltestellen aussteigen: Bonn-Beuel

D Am besten nehmen Sie die U67 oder die U66 zum Hauptbahnhof. Am Hauptbahnhof steigen Sie in die U62 nach Oberkassel um. Die siebte Haltestelle ist Bonn-Beuel.

C Aussprache: Trennbare Verben

um dreizehn Uhr ankommen – ankommen
in Ramersdorf umsteigen – umsteigen
in die U16 einsteigen – einsteigen

den Bestellschein ausfüllen – ausfüllen
Herrn Wagner anrufen – anrufen
am Hauptbahnhof aussteigen – aussteigen

D Trennbare Verben

Unterstreichen Sie die Verben und schreiben Sie die Infinitive und Sätze.

Trennbare Verben	Infinitiv
Füllen Sie bitte den Bestellschein aus!	*ausfüllen*
Tragen Sie bitte auch Ihre Adresse ein!	
Ich komme um 13 Uhr in Zürich an.	
Bitte steigen Sie hier aus!	

Satzklammer

Position 1	Verb (konjugiert)		Vorsilbe
	Füllen	*Sie bitte den Bestellschein*	*aus!*

E Entschuldigen Sie bitte. Wie komme ich zum Hauptbahnhof?

1 Wie kommen die Leute an ihr Ziel: zu Fuß, mit der Straßenbahn oder mit dem Auto?

Dialog A: ____________________

Dialog B: ____________________

Dialog C: ____________________

2 Hören Sie die drei Wegbeschreibungen noch einmal und zeigen Sie den Weg auf dem Stadtplan.

3 Sehen Sie sich den Stadtplan an. Antworten Sie.

Situation 1: Herr Tomic ist in der Grabenstraße Ecke Blumenallee und fährt in Richtung Marktplatz. An der zweiten Kreuzung biegt er rechts ab und fährt immer geradeaus. Wohin möchte Herr Tomic?

Situation 2: Frau Morina steigt in der Sandstraße in die Linie 15. An der zweiten Haltestelle steigt sie in Linie 10 um und steigt an der zweiten Haltestelle aus. Wohin möchte sie?

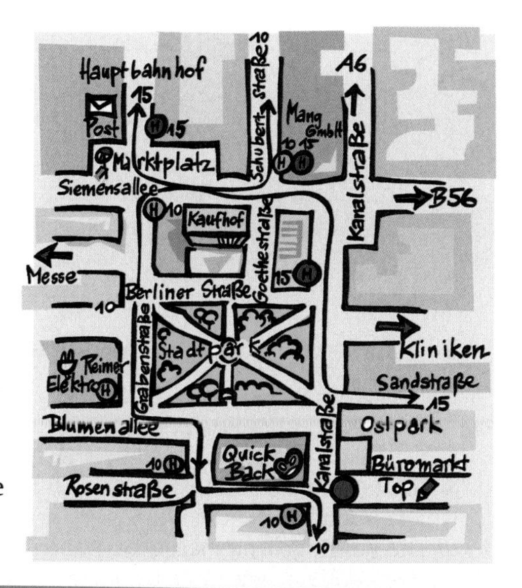

Wann? Wo? Wohin? Was?			
wann? – am … -(s)ten	wo? – in/an d- … -en	wohin? – in/an d- … -e(n)	was? – d- … -e
am ersten Mai	im ersten Stock	in den ersten(!) Stock	der erste Stock
am vierten Juni	am zweiten Haus	an das zweite Haus	das zweite Haus
am zwanzigsten Juli	in der dritten Straße	in die dritte Straße	die dritte Straße
	an der vierten Ecke	an die vierte Ecke	die vierte Ecke

F So kommt man dahin.

1 Partnerarbeit: Machen Sie eine Beschreibung auf einem Notizzettel wie in Aufgabe B, tragen Sie die Beschreibung einem Partner vor. Ihr Partner sucht den Weg auf dem Übersichtsplan in Aufgabe A.

2 Partnerarbeit: Fragen Sie nach dem Weg und geben Sie eine Wegbeschreibung wie in Aufgabe E.

Und was machen wir mit …?

A Hören Sie noch einmal den Hörtext von S. 67, Aufgabe C3.

1 Was sagt Armando über das Regal? Ergänzen Sie.

Oben links stehen die Aktenordner und oben rechts stehen ein paar Bucher. In der Mitte stehen die [illegible] und die Tassen. Da unten links liegt das papier für den Drucker. Rechts unten liegen catalogue.

caffe machina

2 Wie ist das Regal jetzt? Machen Sie Notizen.

3 Rufen Sie eine Partnerin / einen Partner an und beschreiben Sie das Regal.

Du, unser Regal sieht schlimm aus.
Vor dem Regal … Neben … / An … / In … / Auf …

B Walter Green macht Ordnung und informiert seine Kollegen.

1 Sehen Sie sich das Bild an und ergänzen Sie.

Walter Green: Neben dem Regal steht ein Papierkorb. ________ Papierkorb sind die Kataloge und Prospekte. Corinnas Regenschirm steht ________ Regal. Die Aktenordner stehen oben links ________ Regal. ________ Regal liegen Bücher und Papier. Und die Kaffeemaschine und die Tassen sind weg. ________ Boden ________ Regal liegen Ordner und Büromaterial.

2 Lesen Sie.

Gestern habe ich im Büro Ordnung gemacht. Ich habe das Papier unter den Computertisch getan. Corinnas Regenschirm habe ich an die Garderobe gehängt. Ich habe die Aktenordner wieder oben links ins Regal gestellt. Die Bücher habe ich auch wieder an ihren Platz gestellt. Die Kataloge und Prospekte habe ich in die Altpapiertonne getan. Die Kaffeemaschine habe ich in einem Schrank gefunden. Ich habe sie ins Regal in die Mitte gestellt. Das Büromaterial und die Ordner habe ich in meine Schublade gelegt.

3 Unterstreichen Sie alle Präpositionen mit Artikel und Nomen in Aufgabe B2. Ergänzen Sie.

1 Gestern habe ich im Büro ________ Ordnung gemacht.
2 Ich habe das Papier ________ getan.
3 Corinnas Regenschirm habe ich ________ gehängt.
4 Ich habe die Aktenordner oben links ________ gestellt.
5 Die Bücher habe ich wieder ________ gestellt.
6 Die Kataloge und Prospekte habe ich ________ getan.
7 Die Kaffeemaschine habe ich ________ gefunden.

Wohin tun: *legen, stellen, hängen* – Wo sein: *liegen, stehen, hängen*

wohin?			wo?		
in*, an* auf, unter über, unter vor, hinter neben, zwischen	den das die die	legen stellen hängen	in*, an*, auf, unter, über, unter, vor, hinter, neben, zwischen	dem der den … -n	liegen stehen hängen
*in + das = ins; an + das = ans			* in + dem = im; an + dem = am		

C Aussprache: *m – n*

Der Mantel hängt am Regal oder an der Garderobe. – am Regal – an der Garderobe
Ist das Büromaterial in der Schublade oder im Schrank? – in der Schublade – im Schrank
Auf den Büchern liegt ein Notizzettel. – auf den Büchern – ein Notizzettel
Stell den Aktenordner in den Schrank! – den Aktenordner – in den Schrank
Tanja fährt mit dem Bus zum Bahnhof. – mit dem Bus – zum Bahnhof

D

PARTNER A benutzt Datenblatt A11, S. 153. PARTNER B benutzt Datenblatt B11, S. 165.

E Die grüne Tonne – Die gelbe Tonne

1 Wohin bringt Walter Green den Büromüll?

1 Was kommt in die blaue Tonne?
2 Was kommt in die gelbe Tonne?

2 Was macht er mit ...?

Plastikflaschen	Brotresten
Illustrierten	Zeitungen
Metalldosen	Jogurtbechern
Katalogen	Packpapier
Papier	Alufolie
Getränkedosen	Tetra-Packs
Heften	Büchern
Prospekten	Kartons
Plastikbeuteln	Saft-Kartons
Käseresten	Wurstresten

3 Was ist richtig [r]? Was ist falsch [f]

1 Glas kommt in die blaue Tonne. ______ [f]
2 Papier hat keinen grünen Punkt. ______ [ ]
3 Verpackungen mit dem grünen Punkt kommen in die gelbe Tonne. ______ [ ]
4 Verpackungen aus Pappe kommen nicht in die gelbe Tonne. ______ [ ]
5 Flaschen kommen in die gelbe Tonne. ______ [ ]
6 Batterien kommen nicht in die gelbe Tonne. ______ [ ]

F Ein neues Büro.

1 Richten Sie zu zweit das Büro ein. Zeichnen Sie Ihr Büro.

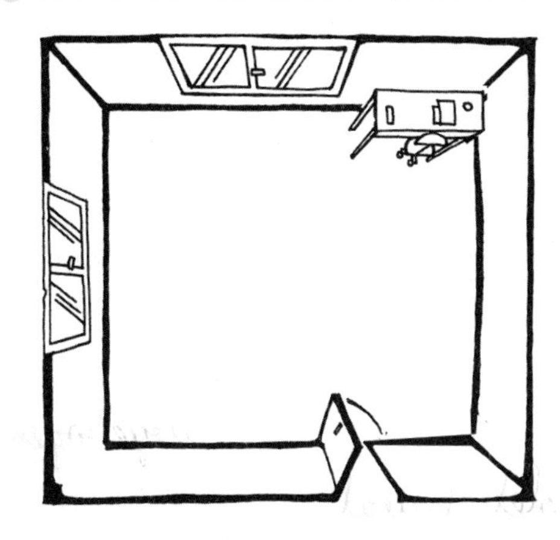

in an auf unter
über unter
vor hinter
neben zwischen

der Boden die Wand
die Ecke das Fenster
links rechts
hinten vorn

die Aktenordner die Bücher
das Bild die Stühle
die Garderobe der Schreibtisch
der Computertisch
der Arbeitstisch das Büromaterial

2 Beschreiben Sie das Büro.

Was haben Sie gemacht?
Das Bild haben wir an die Wand gehängt.
Die Stühle ...

Wie ist es jetzt?
Das Bild hängt an der Wand.
Die Stühle ...

Unterwegs zur Firma Rohla

A Herr Molnar auf dem Weg zur Firma Rohla

1 Lesen Sie. Wie kommt Herr Molnar am besten zur Firma Rohla?

Es ist 8 Uhr, Hauptverkehrszeit. Herr Molnar möchte zur Firma Rohla. Er fährt auf der B56 in Richtung Kliniken. Da hört er im Radio eine Durchsage: „Achtung, Autofahrer! Die Kanalstraße ist heute wegen Bauarbeiten gesperrt. Staus im Stadtbereich: Auf der Siemensallee gibt es einen Stau …"

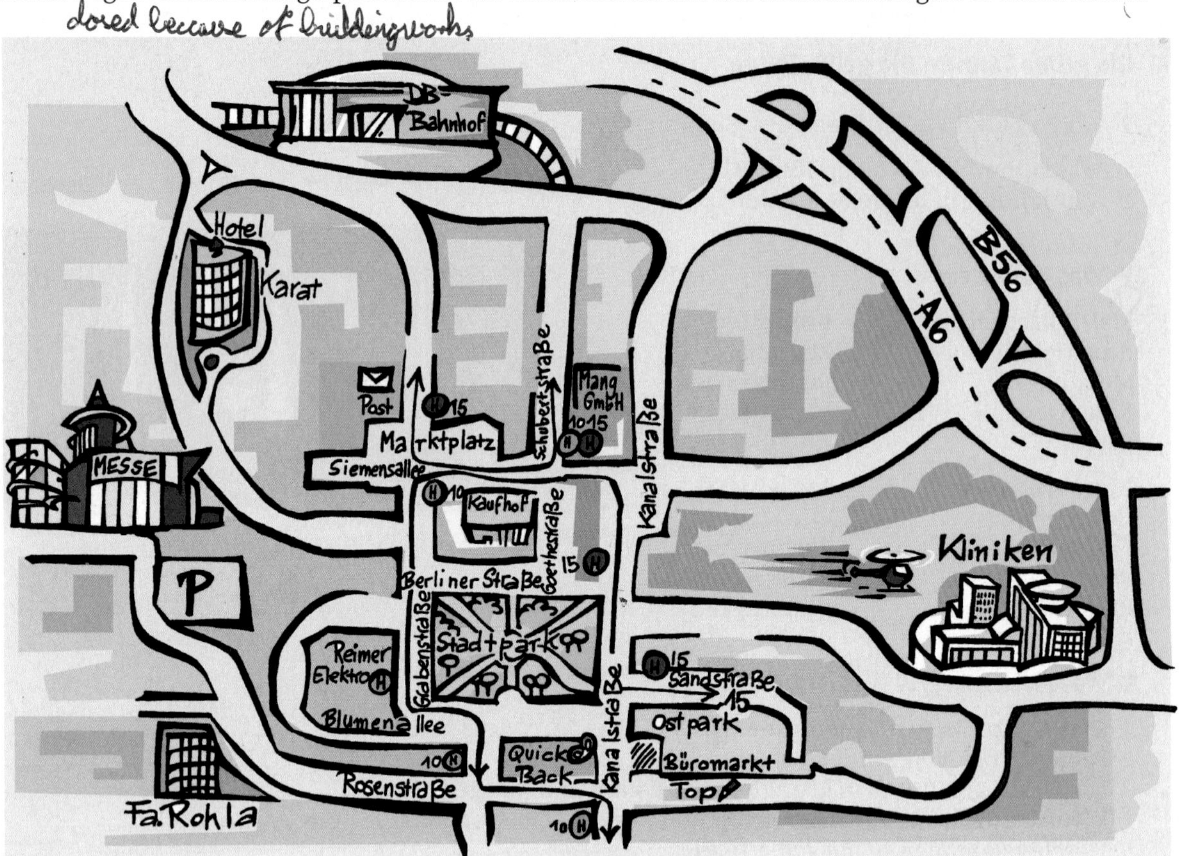

2 Hören Sie das Telefongespräch und verfolgen Sie dabei den Fahrtweg von Herrn Molnar auf der Karte. Welchen Fehler hat Herr Molnar gemacht?

1 ☐ Er ist zu früh links abgebogen.
2 ☐ Er ist zu früh rechts abgebogen.
3 ☐ Er ist zu spät links abgebogen.
4 ☐ Er ist zu spät rechts abgebogen.

3 Beschreiben Sie Herrn Molnars Weg.

4 Hören Sie das Telefongespräch noch einmal und ergänzen Sie die Sätze.

Position 1	Verb (konjugiert) — Satzklammer		Partizip Perfekt
Ich	bin	nach dem Hauptbahnhof links	abgebogen
Dann	bin	ich zum Hotel Karat.	gekommen.
Dann	bin	ich in Richtung Stadtmitte	gefahren
Dann	bin	ich in die erste Straße rechts	abgebogen.
Und schließlich	habe	ich die zweite Straße rechts	genommen

Verben: Perfekt				
sein oder haben?	sein: fahren, gehen, kommen, abbiegen, bleiben, um-, ein-, aussteigen, ... haben: sagen, anrufen, machen, wohnen, legen, hängen, zeigen, ...			
Partizip	ge___t gesagt, gemacht, gelegt, gezeigt, ... ge___en gekommen, gefahren, gegangen, ...		Achtung: ausgefüllt, aufgehängt ... besucht, bestellt, erklärt Achtung: umgestiegen, angekommen, ... beschrieben, beraten, entschieden, ...	
Satzbau	Position 1	Verb		Partizip Perfekt
	Herr Molnar	hat	um 8 Uhr bei mir	angerufen.

B Was ist Herrn Molnar passiert?

1 Ordnen Sie zu.

1 Die Kanalstraße	hat	ich in die erste Straße rechts	abgebogen.
2 Auf der Siemensallee	habe	ich zum Hotel Karat	abgebogen.
3 Nach dem Hauptbahnhof	war	ich in Richtung Stadtmitte	gegeben.
4 Dann	bin	heute Morgen	gekommen.
5 Dann	bin	ich links	genommen.
6 Nach der Messe	bin	es einen Stau	gefahren.
7 Schließlich	bin	ich die zweite Straße rechts	gesperrt. – closed

2 Was hat Herr Molnar gemacht?
Schreiben Sie in der Reihenfolge wie im Telefonanruf.

Herr Molnar ist nach dem Hauptbahnhof links abgebogen. Dann ist er ...

C Frau Straub sucht Frau Delio.

Zuerst geht Frau Straub mit Herrn Molnar ins Besprechungszimmer.

Hier ist Herr Molnar. Er hat um 8.15 Uhr einen Termin mit Frau Delio. Ist sie da?

Ich glaube, Frau Delio ist in den Vertrieb gegangen, zu Herrn Berger. Fragen Sie doch mal dort.

Nein, hier im Vertrieb ist sie nicht. Herr Koriander hat sie im Labor gesehen.

Vielleicht ist sie in der EDV. Da ist sie oft.

Sie holt etwas in der Auftragsabwicklung bei Frau Kunde. Das dauert aber nicht lange.

Sie ist mit Herrn Bilewski in die Kantine gegangen.

Sie war da. Aber gerade ist sie zur Rezeption gegangen.

Sie hat gesagt, sie hat einen Termin im Besprechungszimmer. Dort wartet sie auf einen Herrn Molnar.

1 Was sagt Frau Straub zu den Mitarbeitern?
2 Wie ist die Situation?
3 Wo sind Frau Straub und Herr Molnar zuerst und dann und dann ... und schließlich?
4 Spielen Sie *Frau Straub sucht Frau Delio.*

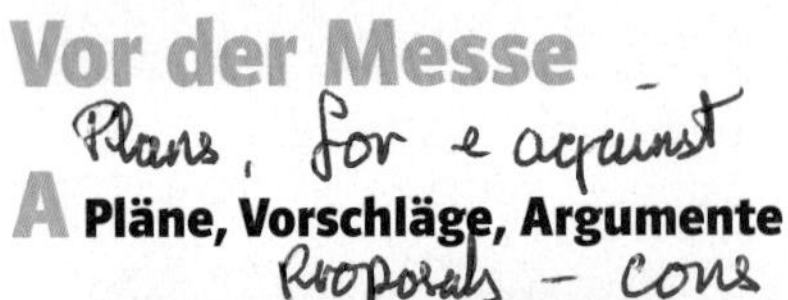

Vor der Messe

A Pläne, Vorschläge, Argumente

1 Welche Pläne haben die Leute?

Die Dame in der Mitte links sagt: „Ich würde gern den Vortrag besuchen."

2 Welche Vorschläge machen die Leute?

Der Herr in der Mitte rechts mit dem blauen Hemd sagt: „Du kannst mit mir zum Fundbüro gehen."

3 Welche Argumente bringen die Leute?

Der Herr in der Mitte mit dem weißen Hemd sagt: „Der Vortrag ist interessant."

4 Wohin würden Sie gern gehen? Sagen Sie Ihre Pläne. Machen Sie Vorschläge. Bringen Sie Argumente.

- Ich will in die Stadt gehen. Die Messe ist langweilig.
- Wolltest du nicht zur Recycling-Ausstellung gehen? Ich dachte, du musstest mit Herrn Härtl sprechen.
- Ich muss in Halle 6 gehen. Ich konnte gestern schon nicht dort sein.
- Ihr könnt mit mir zur Präsentation kommen.
- Wir wollten zuerst einen Kaffee trinken. Wir mussten heute Morgen schon um 6 Uhr am Bahnhof sein.

Modalverben: *wollen, müssen, können*							
Gegenwart/Zukunft: Präsens				**Vergangenheit: Präteritum**			
ich, er/sie/es	will	muss	kann	**ich, er/sie/es**	wollte	musste	konnte
du	willst	musst	kannst	**du**	wolltest	musstest	konntest
wir, sie/Sie	wollen	müssen	können	**wir, sie/Sie**	wollten	mussten	konnten
ihr	wollt	müsst	könnt	**ihr**	wolltet	musstet	konntet

TIPP

Tendenz: „möchte" ist eher höflich, „will" ist eher klar.
Also sagt man eher: „ich möchte, wir möchten", aber „er will, willst du, wollen Sie". „möchte" gibt es in der Vergangenheit nicht. Man sagt: „wollte".

B Na, wie war's?

Hören Sie und ergänzen Sie.

Damian Pott wollte zur Verkaufsausstellung in Halle 6 gehen und war in der Verkaufsausstellung.

Frauke Holm wollte zum Stand von Firma Beltz gehen, aber sie war mit Damian in der ______.

Anni Caruso wollte den Vortrag besuchen, aber die Kinder wollten in den ______. Da musste sie in den ______ gehen.

Kirsten und Rolf wollten in den Zoo und sie waren im ______.

Horst Boll wollte zu dem Vortrag, aber er hat eine Kollegin von früher getroffen und ist mit ihr in die ______ gegangen.

Karl Beierer musste zur Recycling-Ausstellung. Er hatte dort eine ______.

Rainer Gärtner wollte erst mal zum Fundbüro und ist dann zum ______ von Firma Beltz gegangen.

Theo Hamm wollte erst mal in den Lesesaal gehen, aber er musste mit seiner Frau zur ______.

C Aussprache: *m – n*

Links oben liegen die Bücher.
Neben den Büchern stehen die Aktenordner.
Unter den Aktenordnern stehen ein paar Tassen.
Das Regal steht hinten links am Fenster.

Sie kommen zu einem Park.
An der zweiten Kreuzung biegen Sie ab.
Sie fahren am Hauptbahnhof vorbei.
Am Hauptbahnhof finden Sie keine freien Parkplätze.

D Wie machen Sie es? Wie haben Sie es gemacht?

1 Was ist wo in Ihrem Zimmer/in Ihrem Büro/auf Ihrem Schreibtisch/in Ihrem Schrank?
2 Beschreiben Sie Ihren Weg zum Arbeitsplatz/zum Sprachkurszentrum/zum .../zur ...
3 Erklären Sie einem Partner/einer Partnerin den Weg vom Büromarkt Top zum Hauptbahnhof (Abbildung S. 72, A1) oder vom/von der ... zum/zu der ...

E PARTNER A benutzt Datenblatt A12, S. 154. PARTNER B benutzt Datenblatt B12, S. 166.

Wegbeschreibung

Wegbeschreibung

Wie kommt man zur Firma Symantec in Wien?
Suchen Sie die drei Wegbeschreibungen auf dem Plan:

- von Norden
- von Osten/Süden
- von Westen

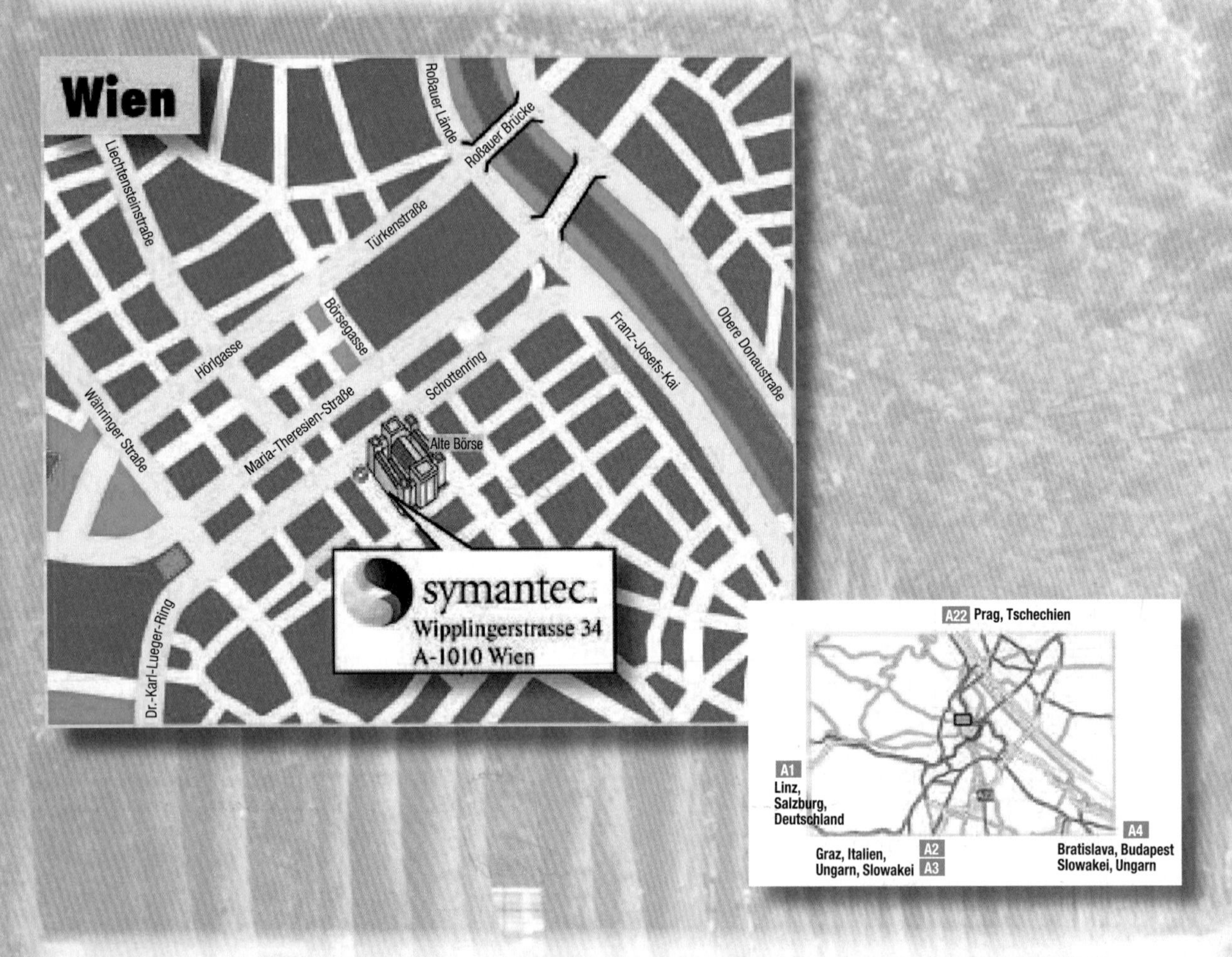

Von Norden:
Richtung Zentrum, am Donaukanal entlang, von der Roßauer Lände rechts in die Türkenstraße abbiegen, dann links in die Börsegasse, dieser bis zur Alten Börse folgen. Die Wipplingerstraße liegt auf der anderen Seite der Börse.

Von Osten/Süden:
Von der A23 kommend Abfahrt Zentrum, von der A4 kommend geradeaus Richtung Zentrum. Der Oberen Donaustraße folgen bis zur Roßauer Brücke, dort links abbiegen, die Donau überqueren und geradeaus in die Türkenstraße fahren, dann links in die Börsegasse, dieser bis zur Alten Börse folgen. Die Wipplingerstraße liegt auf der anderen Seite der Börse.

Von Westen:
Das Wiental entlang Richtung Zentrum fahren, im Zentrum in den Dr.-Karl-Lueger-Ring abbiegen. Diesem bis zur Alten Börse folgen, danach rechts in die Börsegasse abbiegen. Die Wipplingerstraße liegt auf der anderen Seite der Börse.

Wohin mit dem Müll?

Wohin mit dem Müll?

1 Was kommt in die Restmülltonne.
2 Was kommt in die Biotonne?
3 Was kommt in die Gelbe Tonne oder in den gelben Sack?
4 Was kommt in die Papiertonne?
5 Was ist Sperrmüll?
6 Was ist Sondermüll?

Restmüll
wie Kehrricht, kalte Asche, Staubsaugerbeutel, CDs, Disketten, Kassetten, Glühbirnen, Zigarettenreste

Behälter: Graue oder schwarze Tonne

Biomüll
wie Gemüse- und Obstreste, Essensreste, Kaffeefilter, Pflanzenreste

Behälter: Braune Tonne

Leichtstoff-verpackungen
wie Dosen, Safttüten, Tuben, Folien, Jogurtbecher, Aluminium

Behälter: Gelbe Tonne oder gelber Sack

Papier
wie Zeitungen, Zeitschriften, Hefte, Kataloge, Pappe

Behälter: Blaue oder grüne Tonne

Sperrmüll
wie Sofas, Tische, Stühle, Matrazen, Lampen, Fahrräder, Koffer

Bringt man zum Recyclinghof oder wird zu Hause abgeholt.

Sondermüll
wie Batterien, alte Farben, Klebstoffe, Ölreste, Computer, Elektrogeräte, Reifen

Bringt man zum Recyclinghof.

Was kommt wohin? Kreuzen Sie an.

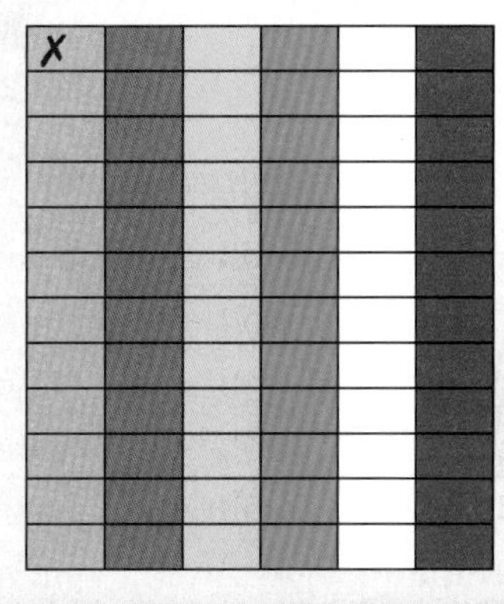

Verpackungskarton	✗					
Aktenordner (Plastik)						
Aluminium						
Batterien						
Blumen						
CDs						
CD-Player						
Computerteile						
Disketten						
Farbreste						
Getränkedosen						
Glühbirnen						

Käsereste						
Kassetten						
Klebstoffe						
Konservenbüchsen						
Milchtüten						
Sahnebecher						
Salatblätter						
Sessel						
Tageszeitungen						
Taschen						
Taschenbücher						
Werbeprospekte						

Kapitel 5 Grammatik

Wohin/Wo?

→ S. 66, 70

	wohin? Präposition + Akkusativ		wo? Präposition + Dativ	
	dahin	tun: legen, stellen, hängen ...	da	sein: liegen, stehen, hängen ...
in* an* auf unter über vor hinter neben zwischen	den das die	Sie stellt den Computer auf den Tisch. Er legt das Buch in das/ins Regal. Ich hänge den Zettel an das/ans Fenster. Wir hängen das Bild an die Wand.	dem der	Der Computer steht auf dem Tisch. Das Buch liegt in dem/im Regal. Der Zettel hängt an dem/am Fenster. Der Plan hängt an der Wand.

Trennbare Verben

→ S. 69

	Satzklammer		
Position 1	Verb (konjugiert)		Vorsilbe/Infinitiv
Herr Tomic	steigt	am Hauptbahnhof	aus.
Bitte	steigen	Sie hier	aus!
Am Hauptbahnhof	möchte	ich gern	aussteigen.

Perfekt mit *haben* oder *sein*

→ S. 73

Perfekt mit haben (~80%)	Perfekt mit sein (~20%)
sagen, anrufen, machen, wohnen, legen, hängen	fahren, gehen, kommen, bleiben, um-, aussteigen
Wir haben in Köln gewohnt. Sie hat mich gestern angerufen.	Ich bin am Montag nach Köln gefahren. Er ist am Bahnhof ausgestiegen.

Partizip Perfekt

→ S. 73

	(ge)______t		(ge)______en
machen	gemacht	kommen	gekommen
sagen	gesagt	fahren	gefahren
ausfüllen	ausgefüllt	umsteigen	umgestiegen
besuchen	besucht	beraten	beraten
erklären	erklärt	entscheiden	entschieden

Satzbau: das Perfekt

→ S. 73

	Satzklammer		
Position 1	Verb (konjugiert)		Partizip Perfekt
Herr Molnar	hat	um acht Uhr	angerufen.
Frau Delio	ist	in die Kantine	gegangen.

Modalverben: *wollen, müssen, können*

→ S. 75

Gegenwart/Zukunft: Präsens				Vergangenheit: Präteritum			
ich	will	muss	kann	ich	wollte	musste	konnte
du	willst	musst	kannst	du	wolltest	musstest	konntest
er/sie/es	will	muss	kann	er/sie/es	wollte	musste	konnte
wir	wollen	müssen	können	wir	wollten	mussten	konnten
ihr	wollt	müsst	könnt	ihr	wolltet	musstet	konntet
Sie/sie	wollen	müssen	können	Sie/sie	wollten	musste	konnte

Das Mercedes-Benz Kundencenter Bremen

Chrono.data GmbH & Co. KG

Die Arbeitsorganisation in der Rückware

Drucker und Regale

Was für ein Typ bin ich?

KAPITEL 6

NAMEN, ZAHLEN, DATEN, FAKTEN

Hier lernen Sie:
- den Weg beschreiben
- eine Firma beschreiben
- Arbeit organisieren
- Geräte vergleichen
- Menschen charakterisieren

Das Mercedes-Benz Kundencenter Bremen

A Mit der Bahn, mit dem Auto oder mit dem Flugzeug?

1 Lesen Sie die drei Texte. Was passt?

1 Anreise mit ____________

Am Bremer Kreuz nehmen Sie die A 27 in Richtung Bremerhaven. Sie verlassen die A 27 an der Ausfahrt Sebaldsbrück und fahren auf der Osterholzer Heerstraße in Richtung Zentrum. Nach circa 3,5 Kilometern biegen Sie vor dem DaimlerChrysler-Werk Bremen rechts in die Herrmann-Koenen-Straße ein. Nach ungefähr 300 Metern biegen Sie links ab und kommen in die Ludwig-Roselius-Allee. Nehmen Sie dann die erste Straße links „Im Holter Feld".

2 Anreise mit ____________

Vom Hauptbahnhof Bremen erreichen Sie uns mit einem Taxi zum Sondertarif von 12,50 €. Sie können aber auch mit dem Bus, Linie 25, für 3,60 € in Richtung Weserpark / Tenever fahren. Die Fahrzeit beträgt rund 30 Minuten. An der Haltestelle „Im Holter Feld" steigen Sie aus, gehen etwa 20 Meter zurück und biegen links in die Straße „Im Holter Feld" ein. Sie erreichen das Kundencenter in ungefähr 4 Minuten zu Fuß.

3 Anreise mit ____________

Vom Flughafen Bremen aus können Sie ein Taxi zum Sondertarif von 19,– € zum Kundencenter nehmen. Oder Sie fahren mit der Straßenbahn, Linie 6, in circa 20 Minuten zum Hauptbahnhof. Dort steigen Sie in den Bus, Linie 26, um und fahren weiter wie bei der Anreise mit der Bahn. In der Zeit von 8.00 Uhr bis 11.00 Uhr und von 15.00 bis 18.30 Uhr verkehrt halbstündlich ein kostenloser Pendelbus zum Kundencenter.

2 Suchen Sie die Antworten in den drei Wegbeschreibungen.

1 Wie weit ist es ungefähr vom Bremer Kreuz zum Kundencenter?
2 Was kostet die Fahrt vom Hauptbahnhof zum Kundencenter?
3 Wie lange braucht man vom Flughafen zum Hauptbahnhof mit öffentlichen Verkehrsmitteln?

3 Unterstreichen Sie in den Wegbeschreibungen folgende Angaben:

1 Die drei Wegbeschreibungen enthalten insgesamt drei ungefähre Zeitangaben.
2 Die drei Wegbeschreibungen enthalten insgesamt zwei ungefähre Entfernungsangaben.
3 Die drei Wegbeschreibungen enthalten vier Fahrpreisangaben.
4 Den Flughafen Bremen kann man vom Hauptbahnhof aus mit der Straßenbahn erreichen.
5 Mit der Bus-Linie 25 kann man vom Hauptbahnhof zum Mercedes-Benz Kundencenter fahren.
6 Von der Haltestelle „Im Holter Feld" kann man zu Fuß zum Kundenzentrum gehen.

4 Welche Wörter in den drei Texten haben Sie kennen und – ohne Wörterbuch – verstehen gelernt? Was hat Ihnen beim Verstehen geholfen?

B Verkehrsmittel und Verkehr

1 Ordnen Sie die Verkehrsmittel zu.

Fahrrad	Bus	Bahn	Flugzeug	Auto
Taxi	U-Bahn	ICE	Regionalbahn	

Öffentlicher Verkehr: Bus, U-Bahn, ____________ ↔ Individualverkehr: ____________

Schienenverkehr: ____________ ↔ Straßenverkehr: ____________

Fernverkehr: ____________ ↔ Regionalverkehr: ____________

2 Welche neuen Wörter haben Sie durch Aufgabe B1 kennen gelernt und verstanden?

3 Was glauben Sie? High speed train

1 Fährt ein Hochgeschwindigkeitszug langsam oder schnell?
2 Hält eine Regionalbahn oft oder selten?
3 Wie weit sind zehn Gehminuten ungefähr?
4 Fährt ein Pendelbus in eine Richtung oder hin und zurück? on foot

4 Vielleicht verstehen Sie jetzt ohne Wörterbuch folgende neue Wörter: langsam, hoch, Geschwindigkeit, Pendelbus, Bahn, ICE, Gehminute, Verkehrsmittel. Wie kommt das?

C Also gut, ... Wo sind die Leute? Wohin fahren sie?

1 Im Auto, auf der Messe, im Erdgeschoss? Zum Hotel, zum Gruppenraum 603A, in die siebte Etage?

	Wo?	Wohin?
Dialog 1:	auf der Messe	
Dialog 2:		
Dialog 3:		

2 Was ist richtig [r]? Was ist falsch [f]

1 Frau Kreidler fährt mit der Straßenbahn von der Messe zum Hotel. ____ [r]
2 Das Restaurant ist in der Möbelabteilung. ____ r [ ]
3 Die Frau ist pünktlich. ____ f [ ]
4 Sie geht zu Fuß vom Empfang in die dritte Etage. ____ f [ ]

Wie? Von wo / Woher? Wo? Wohin?		
Wie?	schnell, langsam, kostenlos, ... mit der Straßenbahn, mit dem Aufzug, mit der Bahn, zu Fuß, mit öffentlichen Verkehrsmitteln	
Von wo / Woher?	aus Frankfurt, vom* Empfang, von der Haltestelle, vom* Erdgeschoss, vom* Hotel, vom* Messeplatz	*am ← an dem *im ← in dem *ins ← in das *vom ← von dem *zum ← zu dem *zur ← zu der
Wo?	in Frankfurt, zu Hause, hier, dort im* Bus, im* Restaurant, in der Möbelabteilung, in der siebten Etage auf dem Flughafen, auf der Autobahn, auf der rechten Seite gegenüber dem Supermarkt / dem Hotel / der Tankstelle am* Eingang, an der Ausfahrt, am* Hotel, am* Empfang	
Wohin?	nach Frankfurt, nach Hause, dorthin, hierher, hin und zurück in den Bus, ins* Restaurant, in die Stadtmitte, ins* Hotel zur* Autobahn, zum* Eingang, zu Mercedes, zum* Hotel	

D Schreiben Sie Sätze.

wer?	wann?	von wo?	wie?	wohin?
Susanne Peter und Tina Herr Hauck die Damen	jetzt um drei Uhr in einer Stunde am 3. März	von Frankfurt vom Bahnhof von Herrn Berger von zu Hause	zu Fuß schnell mit der Bahn mit dem Taxi	ins Hotel zur Messe zu Herrn Berger nach Hause

Peter und Tina fahren in einer Stunde vom Bahnhof mit dem Taxi nach Hause.

Herr Hauck ... geht zum drei Uhr

E Wie? Wie lange? Wie weit?

1 Beschreiben Sie den Weg vom Flughafen Bremen zum Mercedes-Kundencenter.
2 Beschreiben Sie Ihren Weg von zu Hause / von ... zur Firma / zum Sprachinstitut / zu ...

Chrono.data GmbH & Co. KG

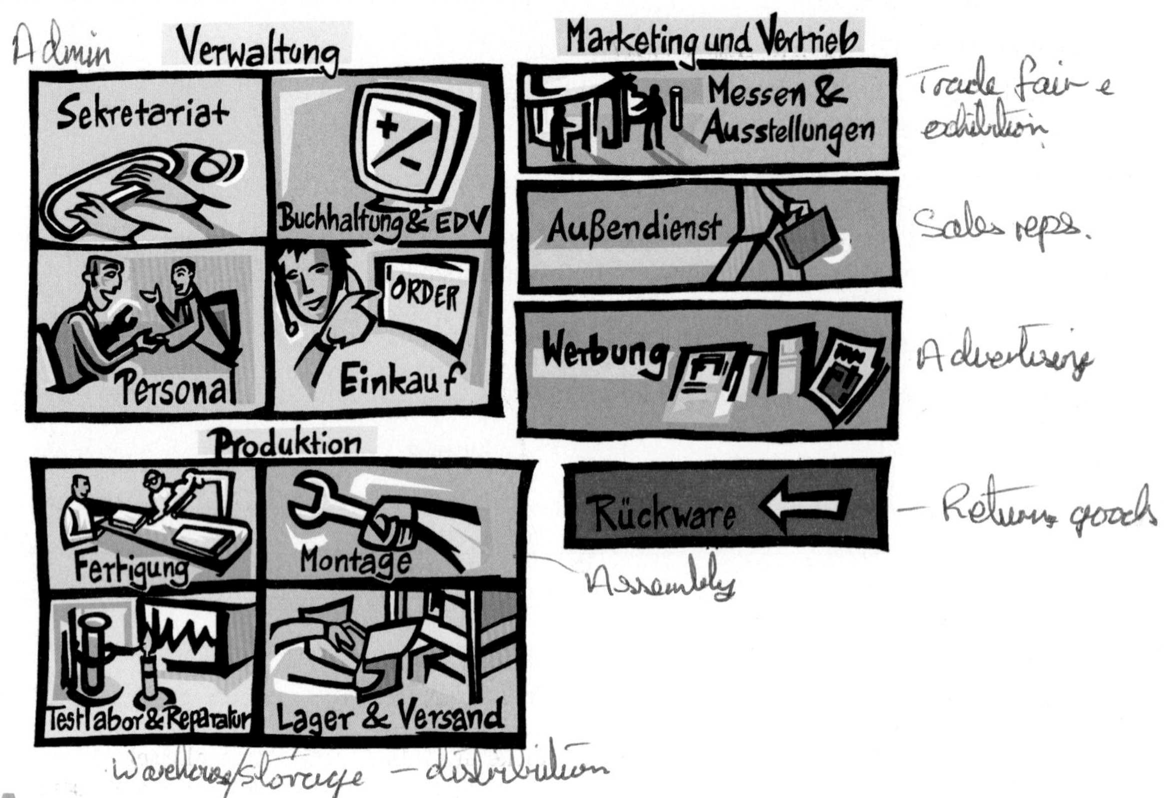

A Die Abteilungen der Firma Chrono.data

1 Tragen Sie die Bereiche und Abteilungen in das Organigramm ein.

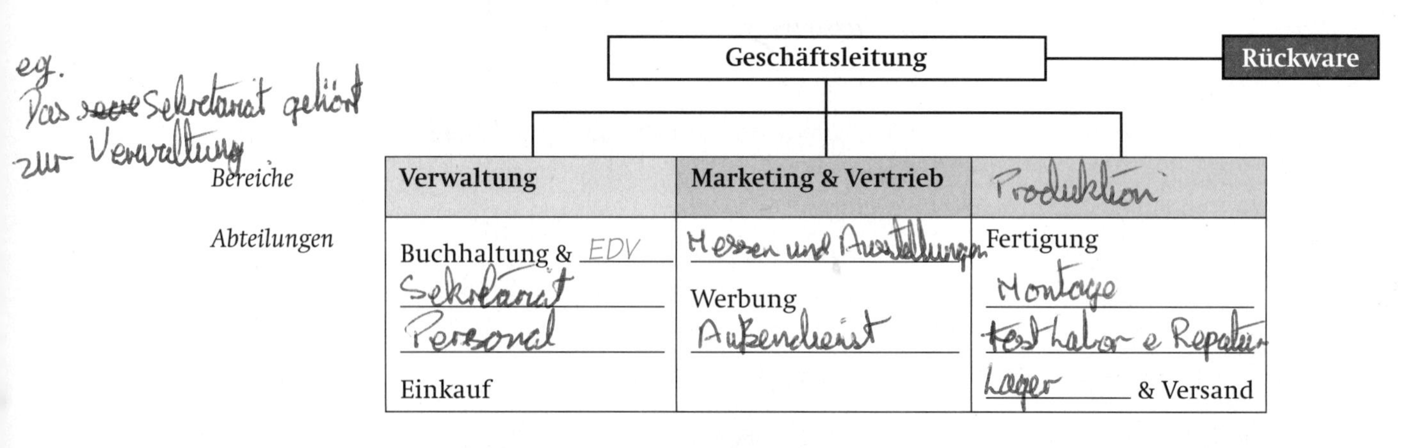

Geschäftsleitung — Rückware

Bereiche	Verwaltung	Marketing & Vertrieb	______
Abteilungen	Buchhaltung & EDV ______ ______ Einkauf	______ Werbung ______	Fertigung ______ ______ ______ & Versand

2 Sprechen Sie mit einem Partner.

▶ Wozu gehört der Einkauf?	▶ Der Einkauf gehört zur Verwaltung.
▶ Welche Abteilungen gehören zur Produktion?	▶ Zur Produktion gehören …

B Das Organigramm der Firma Chrono.data

1 Hören Sie die Erklärungen von Herrn Heimeran. Welche Bereiche und Abteilungen kommen vor? Unterstreichen Sie.

2 Ergänzen Sie den Text.

Wir sind ______ bekannt als Hersteller von Zeitschaltuhren. Wir ______ auch elektronische Steuerungen für Elektromotoren, Drucker und Küchengeräte ______, wie zum Beispiel für diese Kaffeemaschine. Ach, darf ich Ihnen einen Kaffee ______? Sie ______, wir ______ ohne die Rückware drei Bereiche mit insgesamt elf Abteilungen.

3 Fragen zur Firma Chrono.data

1 Was stellt die Firma Chrono.data her? Wofür?
2 Wie viele Bereiche und Abteilungen gibt es?
3 Was darf man wo nicht tun?
4 Was muss man wo tun?
5 Was ist die Rückware?

4 Ergänzen Sie den Text.

▶ Darf ______ man hier rauchen?
▶ Hier ______ Sie leider nicht rauchen.
Aber da hinten ist eine Raucherecke,
da ______ Sie rauchen.
Übrigens: In der Produktion ______ man
Spezialkleidung tragen.
Und man ______ nicht fotografieren.
▶ ______ ich hier ein Foto machen?
▶ Ja, hier ______ Sie eins machen.

können / dürfen, müssen, nicht dürfen

	möglich, erlaubt	nötig, Pflicht	verboten
ich	kann/darf	muss	darf nicht
du	kannst/darfst	musst	darfst nicht
er/sie/es	kann/darf	muss	darf nicht
wir	können/dürfen	müssen	dürfen nicht
ihr	könnt/dürft	müsst	dürft nicht
sie/Sie	können/dürfen	müssen	dürfen nicht

C Aussprache: *ä, ö, ü* – lang und kurz

Die Gäste hätten gern Säfte.
Die Pläne hängen an den Wänden.
Gläser mit Getränken
Vorträge in vielen Städten

Können Sie die Wörter hören?
zwölf Söhne und Töchter
Sie möchte zwei Röcke Größe 38.
Bitte möglichst schön schreiben.

Ihr müsst früh da sein.
fünfzig Bücher
fünf Büroschlüssel
Frühstück für fünf Personen

D Was muss man? Was kann / darf man? Was darf man nicht?

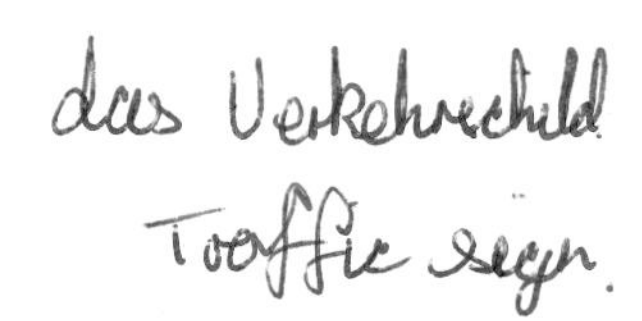

E Entschuldigung, kann man im Labor das Handy benutzen?

wo?	was?
im Labor – in der Montage – in der Kantine – im Besprechungsraum – auf dem Besucherparkplatz – im Sekretariat – …	telefonieren – essen und trinken – das Handy benutzen – Zeitung lesen – rauchen – ins Internet gehen – etwas besprechen – …

Beispiel:
- Entschuldigung, kann man im Labor das Handy benutzen?
- Entschuldigung, ich muss telefonieren. Wo kann ich mein Handy benutzen?
- Entschuldigung, muss man hier einen Augenschutz benutzen?

F PARTNER A benutzt Datenblatt A13, S. 154. PARTNER B benutzt Datenblatt B13, S. 166.

Die Arbeitsorganisation in der Rückware

Mitarbeiter	Soll-Stunden/T	Stand am 6. August
Thea Rendle	7,5	−19 Std.
Amina Gök	6	+24 Std.
Mischa Kramnik	7,5	−12 Std.
Rosa Ünsal	4	+56 Std.
Akile Morina	4	+ 3 Std.
∑	**29**	**+52 Std.**

Abkürzungen:
T = Tag
R = Rückware
U = Urlaub
a = auspacken
e = Daten eingeben
s = Aufträge schreiben
k = krank

Arbeit am 7. August in Stunden		Insgesamt
R1	a2,5 + e2 + s1,5	6 Stunden
R2	a1 + e1 + s0,5	2,5 Stunden
R3	a3 + e3 + s1,5	7,5 Stunden
R4	a4 + e3 + s1,5	8,5 Stunden
R5	a2 + e2 + s2	6 Stunden
∑	12,5 + 11 + 7 =	30,5 Stunden

Stunden	796	710	593	590	486	394	480	220	382	398	520	787
600 – 800												
400 – 600												
200 – 400												
0 – 200												
Monat	01	02	03	04	05	06	07	08	09	10	11	12

A Die Aufgaben der Rückware

1 Fragen zu den Tabellen und zum Diagramm

1 Was bedeutet die Abkürzung s?
2 Wie heißen die Mitarbeiter?
3 Wie hoch ist das Soll von Frau Gök am 6. August?
4 Wie hoch ist das Ist von Frau Ünsal am 6. August?
5 Ist Frau Morina im Minus oder im Plus?
6 Wie lange dauert das Auspacken von Rückware 3?
7 Wie lange dauert das Eingeben von Rückware 4?
8 Wie viele Stunden hat das Team im August (Vorjahr) insgesamt gearbeitet?
9 Wann gibt es mehr Arbeit: im Sommerhalbjahr oder im Winterhalbjahr?

2 Hören Sie noch einmal das Gespräch zwischen Herrn Heimeran und seiner Besucherin von S. 82, Aufgabe B. Welche Aufgaben hat die Rückware?

3 Stellen Sie einem Partner / einer Partnerin Fragen zu den Tabellen und zum Diagramm.

- Was bedeutet … ?
- Wie viele Stunden … ?
- Wie lange dauert … ?
- Wie hoch ist … ?

B Wer macht was?

1 Hören Sie den Text. Kreuzen Sie dann an.

1 Wo sind die Leute?
a) in einem Seminarraum
b) in einem Besprechungsraum
c) in einem Labor

2 Wie viele Leute nehmen an dem Gespräch teil?
a) drei
b) vier
c) fünf

3 Die Leute wollen …
a) die Arbeit reduzieren.
b) die Arbeit verteilen.
c) die Arbeit kontrollieren.

4 Das Gespräch ist …
a) ruhig und sachlich.
b) aufgeregt.
c) nett und freundlich.

2 Hören Sie noch einmal. Schreiben Sie die Zahlen, Namen, Dauer und Tätigkeit in die Übersicht.

Mitarbeiter	Tätigkeit	Dauer
Thea Rendle	Rückware 2 auspacken Rückware 4 auspacken Rückware 4 in EDV eingeben Rückware 4 Aufträge schreiben	1 Stunde *2 Stunden* 3 Stunden 1,5 Stunden
Mischa Kramnik	*Rückware 1* ______ ______ ______	6 Stunden 2 Stunden 0,5 Stunden
______	Rückware 3 auspacken Rückware 3 in EDV eingeben Rückware 3 Aufträge schreiben Rückware 2 in EDV eingeben	*3 Stunden* ______ ______ ______

C PARTNER **A** benutzt Datenblatt A14, S. 155. PARTNER **B** benutzt Datenblatt B14, S. 168.

D Auspacken, eingeben, Aufträge schreiben: Bei Rückware 2 und 4 gibt es Ablaufprobleme.

Sehen Sie in die Arbeitspläne:

1 Was müssen Frau Rendle, Herr Kramnik und Frau Morina verändern?

2 Frau Rendle, Herr Kramnik und Frau Morina verbessern ihre Planung. Spielen Sie das Gespräch.

Arbeitspläne		
Thea Rendle	Mischa Kramnik	Akile Morina
8.00 R4 auspacken	7.00 R1 auspacken	8.00 R3 auspacken
10.00 Pause	9.30 Pause	11.00 Mittagspause
10.15 R4 eingeben	9.45 R1 eingeben	13.00 R3 eingeben
12.15 Mittagspause	11.45 Mittagspause	14.00 R3 A schreiben
13.00 R4 eingeben	12.30 R1 A schreiben	17.00 R2 eingeben
14.00 R4 A schreiben	14.00 R2 A schreiben	18.30 Ende
15.30 R2 auspacken	14.30 R4 auspacken	
16.30 Ende	16.30 Ende	

Anweisungen geben

	Sie sagen *Sie*.	Sie sagen *du*. Singular	Plural
höflich	Können Sie (bitte) • die Pause verkürzen? • R4 bis 13 Uhr auspacken? • R2 bis 14 Uhr eingeben?	Kannst du (bitte) • die Pause verkürzen? • R4 bis 13 Uhr auspacken? • R2 bis 14 Uhr eingeben?	Könnt ihr (bitte) • die Pause verkürzen? • R4 bis 13 Uhr auspacken? • R2 bis 11 Uhr eingeben.
korrekt	Verkürzen Sie bitte die Pause! Packen Sie bitte R4 bis 13 Uhr aus! Geben Sie bitte R2 bis 14.00 Uhr ein!	Verkürze bitte die Pause! Pack(e) bitte R4 bis 13 Uhr aus! Gib bitte R2 bis 14 Uhr ein!	Verkürzt bitte die Pause! Packt bitte R4 bis 13 Uhr aus! Gebt bitte R2 bis 14 Uhr ein!

E Der 8. August

Machen Sie einen Arbeitsplan. Geben Sie den Mitarbeitern und Kollegen Aufträge. Tragen Sie Bitten und Vorschläge vor. Arbeiten Sie am besten in Gruppen zu viert: ein Chef und drei Mitarbeiter.

Rückware 5	a = 2; e = 2; s = 2
Rückware 6	a = 4; e = 3; s = 0,5
Rückware 7	a = 3; e = 3; s = 2
Rückware 8	a = 5; e = 3; s = 1

F Ändern Sie die Planung. Wer sagt was zu wem?

Können wir heute später Mittag essen?

Carlos, verkürze bitte deine Mittagspause.

Drucker und Regale

A Schon wieder der Drucker!

1 Erzählen Sie: Was ist schon einmal mit Ihren Bürogeräten passiert?

2 Hören Sie das Gespräch: Was ist mit dem Drucker los?

3 Was ist richtig? Kreuzen Sie an!

1 Der alte Drucker ist …
a) zuverlässig.
b) sehr praktisch.
c) zu alt.
d) sparsam.

2 Der neue Drucker soll …
a) schnell sein.
b) sparsam sein.
c) billig sein.
d) leicht sein.

B Wie hoch …? Wie viel …? Wie schnell …?

Sprechen Sie mit einem Partner. Der eine fragt, der andere antwortet.

	HP DeskJet 3420	HP DeskJet 3820	HP DeskJet 5550
Maße in mm	B 442 × T 182 × H 142	B 445 × T 380 × H 197	B 456 × T 385 × H 156
Gewicht in kg	ca. 2,0	ca. 3,0	ca. 5,3
Druckgeschwindigkeit	10 Schwarz / Min. 8 Farbe / Min.	17 Schwarz / Min. 12 Farbe / Min.	20 Schwarz / Min. 13 Farbe / Min.
Auflösung in dpi	2400 × 1200	4800 × 1200	4800 × 1200
Bestellnummer	T32H / 874 59	T32H / 874 60	T32H / 874 61
Preis in Euro	67,–	84,–	125,–

▶ Wie viel kostet / Wie viel wiegt / Wie schnell druckt … der …?
Wie teuer / Wie schnell / Wie schwer … ist der …?
Wie hoch ist … der Preis / die Auflösung / das Gewicht / die Geschwindigkeit … von …?

▶
- Der HP DeskJet 5550 kostet 125 Euro.
- Der Preis von HP DeskJet 3820 ist 84 Euro.
- Der HP DeskJet 3420 wiegt zwei Kilogramm.
- Das Gewicht von HP DeskJet 3420 ist zwei Kilogramm.
- Der HP DeskJet 3820 druckt mit einer Geschwindigkeit von 12 Seiten Farbe pro Minute.
- Der HP DeskJet 5550 hat eine Auflösung von 4800 x 1200 dpi.

C Vergleichen Sie die drei Drucker. Was ist richtig [r]? Was ist falsch [f]?

1 Der HP DeskJet 5550 ist billiger als der HP DeskJet 3820. [f]
2 Der HP DeskJet 3420 ist leichter als der HP DeskJet 5550. ☐
3 Der HP DeskJet 3420 druckt nicht so schnell wie der HP DeskJet 3820. ☐
4 Der HP DeskJet 3420 ist kleiner als der HP DeskJet 5550. ☐
5 Die Auflösung vom HP DeskJet 5550 ist niedriger als die Auflösung vom HP DeskJet 3820. ☐
6 Der HP DeskJet 3820 ist nicht so teuer wie der HP DeskJet 5550. ☐
7 Das Gewicht vom HP DeskJet 3820 ist höher als das Gewicht vom HP DeskJet 5550. ☐
8 Der HP DeskJet 5550 ist besser als der HP DeskJet 3420. ☐
9 Das Gewicht vom HP DeskJet 3420 ist genauso hoch wie das Gewicht vom HP DeskJet 3820. ☐

Komparation

gleich			ungleich				
genauso	gut groß schnell hoch teuer …	wie …	besser größer schneller höher teurer … -er	als …	nicht so	gut groß schnell hoch teuer …	wie …

D Regale

1 Machen Sie Angaben.

1 Für wie viele Ordner sind die Regale?
2 Wie hoch sind die Regale?
3 Wie viel kosten die Regale?

1
286,– €
Höhe 85 cm
für 48 Ordner

2
521,– €
Höhe 125 cm
für 72 Ordner

3
837,– €
Höhe 170 cm
für 96 Ordner

4
1125,– €
Höhe 205 cm
für 120 Ordner

2 Welches Regal nehmen Sie? Warum? Welches nicht? Warum nicht?

1 Das Regal Nummer 1 ist sehr klein. Aber ich nehme es.
2 Das Regal 4 ist zu groß. Ich nehme es nicht.
3 Das Regal 4 kostet 1125 Euro. Das ist zu teuer. Ich nehme es nicht.

E Aussprache

Was hören Sie? Kreuzen Sie an. Sprechen Sie nach.

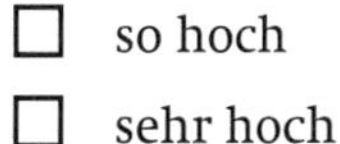

☐ so groß	☐ so schnell	☐ so schwer	☐ so hoch	☐ so langsam
☐ sehr groß	☐ sehr schnell	☐ sehr schwer	☐ sehr hoch	☐ sehr langsam
☐ zu groß	☐ zu schnell	☐ zu schwer	☐ zu hoch	☐ zu langsam

F Welches Zimmer, welches Auto nehmen Sie?

1 Ihre Entscheidung für oder gegen …

Zimmer, 25 qm, 5. Stock (kein Aufzug), Stadtmitte (etwas laut), 25 Minuten zum Flughafen, € 290,00/Monat	**Zimmer**, 15 qm, 1. Stock (Aufzug), 10 km zur Stadtmitte, sehr ruhig, € 220,00/Monat	**VW Golf**, 50 kW, Baujahr 1998, 67 000 km, viele Extras, € 8300,00	**Opel Corsa**, 40 kWh, Baujahr 2001, 27 000 km, Radio, € 6990,00

2 Vergleichen Sie Verkaufsangebote in der Zeitung. Was nehmen Sie (nicht)? Warum (nicht)?

Was für ein Typ bin ich?

A Wie sind diese Menschen?

dynamisch elegant exklusiv flexibel freundlich friedlich genau hilfsbereit informiert kalt klar kompetent liebevoll modern ordentlich planvoll pünktlich sozial sparsam technisch perfekt treu vorsichtig wirtschaftlich zuverlässig

Dialog 1

- Was für ein Mensch ist Franz Beckenbauer?
- Ich finde ihn dynamisch.
- Ich finde, er ist ein erfolgsorientierter Typ.
- Ich finde …

Dialog 2

- Was für ein Typ ist Bill Gates?
- Ich finde ihn gefühllos.
- Ich finde, er ist ein kalter Typ.
- Ich finde …

Dialog 3

- Was für ein Mensch ist Koffi Annan?
- Ich finde ihn konservativ.
- Ich finde, er ist ein friedlicher Mensch.
- Ich finde …

Dialog 4

- Was für eine Person ist Mutter Teresa?
- Ich finde sie liebevoll.
- Ich finde, sie ist eine hilfsbereite Person.
- Ich finde …

Adjektivdeklination

	Nominativ		Akkusativ		Dativ	
m	(k)ein mein	guter Plan	(k)einen meinen	netten Chef	mit (k)einem mit meinem	neuen Drucker
f	(k)eine meine	braune Hose	(k)eine meine	moderne Firma	zu (k)einer zu meiner	wichtigen Frage
n	(k)ein mein	schönes Buch	(k)ein mein	großes Haus	mit (k)einem mit meinem	neuen Gerät

B Ein Buch für Ihren Kollegen.

1. Charakterisieren Sie eine Kollegin oder einen Kollegen und sagen Sie: Was für ein Buch, was für ein Handy, was für eine Hose, was für ein- … passt zu ihm/ihr?

2. Charakterisieren Sie einen anderen Kollegen oder eine andere Kollegin und sagen Sie: In was für einem Betrieb möchte er oder sie arbeiten: in einem kleinen Familienbetrieb, in einem mittelgroßen Betrieb oder in einem Großbetrieb?

3. Wo möchte er/sie wohnen: im Grünen, am Stadtrand, im Stadtzentrum? In einem Einfamilienhaus, in einem Reihenhaus, in einem Hochhaus? Wo und wie möchte er oder sie Urlaub machen?

C Am wichtigsten, am zweitwichtigsten, nicht so wichtig, unwichtig

Bei einem neuen Mitarbeiter: kompetent, klar, flexibel, dynamisch, hilfsbereit, freundlich, zuverlässig, pünktlich ...

Bei einem Lebenspartner: modern, klar, dynamisch, erfolgsorientiert, hilfsbereit, friedlich, zuverlässig, sparsam ...

Bei einem neuen Auto: technisch perfekt, modern, elegant, exklusiv, familienfreundlich, bequem, wirtschaftlich, zuverlässig ...

Bei einem Hotelzimmer: modern, technisch perfekt, exklusiv, elegant, gemütlich, freundlich, billig, ordentlich ...

modern, technisch perfekt, kalt, kompetent, informiert, klar	erfolgsorientiert, elegant, exklusiv, flexibel, dynamisch, sportlich
zuverlässig, sparsam, vorsichtig, wirtschaftlich, ordentlich, pünktlich	freundlich, liebevoll, hilfsbereit, friedlich, sozial, treu

1 Machen Sie ein Interview. Fragen Sie zum Beispiel so:

- Was ist für Sie bei einem neuen Mitarbeiter am wichtigsten. Was ist am zweitwichtigsten? Nennen Sie also zwei Eigenschaften.
- Ein neuer Mitarbeiter muss hilfsbereit sein. Das ist für mich am wichtigsten. Außerdem muss er zuverlässig sein. Das ist für mich am zweitwichtigsten.

2 Markieren Sie die beiden wichtigsten Eigenschaften für Mitarbeiter, Lebenspartner, Auto, Hotelzimmer. Zählen Sie. Wie oft haben Sie im blauen, gelben, roten, grünen Feld markiert?

3 Teilen Sie Ihrem Interviewpartner das Ergebnis mit: Ich glaube, Sie sind ein Rot-Typ / Grün-Typ / Gelb-Typ / Blau-Typ. Sie sind ... Passt das zu Ihnen?

D

PARTNER A benutzt Datenblatt A15, S. 156. PARTNER B benutzt Datenblatt B15, S. 168.

E Frau Kelling und Herr Heimeran finden die Firma Chrono.data gut.

1 Lesen Sie die Fragen. Hören Sie dann den Text.

1 Beide Dialoge beginnen mit „Schon drei Jahre?!" Was hat der Interviewer gefragt und was haben Frau Kelling und Herr Heimeran geantwortet? (Die Frage und die Antwort hört man nicht.)
2 Welche Informationen, Zahlen, Daten und Fakten nennen Frau Kelling und Herr Heimeran?

Frau Kelling	Herr Heimeran
moderne Produkte, ______	*sicherer Arbeitsplatz,* ______
______	______
______	______
______	______

2 Sammeln Sie in Gruppen zu zweit Argumente zu der Frage: Was für ein Typ ist Frau Kelling / Herr Heimeran: grün, rot, gelb, blau? Oder vielleicht blau-grün, grün-rot, rot-gelb, gelb-blau?

3 Tragen Sie Ihre Meinung vor.

F Ihre Firma, Ihre Schule, Ihre Stadt ...

In Gruppen zu dritt: Einer charakterisiert seine Firma, seine Schule, seine Universität, seine Stadt, ... Die beiden anderen machen Notizen und ordnen sie einem Typ zu: gelb, blau, rot, grün, grün-rot, blau-grün ...

Berufe

Berufe

1 Welche Berufe sind eher „grün“ oder eher „rot“ oder eher „gelb“ oder eher „blau“.
2 Warum denken Sie das?

Naturwissenschaftler
Verkäufer
Polizist
Ingenieur
Rennfahrer
Fahrkartenkontrolleur
Schauspieler
Arzt
Clown
Journalist
Busfahrer
Unternehmer
Detektiv
Anwalt

modern	**elegant**
technisch perfekt	**repräsentativ**
intelligent	**exklusiv**
kompetent	**flexibel**
klar	**dynamisch**
informiert	**erfolgsorientiert**
kalt	**sportlich**
zuverlässig	**treu**
sparsam	**liebevoll**
praktisch	**sozial**
ordentlich	**nett**
pünktlich	**hilfsbereit**
wirtschaftlich	**friedlich**
vorsichtig	**familienfreundlich**

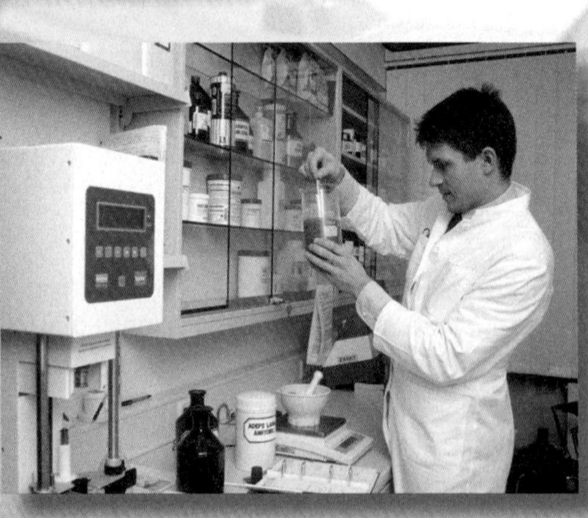

Anreise

Anreise

Wie kommt man zum Mercedes-Benz Kundencenter Sindelfingen:
- mit dem Flugzeug?
- mit dem Zug?
- mit dem Pkw aus München?
- mit dem Pkw aus Heilbronn?

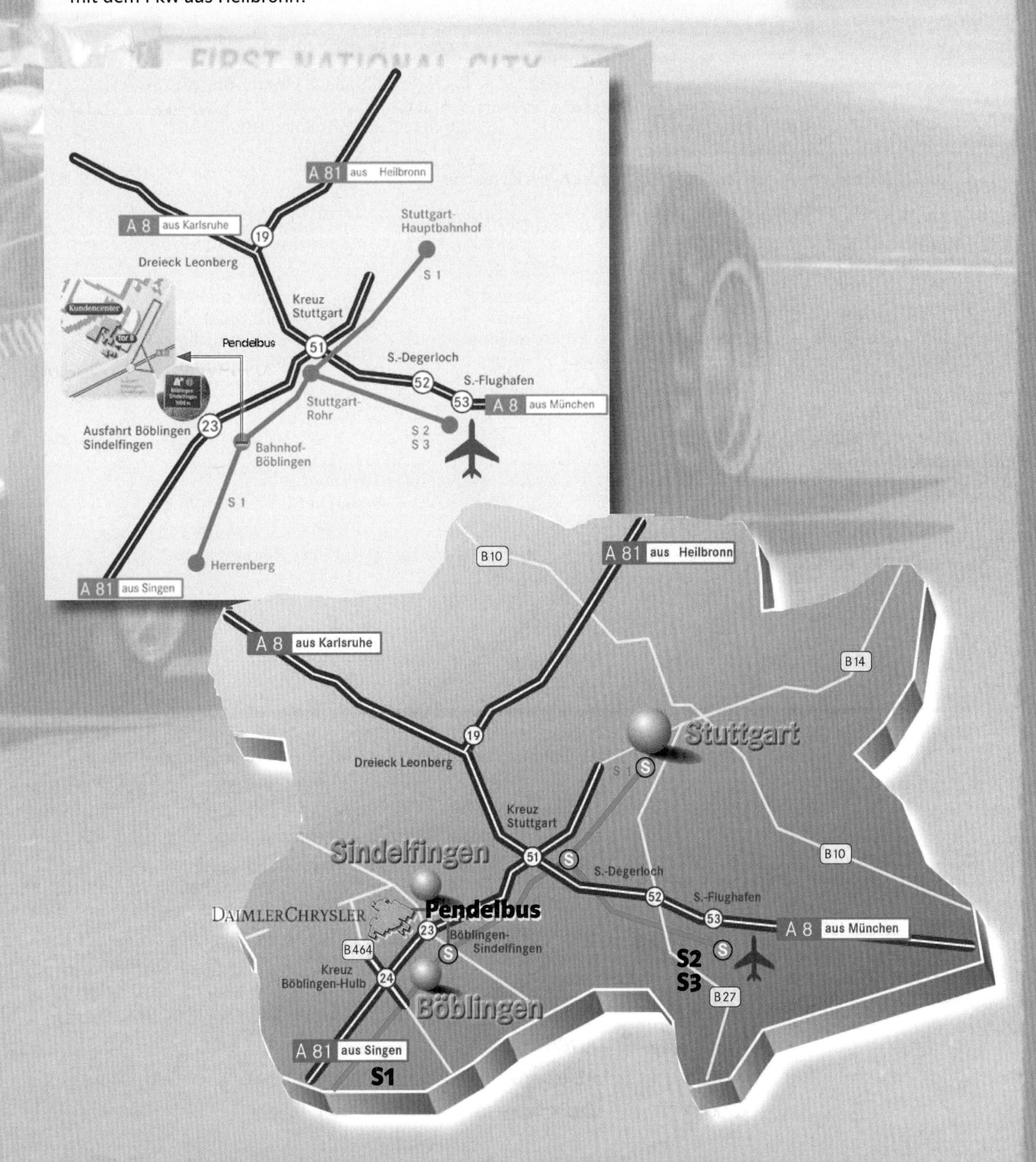

Kapitel 6 Grammatik

Wo?/Woher?/Wohin?

→ S. 81

wo?	zu Hause beim Chef, bei Nicole, bei Herrn Heimeran, bei Chrono.data in Helsinki, in Finnland, in der Schweiz am Bahnhof, im Hotel, auf der Messe, in der Steinstraße in/an/auf/über/unter/... dem Tisch / dem Regal / der Tür	Haus Person, Firma Stadt, Land Straße, Haus, ... Raum, Möbel, Büro, ...

woher/von wo?	wohin?
von zu Hause	nach Hause
vom Chef, von Nicole, von Herrn Heimeran	zum Chef, zu Nicole, zu Herrn Heimeran
von Helsinki, von Finnland, von der Schweiz	nach Helsinki, nach Finnland, in die Schweiz
vom Bahnhof, vom Hotel, von der Messe	zum Bahnhof, zum Hotel, zur Messe
vom Tisch / vom Regal / von der Tür	auf den Tisch / ins Regal / an die Tür

Modalverben: *dürfen/können, müssen, nicht dürfen*

→ S. 83

	möglich, erlaubt: können/dürfen	nötig, Pflicht: müssen	verboten: nicht dürfen
ich	kann/darf	muss	darf nicht
du	kannst/darfst	musst	darfst nicht
er/sie/es	kann/darf	muss	darf nicht
wir	können/dürfen	müssen	dürfen nicht
ihr	könnt/dürft	müsst	dürft nicht
sie/Sie	können/dürfen	müssen	dürfen nicht

Anweisungen geben

→ S. 85

höflich	Können Sie (bitte) + Infinitiv Kannst du (bitte) + Infinitiv	Können Sie (bitte) ins Labor gehen? Kannst du (bitte) die Bücher ins Regal stellen?
korrekt	Imperativ + bitte	Gehen Sie bitte ins Labor! Rufen Sie bitte Herrn Berg an! Geh bitte ins Labor! Ruf bitte Herrn Berg an!

Vergleichen

→ S. 87

gleich	(genau)so ... wie	A wiegt (genau)so viel wie B. A fährt (genau)so schnell wie B.	A ist (genau)so groß wie B. A arbeitet (genau)so gut wie B.
ungleich	nicht so ... wie Komparativ + als (besser, mehr, kleiner, langsamer, ... als)	A wiegt nicht so viel wie B. A wiegt mehr als B. A fährt langsamer als B.	A ist nicht so groß wie B. A ist kleiner als B. A spricht besser Englisch als B.

Adjektivdeklination mit dem unbestimmten Artikel, *kein-* und Possessivartikel

→ S. 88

	Nominativ		Akkusativ		Dativ	
m	(k)ein/mein	guter Plan	(k)einen/ meinen	guten Plan	mit (k)einem/ meinem	guten Plan
f	(k)eine/meine	braune Hose	(k)eine/meine	braune Hose	mit (k)einer/ meiner	braunen Hose
n	(k)ein/mein	schönes Buch	(k)ein/mein	schönes Buch	mit (k)einem/ meinem	schönen Buch
Pl	keine/meine	schönen Pläne, Hosen, Bücher	keine/meine	schönen Pläne, Hosen, Bücher	mit -/keinen/ meinen	schönen Plänen, Hosen, Büchern

- Versicherungen
- Welche Stelle passt?
- Das Home-Office von Frau Hörbiger
- Drei Versicherungen, drei Länder
- Zwei Städte

Kapitel 7

Auf Stellensuche

Hier lernen Sie:
- vergleichen
- Stellenanzeigen lesen und bewerten
- telefonieren

Versicherungen

A Wer bezahlt? Die Lebensversicherung, die Haftpflichtversicherung oder die Krankenversicherung?

Einen Besuch beim Arzt oder im Krankenhaus bezahlt diese Versicherung.

____

Man bezahlt regelmäßig Beiträge. Im Alter oder im Todesfall bekommt man Geld: die Versicherungssumme.

____

Sie oder Ihr Kind machen etwas kaputt. Den Schaden müssen Sie nicht selbst bezahlen. Das macht die Versicherung.

____

B Wie bekommt man eine Versicherung?

beraten · vergleicht · ~~findet~~ · Vertrag · Leistungen · Beiträge · Antragsformulare · Antrag · Versicherungsschein

Im Internet oder im Branchentelefonbuch *findet* man viele Versicherungs-Unternehmen. Sie schicken gern Informationsmaterial und ______________. Am besten ______________ man zuerst die Angebote: Welche Versicherung ist am günstigsten? Welche Versicherung ist am interessantesten? Die Versicherungen ______________ auch gern zu Hause oder in ihrer Geschäftsstelle oder Agentur. Wichtig ist natürlich: Bei welcher Versicherung sind die ______________ besser? Wo sind die ______________ niedriger? Und vor allem: Braucht man die Versicherung wirklich? Als nächsten Schritt stellt man einen schriftlichen ______________. Man erhält dann von der Versicherung den ______________. Damit hat man einen ______________ mit der Versicherung.

C Welche Versicherung ist günstiger?

1 Vergleichen Sie diese drei privaten Haftpflichtversicherungen. Beantworten Sie die Fragen.

Versicherung	Plus Versicherungs AG	Aachener Versicherung	ARA Haftpflicht
Beitrag pro Jahr	88,50	83,70	93,30
Zahlungstermin	halbjährlich	jährlich	vierteljährlich
Versicherungssumme	2 500 000	2 000 000	3 500 000

1 Wann bezahlt man den Beitrag?
2 Wie hoch ist die Versicherungssumme?
3 Welche Versicherung ist am günstigsten?
4 Welche Versicherung ist am teuersten?

2 Sprechen Sie über die Versicherungen.

Der Beitrag bei … ist niedriger/höher als bei … Ich bezahle lieber zweimal im Jahr als einmal.
Die Leistung/Versicherungssumme bei … ist besser/höher als bei …
… finde ich am besten. Die Versicherung … ist teurer/billiger als …

Komparativ und Superlativ

Adjektiv	Komparativ	Superlativ	Adjektiv	Komparativ	Superlativ
günstig	*günstiger*	*am …*	groß		am größten
niedrig			hoch		am höchsten
interessant			viel	*mehr*	am meisten
billig			gut		
teuer			gern		am liebsten

D Zwei Texte

1 Überfliegen Sie die beiden Texte und beantworten Sie die Fragen.
Was für Texte sind das? Wo findet man sie? Wer soll sie lesen?

Ein großes Versicherungs-Unternehmen mit einem umfassenden Angebot für den privaten Haushalt: die HUK-COBURG Versicherungsgruppe.
Für die HUK-COBURG Lebensversicherung in Coburg suchen wir zum nächstmöglichen Zeitpunkt einen

Privatkundenberater (w/m)

Ihr Aufgabengebiet:
Sie bearbeiten Anträge und Verträge, beschaffen benötigte Unterlagen, entscheiden über Leistungen, erstellen Informationen für unsere Außendienstmitarbeiter und beraten unsere Kunden, auch telefonisch und per E-Mail.

ALPINA

Wir sind ein erfolgreiches, mittelgrosses Versicherungs-Unternehmen innerhalb der Zürich-Gruppe und können Ihnen folgendes Stellenangebot unterbreiten:

Bereich Betriebshaftpflichtversicherung
Funktion Firmenkundenberatung
Arbeitsort Sie sind viel unterwegs, arbeiten in Ihrem Home-Office zu Hause und haben ausserdem einen Arbeitsplatz in unserer Zentrale in Zürich.
Tätigkeit Ihre Hauptaufgabe: Sie beraten unsere Kunden im Bereich kleinere und mittlere Unternehmen und finden Neukunden. Ausserdem arbeiten Sie an der Produktentwicklung mit. Sie betreuen ein grosses Einzugsgebiet. Sie reisen viel und pflegen den persönlichen Kontakt mit unseren Kunden vor Ort.

2 Lesen Sie etwas genauer. Welche Bilder passen zu welcher Stellenanzeige?
Was steht dazu in den Texten? Unterstreichen Sie.

3 Vergleichen Sie.

	HUK-COBURG Versicherungen · Bausparen	ALPINA ZURICH
Größe	Großes	mittelgroß
Arbeitsort	Lebensversicherung	
Arbeitsbereich		
Beratung für ...	Privatkunden	Firma Kunden
Mehr Beratung oder mehr Verwaltung?	mehr Verwaltung	mehr Beratung
Außen- oder Innendienst?	Innendienst	Außendienst

- Die ... ist größer als die ...
- Die Stelle bei der HUK-Coburg ist in der Zentrale.
- Bei der Alpina arbeitet man ...
- Bei der Alpina arbeitet man im Bereich ...
- Man berät ...
- Das finde ich interessanter als ...

TIPP
Rechtschreibung in der Schweiz
In der Schweiz wird kein „ß" verwendet. Dort schreibt man immer „ss": Strasse, nicht Straße; gross, nicht groß usw.

Welche Stelle passt?

A Zwei Stellen, viele Argumente

1 Sie hören ein Gespräch zwischen Anne Hörbiger und ihrer Freundin.

1 Von welchen Versicherungen sprechen die beiden?
2 Wo sind die beiden Versicherungen?
3 Was meint die Freundin: Welche Versicherung passt besser zu Frau Hörbiger?
4 Was möchte Frau Hörbiger schließlich machen?

2 Was bieten die Firmen an? Was gefällt Frau Hörbiger, was nicht?

Firmenkundenberatung Lebensversicherung ~~Haftpflichtversicherung~~
Arbeit zu Hause nur im Büro
mittelgroßes Unternehmen längere Arbeitszeit

Allianz	gefällt gut	gefällt weniger gut
Privatkundenberatung		X
Arbeit im Büro		
——		
——		
kürzere Arbeitszeit		
großes Unternehmen		

Alpina Zürich	gefällt gut	gefällt weniger gut
	X	
Haftpflichtversicherung		
Firmenwagen		
selbstständig		
viel unterwegs		

3 Sprechen Sie über die beiden Stellen mit Ihrem Partner. Tragen Sie vor.

Die Allianz sucht einen Privatkundenberater.
Die Alpina sucht …

Bei … | ist man viel unterwegs.
ist die Arbeitszeit wahrscheinlich …
ist man selbstständiger/flexibler als bei …
bekommt man einen Firmenwagen.
sitzt man nur am Schreibtisch.

Das findet Frau Hörbiger | interessanter / attraktiver / besser / schlechter | als bei …
nicht so gut | wie bei …
Das ist besser als bei …
Das ist wichtig für Frau Hörbiger.
Das passt zu Frau Hörbiger.

Frau Hörbiger arbeitet lieber | im Bereich Haftpflichtversicherung als …
im Firmenbüro als …

B Hören Sie noch einmal. Ergänzen Sie.

▶ Es ist wirklich schwierig für mich. Beide Stellen haben Vorteile und Nachteile. Firmenkundenberatung finde ich ______________________, und Haftpflichtversicherung ist für mich auch ______________________.
▶ Dann passt die Alpina doch ______________________. Wo ist ______________________?
▶ Ich möchte nicht ______________________ für mich.

C Aussprache: *s+s, s+sch, s+st, s+z*

Versicherungssumme – Hochgeschwindigkeitszug – aussteigen – Geschäftsstelle – Ausstellung – Informationszentrum – Versicherungsschein – Arbeitszeit – Hinweisschild – Arbeitszimmer

D Zwei Stellenanzeigen

1 Welcher Text ist von Alpina, welcher von HUK-Coburg? Lesen Sie auch noch einmal Aufgabe D1, S.95.

2 Was kennen Sie in Anzeige A schon aus dem Gespräch in Aufgabe A? Unterstreichen Sie diese Informationen.

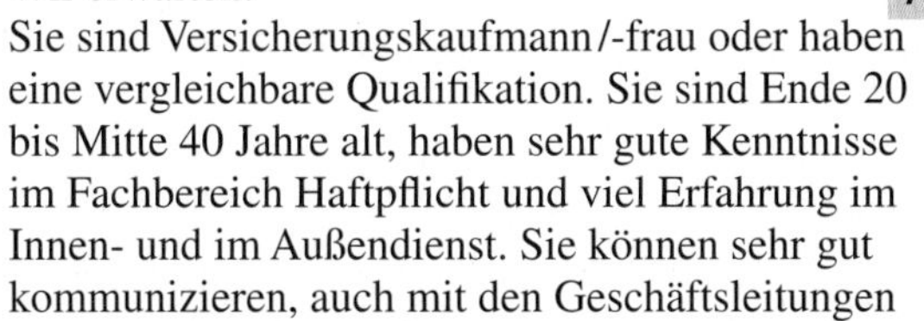

A

Wir erwarten:
Sie sind Versicherungskaufmann/-frau oder haben eine vergleichbare Qualifikation. Sie sind Ende 20 bis Mitte 40 Jahre alt, haben sehr gute Kenntnisse im Fachbereich Haftpflicht und viel Erfahrung im Innen- und im Außendienst. Sie können sehr gut kommunizieren, auch mit den Geschäftsleitungen unserer Kunden.
Sie haben sehr gute Englisch- und Französischkenntnisse in Wort und Schrift. Persönlich sind Sie kontaktfreudig, flexibel und belastbar und Sie können gut verhandeln.

Wir bieten:
- gute Sozialleistungen inklusive Altersversorgung
- flexible Arbeitszeit
- 6 Wochen Urlaub
- Notebook ohne Kostenbeteiligung
- Firmen-Pkw

B

Wir erwarten:
Sie sind Versicherungskaufmann/-frau mit einem großen Interesse für die Datenverarbeitung. Sie haben Berufserfahrung und gute Produktkenntnisse im Bereich Lebensversicherung.
Sie sind nicht älter als 35 Jahre.
Gute Grundkenntnisse in den Bereichen Kranken- und Haftpflichtversicherung sind von Vorteil.
Service- und Kundenorientierung sind für Sie am wichtigsten. Sie sind einsatzbereit und belastbar, arbeiten sorgfältig und gern im Team.

Wir bieten:
alle Vorteile eines Großunternehmens mit hohen Sozialleistungen, erfolgsorientierte Bezahlung, eine gute Arbeitsatmosphäre, 5 Wochen Urlaub.

3 Was bedeuten die folgenden Wörter ungefähr?

- Innendienst
- Sozialleistungen
- Französischkenntnisse in Wort und Schrift
- flexible Arbeitszeit
- Altersversorgung
- Berufserfahrung

4 Wo geht es um Anforderungen, wo um Leistungen?

Anforderungen	Leistungen
Versicherungskaufmann	*gute Sozialleistungen*

5 Zu welchem Stellenangebot passen die folgenden Sätze?

1 Man muss ziemlich jung sein.
2 Man muss viel Berufserfahrung haben.
3 Man braucht Interesse für Informationstechnologie (IT).
4 Man muss auch etwas über andere Versicherungen wissen.
5 Man muss mit Chefs von Firmen sprechen.
6 Man braucht zwei Fremdsprachen.

E

PARTNER **A** benutzt Datenblatt A16 S. 157. PARTNER **B** benutzt Datenblatt B16 S. 169.

F Stellenanzeigen bewerten.

Sprechen Sie mit Ihren Kolleginnen und Kollegen.

1 Welche Stelle gefällt Ihnen besser?
2 Notieren Sie: Was gefällt Ihnen, was nicht? Begründen Sie das.

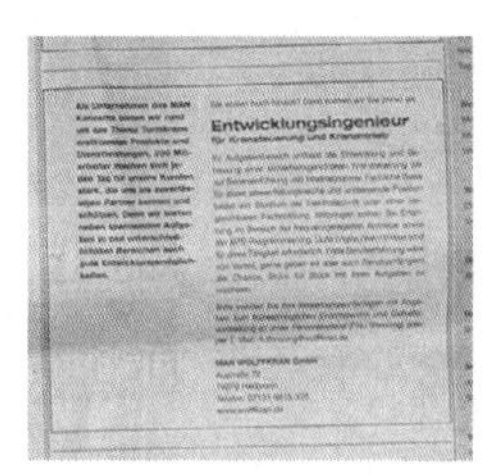

Das Home-Office von Frau Hörbiger

A Arbeit von zu Hause aus

„Wir sparen Kosten, denn wir brauchen weniger teuren Büroraum usw. Und unsere Kundenberater sind näher bei den Kunden. Außerdem arbeiten sie eigenverantwortlich. Das motiviert sie." Herr Widmer von der Personalabteilung ist zufrieden. Die teilweise Verlagerung von Arbeitsplätzen nach Hause zu den Mitarbeitern ist ein Erfolg für das Unternehmen.

Frau Hörbiger ist noch unsicher. Vielleicht ist die Arbeit im Home-Office ein bisschen einsam. Andererseits ist sie als Kundenberaterin sowieso viel unterwegs. „Flexible Arbeitszeiten, selbstständige Arbeit, das gefällt mir sehr gut. Aber wahrscheinlich arbeite ich dann mehr als im Büro, denn ich kann nicht mehr die Tür hinter mir zumachen und gehen. Und ich muss vielleicht auch bei den Kosten aufpassen. Ich spare Fahrtkosten, aber Betriebskosten dürfen nicht bei mir hängen bleiben." Darüber will sie mit der Personalabteilung noch einmal genau reden.

1 Was passt nicht zur Arbeit von zu Hause aus? Streichen Sie durch. Erklären Sie die übrigen Wörter.

- die Unsicherheit
- die Einsparung
- die Kundenberatung
- die Kundenorientierung
- eine feste Arbeitszeit
- die Flexibilität
- die Selbstständigkeit
- die Motivation
- die Eigenverantwortung

2 Welche Vorteile und welche Nachteile hat die Arbeit von zu Hause aus?

3 Was meinen Sie? Ist die Arbeit im Home-Office für Sie attraktiv?

B Frau Hörbiger richtet gerade ihr Home-Office ein. Was ist schon da? Was fehlt noch?

1 Vergleichen Sie das Bild mit der Liste: Was hat Frau Hörbiger schon? Streichen Sie das auf der Liste.

Ich brauche noch:
- Computerbildschirm
- großer Schreibtisch
- Tresor
- Sitzballstuhl
- Hängeregistratur (im Beistellwagen)
- Aktenvernichter
- Fax
- DSL-Anschluss

Klären:
- Auto (Kombi)
- Fahrtkostenabrechnung
- Notebook
- Kommunikationskosten: ISDN, DSL, Mobiltelefon
- andere Betriebskosten (Drucker, Büromaterial ...)
- Vorschuss

2 Sprechen Sie über das Home-Office von Frau Hörbiger.

Hat sie	schon ein / noch kein	Faxgerät?	Nein, sie hat noch keins. / Doch, sie hat schon eins.
Braucht sie noch Regale?			Nein, sie hat schon welche. / Ja, sie braucht noch eins/zwei ...

Indefinitpronomen						
	unbestimmter Artikel		Indefinitpronomen			
			Nominativ		Akkusativ	
m	ein	Locher	einer	keiner	einen	keinen
f	eine	Lampe	eine	keine	welche	keine
n	ein	Faxgerät	eins	keins	eins	keins
Pl	–	Lampen	welche	keine	welche	keine

3 Beschreiben Sie das Büro von Frau Hörbiger. Wo steht was?

Vor dem Fenster steht ein Sitzballstuhl.
Neben dem Stuhl steht ein Bildschirm …

Vor das Fenster hat sie einen Sitzballstuhl gestellt. Neben den Stuhl hat sie …

C Ich würde gern Herrn Widmer sprechen!

Schauen Sie noch einmal den Merkzettel von Frau Hörbiger an.
Was ist noch nicht durchgestrichen? Hören Sie dann den Text und notieren Sie:

1 Was bekommt Frau Hörbiger?
2 Was bekommt sie nicht?
3 Warum bekommt sie es nicht?
4 Was spricht sie nicht an?

D Aussprache: *-ng, -nk(-)*

Bank – Gang – Dank – Empfang – krank – lang – Schrank – eng – denk – Versicherung
Funk – Achtung – Erfahrung – Punkt – Leistung – Funktion – Beratung – Trunk

E Am Telefon

Spielen Sie zu dritt Telefonate: Anruferin, Sekretärin, Personalleiter.
Die Anruferin braucht z. B.: einen Tresor, ein Notebook, einen DSL-Anschluss, einen Vorschuss …

Alpina Versicherungen, Bölli, guten Tag!

Hörbiger, guten Tag. Ich würde gern Herrn Widmer sprechen.

Einen Moment bitte. Ich verbinde.

Widmer, guten Tag.

Guten Tag, Herr Widmer, hier ist Hörbiger.

Guten Tag, Frau Hörbiger! Wie geht es Ihnen?

Danke, es läuft ganz gut. Haben Sie jetzt vielleicht einen Moment Zeit?

Ja, natürlich!

Ich habe noch ein paar Fragen …

Das ist jetzt alles. Vielen Dank.

Nichts zu danken. Wir sehen uns Ende der Woche.

Auf Wiederhören.

Tut mir leid, Herr Widmer spricht gerade. Kann ich etwas ausrichten?

Kann er mich vielleicht zurückrufen?

Ja gern. Wie war Ihr Name?

Hörbiger. Herr Widmer hat meine Nummer.

Gut, Frau Hörbiger. Herr Widmer ruft Sie an.

Danke. Auf Wiederhören.

Auf Wiederhören.

Drei Versicherungen, drei Länder

A Drei Versicherungsangestellte

Herr Pfaffinger ist 50, geschieden und hat 3 Kinder. Seine jüngste Tochter wohnt noch bei ihm und fängt gerade an zu studieren. Er lebt und arbeitet in der größten österreichischen Stadt: in Wien. Wien hat 1 607 000 Einwohner und ist die Hauptstadt von Österreich.
Herr Pfaffinger ist Wiener und lebt sehr gern hier. Wien mit seinen Cafés, seinen Kirchen und seiner Kultur ist für ihn die interessanteste Stadt auf der Welt.

Herr Kaegi ist 28, unverheiratet und lebt allein. Seine Freundin möchte mit ihm zusammenziehen, aber dafür brauchen sie eine größere Wohnung. Wohnungen sind in Zürich nicht leicht zu finden. Dort arbeitet Herr Kaegi.
Zürich ist mit etwa 360 000 Einwohnern die größte Stadt der Schweiz, aber es ist nicht die Hauptstadt. Das ist Bern, eine viel kleinere Stadt mit nur 136 600 Einwohnern.
Herr Kaegi ist Züricher, aber er hat in Deutschland studiert.

Herr Löhken ist 41, verheiratet und hat eine dreijährige Tochter. Er lebt und arbeitet seit viereinhalb Jahren in Bonn. Bis 1990 war es die Hauptstadt der Bundesrepublik Deutschland. Bonn hat 311 000 Einwohner. Davor hat Herr Löhken immer in der größeren Nachbarstadt Köln gewohnt. Auch seine Eltern wohnen noch da. Köln hat etwa 1 020 000 Einwohner und ist eine der größten Städte in Deutschland. Aber Herr Löhken wohnt jetzt lieber in Bonn. Hier findet er es gemütlicher.

1 Ergänzen Sie.

Herr Pfaffinger kommt aus Wien. Er ist Wiener. Seine Tochter ist auch aus Wien. Sie ist Wienerin.
Herr Löhken kommt aus ______. Aber seine Tochter ist ______.
Herr Kaegi kommt aus ______. Er ist ______.

2 Fassen Sie zusammen.

1 Wer ist der älteste, wer ist der jüngste Angestellte?
2 Wer lebt nicht allein?
3 Wer hat die meisten Kinder?
4 Wer lebt in der größten, wer in der kleinsten Stadt?

3 Größere und kleinere Städte. Tragen Sie die Einwohnerzahlen ein.

Wien: eine Million sechshundertsiebentausend
Bonn: ______
Zürich: ______
Köln: ______
Bern: ______
Ihre Heimatstadt? Ungefähr ______

4 Berichten Sie über Ihr Heimatland.

1 Wie groß ist die Hauptstadt? Ist sie die größte Stadt?
2 Wie viele große Städte gibt es bei Ihnen? Was ist für Sie „groß“?
3 Aus welcher Stadt kommen Sie?
4 Sprechen Sie über Ihre Stadt.

Komparativ und Superlativ als Attribut				
Adjektiv	alt	der alte Angestellte	die alte Stadt	das alte Unternehmen
Komparativ	älter	der ältere Angestellte	die ältere Stadt	das ältere Unternehmen
Superlativ	am ältesten	der älteste Angestellte	die älteste Stadt	das älteste Unternehmen

B Die drei Versicherungsangestellten berichten.

1 Wer arbeitet bei welcher Versicherung?
2 Ergänzen Sie die Informationen in der folgenden Tabelle.
3 Fassen Sie die Informationen über die drei Versicherungen zusammen.

Name:	Herr Kaegi	Herr Pfaffinger	Herr Löhken
Versicherung:	Basel Versicherungs-AG	Colonia AG	Global Versicherungs-AG
Land:	Der Schweiz	Österich	Deutschland
Gründungsjahr:	1925	1879	1951
Geschäftsstellen:	87	47	~~460~~ 64
Bereiche:	Kfz, personen haftpflicht	Kranken-, Sach- und Haftpflichtversicherung	andere versicherung
Mitarbeiter:	3,900	770	1,500
Verträge:	~~3,680000~~ 2,860,000	760 000	1,25 Mio €
Jahresumsatz:	1 050 Mio. €	240,00 € Mio	684 Mio €

C Aussprache: Komparativ und Superlativ

am ältesten – am größten – am interessantesten – am längsten – am attraktivsten – am billigsten

Ich nehme die günstigere. – Ich nehme den interessanteren. – Ich nehme den attraktiveren. – Das ist die teuerste. – Das ist der billigste. – Das ist das leichteste. – Das ist die günstigste.

D Vergleiche

1 Sprechen Sie mit Ihren Nachbarn über die drei Versicherungen.

▶ Welches ist die älteste Versicherung?
▶ Die Colonia AG.
▶ Ist die Colonia auch die größte Versicherung?
▶ Nein, die ... hat die meisten Mitarbeiter, die meisten ... und den höchsten ...
▶ In welchen Bereichen ist die Colonia AG tätig?

▶ ...

2 Schreiben und Vortragen. Vergleichen Sie zwei oder drei Versicherungen. Benutzen Sie die Tabelle.

3 Ihre Stelle. Sie suchen eine Stelle bei einer Versicherung. Bei welcher Versicherung möchten Sie lieber arbeiten und warum?

Zwei Städte

A Coburg und Zürich

1 Welches Bild passt zu welchem Text?

1 

2 

3 

4 

5 

6 

A Hier gibt es vor allem kleinere und mittlere Unternehmen. Das größte Unternehmen ist eine Versicherung: die HUK-Coburg mit 3700 Angestellten. Die meisten arbeiten in der neuen Zentrale am Stadtrand. Bild: 5

B Die Schweizer Börse ist schon über 150 Jahre alt. Sie gehört zu den modernsten Börsen der Welt. 1996 hat hier der vollelektronische Handel begonnen. Mit einem einzigen Mausklick kann man innerhalb von zwei Minuten handeln und bezahlen. Bild: 4

C Über der Stadt liegt eine große Burg. Teile davon sind schon 800 Jahre alt. Von hier hat man einen weiten Blick über das Coburger Land. Bild: 1

D Diese Stadt ist ein europäisches und schweizerisches Wirtschaftszentrum. Der wichtigste Wirtschaftsbereich sind die Finanzdienstleistungen: Über hundert Banken haben hier ihre Zentrale oder eine Niederlassung. Bild: 6

E Auf dem schönen Marktplatz mit seinen alten Häusern kann man nicht nur einkaufen, sondern auch schnell ein paar Bratwürstchen mit Brötchen essen. Überhaupt ist Coburg eine gemütliche Stadt mit Kirchen, Schlössern, Parks und romantischen Gassen. Bild: 3

F Auch in dieser Wirtschaftsmetropole kann man Hektik und Stress vergessen. Der Zürichsee lädt zum Spazierengehen und Segeln ein. Und die Schweizer Alpen sind nicht weit. Bild: 2

2 Was ist richtig, was ist falsch? Bitte korrigieren Sie die falschen Sätze.

1 Die Börse in Zürich gibt es seit 1996.
2 Coburg ist ein europäisches Wirtschaftszentrum.
3 Auch in Zürich kann man sich von der Arbeit erholen.
4 In Zürich sind Banken und Versicherungen am wichtigsten.
5 In Coburg gibt es viele große Unternehmen.
6 Zürich liegt an einem See.
7 In Coburg arbeiten 3700 Menschen.
8 Coburg ist 800 Jahre alt.
9 Die Schweizer Börse ist die modernste in der Welt.

3 Suchen Sie die beiden Städte auf der Karte. Berichten Sie über die beiden Städte. Erklären Sie die Bilder.

B Vergleichen Sie Zürich und Coburg.

	Zürich	Coburg
Einwohner	365 268	42 798
Unternehmen mit mehr als 500 Mitarbeitern	34	5
Banken	128	11
Beschäftigte	339 700	27 500

Zürich ist viel größer als Coburg. Es hat achtmal mehr Einwohner.

In Coburg gibt es viel weniger …

C PARTNER A benutzt Datenblatt A17, S. 157. PARTNER B benutzt Datenblatt B17, S. 169.

D Aussprache: *h-* und Knacklaut (◆)

◆Anne Hörbiger kauft heute ◆Ablagekörbe. – ◆Ich kaufe ◆Ordner ◆und Heftstreifen. – ◆In ◆unserem Home ◆Office ◆ist ◆es hell. – Hast du ◆einen Heftstreifen? – Gib mir ◆einen ◆alten ◆Ordner.

E Ich bin ganz zufrieden hier.

Breitenhuber

Dr. Arnulf Breitenhuber ist verheiratet und hat zwei Kinder. Von 1994 bis 2001 hat er Wirtschaftsmathematik in Freiberg studiert. Jetzt arbeitet er in Coburg. Seine Freizeit verbringt er mit seiner Familie und Freunden.

Kaegi

Urs Kaegi ist ledig. Von 1996 bis 2001 hat er in Freiberg (Sachsen) Mathematik studiert. Jetzt arbeitet er in Zürich. Seine Hobbys sind Sport und Literatur.

1 Hören Sie. Welche Argumente kommen vor? Sind sie für oder gegen kleine Städte?

		kommt vor	pro	contra
1	Kleine Städte sind viel langweiliger als große.	☒	☐	☒
2	Die Stadt ist gemütlicher.	☐	☐	☐
3	Hier ist mehr los.	☐	☐	☐
4	Es gibt schicke Lokale.	☐	☐	☐
5	Die Mieten sind viel höher.	☐	☐	☐
6	Alle Preise sind höher.	☐	☐	☐
7	Es gibt mehr Arbeitsplätze.	☐	☐	☐
8	Die Gehälter sind höher.	☐	☐	☐
9	Man kann fast alles zu Fuß machen.	☐	☐	☐
10	Hier lebt man gesünder.	☐	☐	☐
11	Das kulturelle Angebot ist viel kleiner.	☐	☐	☐
12	Für Kinder ist es hier besser.	☒	☒	☐
13	In der Freizeit kann man mit den Kindern mehr machen: in die Natur gehen, reiten, schwimmen usw.	☐	☐	☐
14	Man hat mehr Zeit und das Leben ist ruhiger.	☐	☐	☐

2 Zwei Meinungen: Großstadt oder Kleinstadt? Schreiben und/oder spielen Sie einen Dialog.

Ich finde, in einer Kleinstadt ist es viel ... als in einer Großstadt.

In einer Großstadt	sind	die Preise höher. die Kneipen schicker. die Entfernungen größer.
	ist	die Luft schlechter.
	gibt es	mehr / interessantere Arbeit. ein besseres kulturelles Angebot.
In einer Kleinstadt	ist	alles billiger. alles in der Nähe.

- Ja, aber ...
- Das ist richtig, aber ...
- Das stimmt nicht. In ...
- Für mich ist es in ... besser als in ...

F Was meinen Sie? Vergleichen Sie Ihre Heimatstädte, Ihre Firmen, Ihre Versicherungen und Ihre Wünsche.

Suchen Sie einen Partner. Oder bilden Sie zwei große Gruppen. Bestimmen Sie ein Thema. Schreiben Sie einen Notizzettel, vergleichen und diskutieren Sie.

meine Firma:
– klein
– nette Kollegen, aber langweilige Arbeit ...
große Firma:
– interessante Arbeit ...

Ich möchte in einer großen Firma arbeiten. Die Arbeit ist dort interessanter als in einer kleinen Firma.

Wirtschaftsraum Coburg

Große und kleine Städte müssen versuchen, Unternehmen anzuziehen und zu halten. Dazu machen sie „Wirtschaftsförderung". Hier können Sie einige Texte für die Wirtschaftsförderung von Coburg und Zürich lesen.

Überlegen Sie vor dem Lesen:
1 Was ist für ein Unternehmen besser in einer Wirtschaftsmetropole wie Zürich?
2 Welche Probleme können Unternehmen in einer Wirtschaftsmetropole haben?
3 Was ist besser in einer mittelgroßen Stadt wie Coburg?
4 Welche Probleme können Unternehmen in einer mittelgroßen Stadt haben?

Suchen Sie dann in den Texten:
1 Was ist positiv am Wirtschaftsraum Coburg?
2 Welche Probleme hat die Stadt Coburg?
3 Was steht in den Züricher Texten zu dieser Frage?

Wirtschaftsraum Coburg

Ein bedeutender Wirtschaftsstandort

Coburg hat zwar nur 43 000 Einwohner, aber als Bindeglied zwischen Oberfranken und Thüringen umfasst der Einzugsbereich etwa 300 000 Einwohner. Coburg ist ein hochindustrialisierter Standort und damit einer der wirtschaftlich stärksten Räume Bayerns. Die Stärken Coburgs liegen in der Vielfalt der Branchen und in der Mischung der verschiedensten Betriebsgrößen. Im Bereich des produzierenden Gewerbes handelt es sich vorrangig um Unternehmen aus der Automobilindustriezulieferung, des Maschinenbaus, der Kunststoffverarbeitung und der Elektrotechnik. Viele dieser Firmen besitzen in ihrer Branche Weltgeltung und sind „Hidden Champions" – frei übersetzt „die versteckten Marktführer". Daneben ist der Fremdenverkehr ein wichtiger Erwerbszweig. All das führt dazu, dass die Steuereinnahmekraft der Stadt Coburg und die Pro-Kopf-Kaufkraft der Einwohner überdurchschnittlich gut ausgeprägt sind. Coburg ist somit ein bedeutender und hervorragender Wirtschaftsstandort.

Ein positives Image

Coburger Unternehmer machten gegenüber der Stadtverwaltung Coburg deutlich, dass sie große Probleme haben, Fach- und Führungskräfte für den Standort Coburg anzuwerben. Oftmals sind dabei die Familienangehörigen das Problem, die ein großstädtisches Umfeld bevorzugen. Deshalb plante die Stadt Coburg eine spezielle Zielgruppen-Kampagne zur Anwerbung neuer Führungskräfte. Hierzu hat die Wirtschaftsförderungsgesellschaft der Stadt Coburg mbH eine Projektgruppe installiert, deren Ziel es ist, ein positives Image zu bewirken. Coburg möchte Führungskräften ihre Zukunft in dieser Stadt schmackhaft machen, indem man ihnen Möglichkeiten der beruflichen und sozialen Verwirklichung aufzeigt.

Wirtschaftsmetropole Zürich

Wirtschaftsmetropole Zürich

Ein optimaler Branchenmix

Die Stadt Zürich ist der wichtigste Standort für Großunternehmen in der Schweiz. 10 der 50 größten Schweizer Unternehmen haben ihren Sitz in der Stadt und 23 Prozent der ausländischen Unternehmen in der Schweiz haben Zürich als Standort gewählt.
Die wichtigste Branche in Zürich ist der Finanzsektor. Alle global tätigen Schweizer Großbanken und Versicherungskonzerne haben in Zürich ihren Hauptsitz. Dazu kommen weit über 100 Auslandsbanken, die in Zürich vertreten sind. Als zweitwichtigste Branche folgen die unternehmensbezogenen Dienstleistungen wie Rechts- und Unternehmensberatung, Informatik oder Immobilienverwaltung. Vergleichsweise gering ist demgegenüber die Bedeutung der Industrie und Bauwirtschaft.

Weltweit höchste Lebensqualität

Mit der höchsten Punktezahl für Lebensqualität liegt Zürich auf Platz eins einer in London veröffentlichten Untersuchung von 215 Städten weltweit. Damit hat Zürich 2003 zum vierten Mal in Folge den ersten Rang erreicht. Bei der Prüfung der Lebensqualität sind 39 Kriterien ausschlaggebend: Dazu zählen beispielsweise politische, kulturelle, wirtschaftliche und soziale Faktoren, Umwelteinflüsse, Bildungswesen, Transportwesen und andere öffentliche Dienstleistungen.

Urbane Vorteile

In Zürich findet sich auf kleinem Raum die größtmögliche Vielfalt von Kultur- und Freizeitangeboten. Daher ist Zürich rund um das Jahr ein ideales Ziel für Naturliebhaber, Sportbegeisterte, Ruhesuchende, Kunstfreunde und Geschäftsreisende. Unternehmen leben nicht nur von Gewinnen und Börsenkursen. Unternehmen brauchen ein interessantes Umfeld, damit sie attraktiv für hochqualifizierte Mitarbeiter sind.

Suchen Sie auf diesen Web-Seiten:
1 Was für interessante Veranstaltungen gibt es in nächster Zeit?
2 Welche Sportmöglichkeiten gibt es in Zürich und in Coburg?

- www.zueritipp.ch/dyn/index.html
- www.stadt.coburg.de

Wenn Sie noch mehr wissen wollen über Coburg und Zürich, lesen Sie hier weiter:
- www.coburg.de
- www.stadt.coburg.de
- www.option-coburg.de
- www.stzh.ch
- www.wirtschaftsfoerderung.stadt-zuerich.ch/published/sprache.html

günstige = good value / reasonable
Tresor = safe.

Kapitel 7 Grammatik

Adjektivdeklination mit dem bestimmten Artikel → S. 101

	Nominativ		Akkusativ		Dativ	
m	der	günstige Tresor	den	günstigen Tresor	mit dem	günstigen Tresor
f	die	große Firma	die	große Firma	mit der	großen Firma
n	das	schnelle Auto	das	schnelle Auto	mit dem	schnellen Auto
Pl	die	kleinen Tresore, Firmen, Autos	die	kleinen Tresore, Firmen, Autos	mit den	kleinen Tresoren, Firmen, Autos
Nach dem bestimmten Artikel hat das Adjektiv die Endung –e oder –en.						

Komparativ und Superlativ → S. 94

Adjektiv	Komparativ	Superlativ	Adjektiv	Komparativ	Superlativ
niedrig	niedriger	am niedrigsten	teuer	teurer	am teuersten
günstig	günstiger	am günstigsten	groß	größer	am größten
langsam	langsamer	am langsamsten	kurz	kürzer	am kürzesten
schnell	schneller	am schnellsten	hoch	höher	am höchsten
klein	kleiner	am kleinsten	viel	mehr	am meisten
dick	dicker	am dicksten	gut	besser	am besten
interessant	interessanter	am interessantesten	gern	lieber	am liebsten

Thin = dunn

Komparativ und Superlativ als Attribut → S. 101

Adjektiv	alt	der alte Angestellte	die alte Stadt	das alte Unternehmen
Komparativ	älter	der ältere Angestellte	die ältere Stadt	das ältere Unternehmen
Superlativ	am ältesten	der älteste Angestellte	die älteste Stadt	das älteste Unternehmen

Vergleichen → S. 94, 103

Zürich ist größer als Bonn.	Zürich ist eine größere Stadt als Bonn.
Zürich ist kleiner als Wien.	Bonn ist eine kleinere Stadt als Zürich.
Wien ist am größten.	Wien ist die größte Stadt.
Bonn ist am kleinsten.	Bonn ist die kleinste Stadt.

Indefinitpronomen → S. 99

	unbestimmter Artikel		Indefinitpronomen			
			Nominativ		Akkusativ	
m	ein	Tresor	einer	keiner	einen	keinen
f	eine	Lampe	eine	keine	eine	keine
n	ein	Faxgerät	eins	keins	eins	keins
Pl	–	Lampen	welche	keine	welche	keine

Zahlen von *hundert* bis *eine Milliarde* → S. 94, 101

100	(ein)hundert	1000000		eine Million
1000	(ein)tausend	10000000		zehn Millionen
10000	zehntausend	100000000		hundert Millionen
100000	hunderttausend	1000000000	= 1 000 Mio.	tausend Millionen = eine Milliarde

Aufgaben über Aufgaben

Herr Sommer, Sie sollen ...

Reiseplanung

Viel zu tun

Ein verrückter Tag – nichts hat geklappt!

KAPITEL 8

TAGESPLAN, WOCHENPLAN

Hier lernen Sie:
- Termine planen
- Terminänderungen mitteilen und begründen
- die Uhrzeit nennen
- Aufgaben verteilen, übernehmen, ablehnen
- Reisen planen
- Abläufe vortragen

Aufgaben über Aufgaben

A Was tun?

1 Ordnen Sie zu.

1 Das Gebäude brennt.
2 Die Post schließt um 18.00 Uhr.
3 Der Besucher kommt um 10.00 Uhr.
4 Ihre Frau / Ihr Mann hat Geburtstag.
5 Sie haben Hunger.
6 Der PC funktioniert nicht.

a) Blumen kaufen
b) ihn begrüßen – To greet
c) die Feuerwehr benachrichtigen – Informed
d) die Briefe schreiben
e) den Kundendienst anrufen
f) etwas essen

2 Überlegen Sie: Was machen Sie heute zuerst, dann, … zum Schluss?

Zuerst	rufen wir …
Dann	benachrichtigen wir …
…	essen wir …
Zum Schluss	…

Einverstanden.

Nein, ich finde,	zuerst müssen wir …
	dann müssen wir …
	…

B Montag, 19. Juli 2005

1 Der Tagesablauf von Herrn Sommer. Was macht er wann? Sprechen Sie.

19 Montag **Juli**

9.00 Besprechung Vertrieb
10.00 Anruf SysServe – Installation PC
10.15 Unterlagen Hamburg vorbereiten
12.30 Begrüßung Herr Prantl, Bern
13.00 Mittagessen (Zollikofer, Nowak)
14.00 Taxi Flughafen für 14.45 bestellen
14.45 Abfahrt zum Flughafen
16.17 Abflug LH 048
17.25 Ankunft Hamburg
19.30 Frau Röder, Allianz, Gespräch (Hotel)

Prepare greeting

▶ Zuerst hat Herr Sommer eine Besprechung mit dem Vertrieb.
▶ Wann genau hat er die Besprechung?
▶ Um neun.
▶ Wie lange dauert die Besprechung?
▶ Von … bis … Dann ruft er bei … an.
▶ Wann genau ruft er …?
▶ …
▶ Wie lange dauert das?
▶ …

Der PC muss installiert werden.
The PC has to be installed.

2 Schreiben Sie die Uhrzeiten.

1 um 9.00 Uhr *um neun (Uhr)*
2 um 10.15 Uhr *um Viertel nach zehn*
3 um 12.30 Uhr ______
4 um 13.00 Uhr *um eins*
5 um 14.00 Uhr ______
6 um 14.45 Uhr ______
7 um 16.17 Uhr ______
8 um 17.48 Uhr ______
9 um 22.25 Uhr ______

	zwanzig Viertel zehn fünf	**vor**	zehn
um	**(Punkt)**		elf
	zwanzig Viertel zehn fünf	**nach**	neun
	halb		eins

3 Der Tagesablauf von Herrn Sommer. Schreiben Sie.

Position 1	Verb (konjugiert)		
Zuerst	*hat*	*Herr Sommer eine Besprechung.*	
Dann	*ruft*		*an.*
Um Viertel nach zehn			
Um halb eins			
Dann	*isst*	*er mit Herrn Zollikofer und Frau Nowak.*	
	bestellt		
Zum Schluss			

C Aussprache: *b, d, g* am Silbenende = *p, t, k*

Guten Tag, Frau Bergner – Wann sind Sie abgefahren? – Montag, halb neun: Termin in der Vertriebsabteilung. – Am Nachmittag: Abflug nach Hamburg – Bitte, beschreib den Weg zum Flughafen – Am Abend: Vortrag bei Firma Kolb – tausend Rollen Klebeband – ein Bildschirm – ein Kleid und ein Anzug

D

PARTNER **A** benutzt Datenblatt A18, S. 158.
PARTNER **B** benutzt Datenblatt B18, S. 170.

TIPP

Kulturelles

Pünktlichkeit ist in den deutschsprachigen Ländern wichtig. Jede Verspätung gilt als unhöflich, eine Verspätung von mehr als zehn Minuten ist sehr unhöflich.
Wenn Sie früher kommen, können Sie sich so anmelden: „Ich habe einen Termin mit … um … Uhr. Ich bin etwas früher da. Ich warte gern."

19 Montag **Juli**

9.00
10.00
11.00
12.00
13.00
14.00
15.00
16.00
17.00
18.00
19.00
20.00

E Telefonnotiz für Herrn Sommer

1 Beantworten Sie die Fragen.

1 Was soll Herr Sommer machen?
2 Was muss er sofort machen?
3 Was kann er später machen?
4 Welche Vorteile hat die Nachricht?

Nachricht von Herrn Prantl:
Er möchte schon um halb zehn kommen. Geht das? Bitte sein Büro in Bern anrufen.
(Tel. 0041-31-81 23 46)

Lufthansa hat angerufen: LH 048 nach Hamburg geht heute eine Stunde später!!

2 Machen Sie eine neue Planung für Herrn Sommer. Arbeiten Sie zu zweit.
Tragen Sie die neue Planung in den Terminkalender ein. Tragen Sie den neuen Terminplan vor.

- Herr Sommer muss/kann …
- Die Besprechung muss/kann …
- Ich glaube, …
- Wir schlagen vor, …

3 Begründen Sie die neue Planung. Diskutieren Sie die Vorteile und Nachteile.

Herr Sommer, Sie sollen …

A Neue Aufgaben

Lesen Sie und spielen Sie zu dritt ähnliche Dialoge.

- Herr … / Frau … / Julia / … soll …
- Herr / Frau, Sie sollen … / Julia, du sollst …
- Wer sagt das?
- …
- Einverstanden, ich …

nach München fahren
die Besucher begrüßen
bei Firma Berger & Sohn anrufen
uns alle zum Essen einladen
den Brief an die Firma Waldheim & Co schreiben…

der Chef das Sekretariat die Vertriebsabteilung
die Kollegen ich …

B Alles anders

1 Beantworten Sie die Fragen:
Was soll Herr Sommer machen? Wer sagt das? Ist Herr Sommer einverstanden?

2 Wann, seit wann, wie lange, ab wann? Tragen Sie ein.

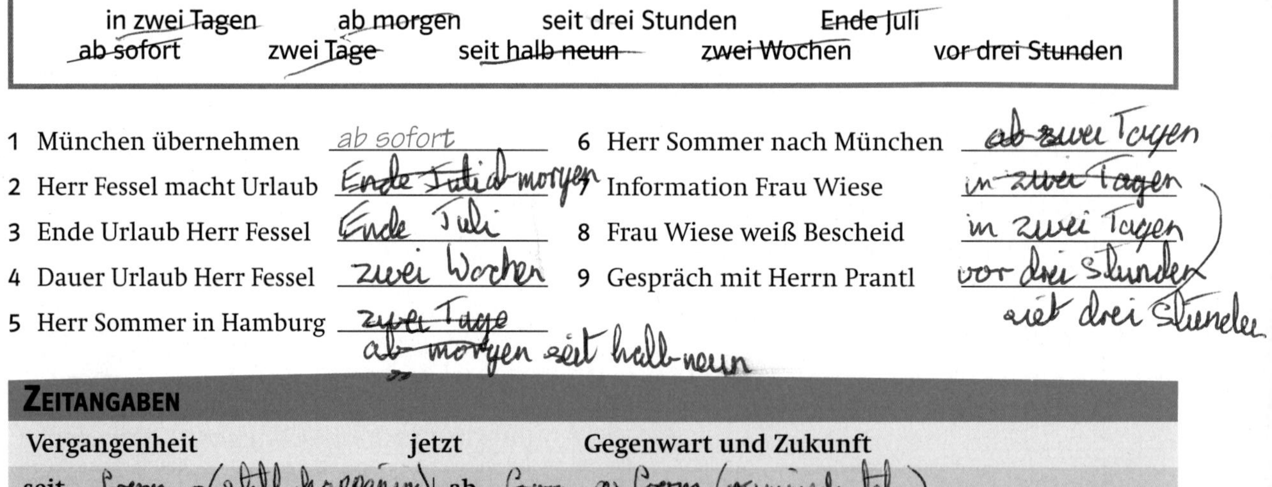

in zwei Tagen ab morgen seit drei Stunden Ende Juli
ab sofort zwei Tage seit halb neun zwei Wochen vor drei Stunden

1 München übernehmen ab sofort
2 Herr Fessel macht Urlaub ~~Ende Juli~~ ab morgen
3 Ende Urlaub Herr Fessel Ende Juli
4 Dauer Urlaub Herr Fessel zwei Wochen
5 Herr Sommer in Hamburg ~~zwei Tage~~ ~~ab morgen~~ seit halb neun
6 Herr Sommer nach München ~~ab zwei Tagen~~
7 Information Frau Wiese ~~in zwei Tagen~~
8 Frau Wiese weiß Bescheid in zwei Tagen
9 Gespräch mit Herrn Prantl vor drei Stunden / seit drei Stunden

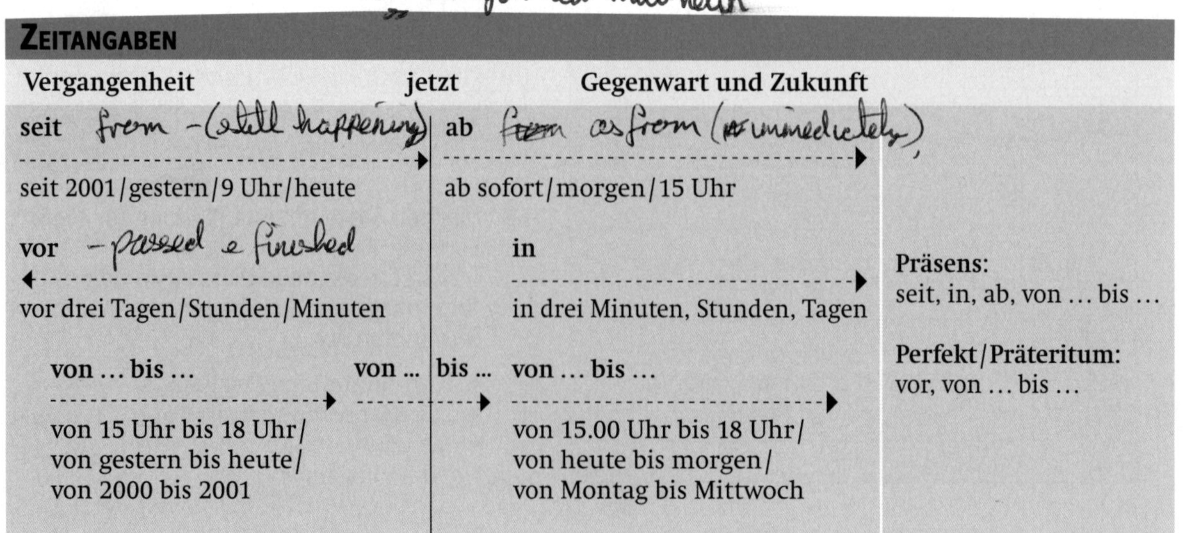

ZEITANGABEN

Vergangenheit	jetzt	Gegenwart und Zukunft	
seit from – (still happening) →		**ab** ~~from~~ as from (immediately) →	
seit 2001 / gestern / 9 Uhr / heute		ab sofort / morgen / 15 Uhr	
vor – passed & finished ←		**in** →	**Präsens:** seit, in, ab, von … bis …
vor drei Tagen / Stunden / Minuten		in drei Minuten, Stunden, Tagen	**Perfekt / Präteritum:** vor, von … bis …
von … bis … →	**von … bis …** →	**von … bis …** →	
von 15 Uhr bis 18 Uhr / von gestern bis heute / von 2000 bis 2001		von 15.00 Uhr bis 18 Uhr / von heute bis morgen / von Montag bis Mittwoch	

3 Herr Schneider sagt, du sollst …

▶ Herr … sagt, du sollst im Vertrieb arbeiten.
▶ Und ab wann soll ich im Vertrieb arbeiten?
▶ Ab sofort.
▶ Aha. Danke.
Herr … sagt, du sollst …
▶ …

Was?

nach Hamburg fahren — im Vertrieb arbeiten — zu Herrn Müller kommen — Urlaub machen — etwas essen — die Feuerwehr anrufen

Wann?/Wie lange?/Ab wann?

ab sofort — in drei Tagen — übermorgen — von 10.00 Uhr bis 12.00 Uhr — bald — in der nächsten Woche — ab nächstem Jahr — in einer halben Stunde

4 Schreiben Sie Sätze.

Position 1	Verb (konjugiert)	Satzklammer	Infinitiv
Du	*sollst*	*ab sofort im Vertrieb*	*arbeiten.*
Übermorgen	*sollst*	*du*	

C Aussprache: *s* (im Anlaut stimmhaft, im Auslaut stimmlos) – *ss/ß* (stimmlos)

Herr Sommer muss sofort nach München reisen. – Frau Wiese, die Sekretärin, weiß seit heute Bescheid. – Sie sollen mit Herrn Fessel zum Essen gehen. – Wir haben seit sieben Stunden nichts gegessen. – Wir müssen sofort etwas essen. – Wir essen Käse und Gemüse. – Frau Weiß hat am dreißigsten September ein Seminar.

D *Ja, …/Nein, nicht …, sondern …* Machen Sie Dialoge.

- Muss Herr Sommer nach Hamburg?
- Muss er morgen nach Hamburg?
- Geht sein Flug pünktlich?
- Ist er übermogen zurück?
- Muss er dann nach München?
- Ist München in Österreich?
- Hat der Chef Herrn Sommer informiert?

▶ Soll Herr Sommer die Kunden in München betreuen?
▶ Ja, er soll die Kunden in München betreuen.

▶ Soll er die Kunden dort für die nächsten zwei Monate betreuen?
▶ Nein, nicht für zwei Monate, sondern nur für zwei Wochen.

E Terminkalender

1 Überprüfen Sie den Terminkalender. Was ist richtig? Was fehlt? Was ist falsch?
Hören Sie das Gespräch zwischen Herrn Sommer und Frau Wiese (Aufgabe B) noch einmal.
Benutzen Sie Ihre Lösungen aus Aufgabe E, S. 109 und B2, S. 110. Tragen Sie ein.

Montag 19	Dienstag 20	Mittwoch 21	Donnerstag 22	Freitag 23
9.30 Herr Prantl *13.00 Mittagessen mit Zollikofer/Nowak* *14.00 Taxi zum Flughafen* *16.17 Abflug* *20.00 Frau Röder*	*Urlaub Fessel (14 Tage)*		*18.30 Rückflug*	*11.30 Abteilungs-besprechung/ Bericht Hamburg*

2 Tragen Sie Ihre Lösungen vor:

- Am Montag um halb zehn soll Herr Sommer Herrn Prantl aus Bern begrüßen. Das ist richtig.
- Dann will er SysServe anrufen. Das fehlt.
- Der Abflug nach Hamburg ist nicht um 16.17 Uhr, sondern eine Stunde später.

Reiseplanung

Die Bahn DB

Zeit	Dauer	Umst.	Zug	Normalpreis
ab 22:04 an 07:04	9:00	0	NZ	Preisauskunft nicht möglich
ab 22:28 an 07:04	8:36	1	IC, NZ	Preisauskunft nicht möglich
ab 23:05 an 09:21	10:16	2	IC; EC; ICE	104,20 EUR
ab 23:05 an 09:46	10:41	1	IC, ICE	123,80 EUR (Res. Pflicht)
ab 05:02 an 11:00	5:58	0	ICE	107,00 EUR
ab 06:09 an 12:15	6:06	1	ICE	107,00 EUR
ab 07:02 an 13:00	5:58	0	ICE	107,00 EUR
ab 08:07 an 14:14	6:07	1	ICE; IC	100,80 EUR
ab 09:02 an 15:02	6:00	0	ICE	107,00 EUR
ab 10:07 an 16:15	6:08	0	ICE	107,00 EUR

Lufthansa

Zeiten
0630 – 0745
0700 – 0815
0715 – 0835
0720 – 0840
0845 – 1000
0920 – 1035
0940 – 1100
1110 – 1225
1200 – 1350
1255 – 1410
1535 – 1650
1645 – 1800
1735 – 1850
1830 – 1950
1930 – 2045
2055 – 2210

Preis: 219 EUR

Hertz

Tagespauschalpreise PKW

VW Polo	EUR 80,–
Mercedes A 140	EUR 96,–
VW Golf	EUR 96,–
Opel Vectra	EUR 104,–
Audi A4	EUR 113,–
Mercedes C 220	EUR 172,–
VW Sharan	EUR 172,–

Fahrtzeit Hamburg München (775 km): 6 Stunden 45 Minuten ohne Pausen und ohne Staus, Kraftstoffkosten ca. 60,– EUR

A Von Hamburg nach München

Welches Verkehrsmittel soll Herr Sommer nehmen? Welches Verkehrsmittel nehmen Sie?

Beispiel:

- Herr Sommer soll mit dem Zug fahren. Das ist billiger als das Flugzeug..
- Aber dann verliert er einen ganzen Tag. Er soll lieber den Flug um 19.30 Uhr nehmen, dann hat er einen ganzen Arbeitstag in Hamburg und in München.
- Herr Sommer soll mit dem Auto fahren. Das ist schneller als der Zug.
- Er soll den Nachtzug um 22.04 Uhr nehmen. Dann kann er im Zug schlafen und ist am Morgen in München.
- Ich miete einen Mercedes. Dann …

B Anruf in München

1 Die Anreise von Herrn Sommer nach München. Beantworten Sie die Fragen 1–4.

1 Wie kommt er nach München?
 a) mit dem Flugzeug
 b) mit dem Zug
 c) mit dem Auto

2 Warum?
 a) Dann kann er in München übernachten.
 b) Dann kommt er früh genug in München an.
 c) Dann kann er um sieben Uhr fahren.

3 Abfahrt in Hamburg:
 a) um halb acht
 b) um 20.55 Uhr
 c) gegen zehn/halb elf

4 Ankunft in München:
 a) kurz nach sieben
 b) gegen 21.00 Uhr
 c) kurz vor neun

2 Tragen Sie Ihre Antworten vor.

- Herr Sommer kommt nicht mit …, sondern mit …
- Er kommt nicht um … in … an, sondern um …

- Er fährt nicht um … ab, …
- Dann kann er nicht …, aber er …

3 Hören Sie den Anruf noch einmal. Was hört Herr Sommer als Erstes, Zweites, Drittes, …?

- [ ] Also können Sie nicht morgen Vormittag hier sein?
- [1] Grüß Gott, Herr Sommer. Wie geht es Ihnen?
- [ ] Gut, ich erwarte Sie um neun bei mir im Büro.
- [ ] Ja, ich freue mich auch.
- [ ] Ja, dann ist ja alles in Ordnung.
- [ ] Gute Reise, Herr Sommer.
- [ ] Wann kommen Sie denn in München an?
- [ ] Auf Wiederhören.

C Die Planung von Herrn Sommer

Setzen Sie die Angaben ein. Benutzen Sie den Terminkalender von Aufgabe E, S. 111, den Bahnfahrplan und das Telefonat mit Herrn Lechleitner auf S. 112. Tragen Sie die Planung vor.

1 *Dienstag* ________ und ________________: Verhandlungen in Hamburg
2 Ab ________________: Gespräche in München
3 Abfahrt in Hamburg: am ________________ mit dem ________________
4 Ab 22.04 Uhr: *direkt* ________ oder ab 22.28 Uhr: ________________
5 ________________: kurz nach sieben
6 Termin mit Herrn Lechleitner: gegen ________________

D Aussprache: *ch* nach *e, i, ä, ö, ü*, nach den Konsonanten *n, l, r* und bei *-ig; ch* nach *a, o, u*

Ich möchte um acht Uhr dreißig mit Herrn Prantl sprechen. – Um zweiundzwanzig Uhr mit dem Nachtzug nach München. – In München ist das Gespräch mit Herrn Lechleitner. – In fünf Wochen? – Nein, nicht in fünf Wochen, sondern in acht Wochen. – Richtig, in acht Wochen. – Übernachten Sie am Mittwoch in München? – Nein, ich fahre in der Nacht, Ankunft kurz nach sieben. – Ich suche ein gutes Buch. – Welches Buch möchten Sie lesen?

E

PARTNER **A** benutzt Datenblatt A19, S. 158. PARTNER **B** benutzt Datenblatt B19, S. 170.

F Herr Sommer kommt nach München.

Herr Lechleitner organisiert die Verhandlungen mit Herrn Sommer und verteilt die Aufgaben. Sie sind seine Mitarbeiter. Arbeiten Sie in Gruppen.

Was?

Checkliste / To Dos
- *Herrn Sommer vom Hotel abholen*
- *Akten lesen*
- *Besprechungsraum reservieren*
- *Entwicklungsabteilung einladen*
- *Tisch im Kasino bestellen*
- *Ablaufplan erstellen*
- *Chef informieren*
- *Betriebsführung (?)*

Wer?
- Sekretariat
- Besucherservice
- Sie
- Herr/Frau …

Wann?
- heute Morgen, morgen Vormittag, …
- zuerst, dann, …
- um halb elf, um zwölf, um 14.00 Uhr, …
- ab halb elf, ab zwölf, ab 14.00 Uhr, …

Argumente/Begründungen
- Dann ist er schneller hier.
- Dann haben wir genug Zeit.
- Das haben Sie doch schon mal gemacht.
- Das ist besser so.
- Dann können wir in Ruhe tagen.
- Die Kollegen können uns dann direkt informieren.

Herr/Frau …, Sie holen morgen früh um halb neun Herrn Sommer vom Hotel ab. Dann ist er schneller hier.

- In Ordnung.
- Ja klar, das geht.
- Das kann ich machen.
- …

- Tut mir leid, das geht nicht.
- Das soll … machen.
- Da habe ich keine Zeit. Da muss ich …
- Ja, aber da kann ich nicht … Das kann ich um … machen.

Viel zu tun

A Am Montag, zehn vor acht: Der Schreibtisch von Frau Wiese.

Diskutieren Sie: In welcher Reihenfolge erledigen Sie die Aufgaben? Was ist wichtig, was ist weniger wichtig? Was ist dringend, was ist weniger dringend?

Kein Papier mehr! Bitte Papier bestellen!

Das Angebot an die Allianz muss heute unbedingt raus! Letzter Termin!

Um 9.00 kommt Herr Moser von der Firma Ermatec. Legen Sie bitte alle Unterlagen zurecht!

Achtung! Geburtstag vom Chef nicht vergessen!! Blumen, kleines Geschenk!

Wichtig! Die Abteilungskonferenz ist schon heute Vormittag, 10.00 Uhr (morgen Dienstreise!). Bitte informieren Sie alle Teilnehmer!

Muss morgen nach Hamburg. Bitte die Fahrkarte besorgen (Abfahrt gegen 14 Uhr). Danke!

Geben Sie Frau Jaklova (der Praktikantin aus Tschechien) den Praktikumsplan. Sie kommt um 8.00 Uhr. Ich treffe sie später.

Als Erstes	lege ich ...,	weil das wichtig und dringend ist.
Als Zweites	informiere ich ...,	weil das wichtig, aber nicht dringend ist.
Als Drittes	kaufe ich ...,	weil das dringend, aber nicht wichtig ist.
Als Viertes	bestelle ich ...,	weil das nicht wichtig und nicht dringend ist.
...	schreibe ich ...,	
Als Letztes	gebe ich ...,	
	suche ich ...,	

Beispiel:
- ▶ Was machst du als Erstes?
- ▶ Als Erstes suche ich den Praktikumsplan für Frau Jaklova heraus, weil das dringend ist.
- ▶ Und warum ist das dringend?
- ▶ Weil sie schon in zehn Minuten kommt.

B Was ist den Leuten wichtig, dringend, nicht wichtig, nicht dringend?

1 Tragen Sie als Erstes links ein Stichwort ein. Kreuzen Sie als Zweites rechts Ihre Antwort an.

		wichtig	nicht wichtig	dringend	nicht dringend
1	*Feuerwehr anrufen*	☒	☐	☒	☐
2	______	☐	☐	☐	☐
3	______	☐	☐	☐	☐
4	______	☐	☐	☐	☐
5	______	☐	☐	☐	☐

2 Hören Sie noch einmal und schreiben Sie Sätze mit *weil*.

Hauptsatz	Nebensatz: weil		Verb (konjugiert)
Ich rufe sofort die Feuerwehr an,	*weil*	*das Haus*	*brennt.*
Wir sprechen über den Chef,	*weil*		
Ich gebe der Praktikantin ihren Plan,			*ist.*
Wir schreiben das Angebot an die Allianz,	*weil*		
Wir trinken erst nächste Woche Kaffee,		*ich in diesen Tagen keine Zeit*	

C Leider klappt es nicht.

1 Lesen Sie die interne Notiz. Beantworten Sie die Fragen.

1 Wann sollte der Termin nach der alten Planung stattfinden?
2 Wann soll der Termin nach der neuen Planung stattfinden?
3 Wer soll teilnehmen?
4 Was soll Heinz machen?
5 Hat die Verschiebung nur Nachteile?
6 Wer ist Heinz: Ein Kunde, ein Freund, ein Arbeitskollege, ein Geschäftspartner, ...?
7 Will Michael Sommer Frau Schwanitz informieren oder soll Heinz das machen?

Interne Notiz

Lieber Heinz,
muss plötzlich nach München, sehr wichtig!!
Termin Freitag 10 Uhr klappt also nicht.
Vorschlag: eine Woche später, gleiche Zeit
(Vorteil: Dann auch gleich Bericht über München)
Geht das?? Bitte schnell kurze Nachricht!
Michael / 19. 07.
PS: Gebe Frau Schwanitz Bescheid

2 Lesen Sie jetzt die Fax-Nachricht von Herrn Sommer. Schreiben Sie die Antworten.

Fax-Nachricht

Von: Ampex GmbH & Co. KG
Michael Sommer, Vertrieb

An: DirektmarktConsult
Frau Schwanitz

Fax: 03455/812-321

Betr.: **Unser Termin am Freitag, 23. 07.**

Sehr geehrte Frau Schwanitz,

den o.g. Termin muss ich absagen. Ein wichtiger und dringender Termin in München ist dazwischengekommen. Leider kann ich diese Reise nicht verschieben. Können wir den Termin auf nächste Woche Freitag verschieben, Ort und Zeit wie vereinbart? Bitte geben Sie mir kurz Bescheid. Vielen Dank für Ihr Verständnis.

Mit freundlichen Grüßen

M. Sommer

Michael Sommer

1 Warum schreibt Herr Sommer ein Fax an Frau Schwanitz?
Er schreibt ein Fax, weil ______________
____

2 Warum sagt er den Termin ab?
____
____

3 Wann kann der Termin stattfinden?
____
____

D Welche Termine muss Herr Sommer absagen, vorziehen oder verschieben?

Schreiben Sie einen neuen Terminplan, tragen Sie ihn vor und begründen Sie ihn.

Montag 19	Dienstag 20	Mittwoch 21	Donnerstag 22	Freitag 23
9.00 Besprechung Vertrieb *10.00 Anruf SysServe / PC* *10.15 Unterlagen Hamburg vorbereiten* *12.30 Herr Prantl, Bern* *13.00 Mittagessen* *14.45 Abfahrt zum Flughafen* *17.48 Ankunft Hamburg* *19.30 Frau Röder*	*Hamburg, Gespräche bei Allianz*	*Hamburg, Gespräche bei Allianz* *gemeinsames Abendessen (Frau Röder u. Geschäftsführung)*	*Hamburg, Gespräche bei Allianz* *Vertragsabschluss Allianz*	*Rückflug von Hamburg* *10.00 Frau Schwanitz, Direktmarkt-Consult* *11.30 Abteilungs-besprechung / Bericht Hamburg*

Beispiel:
Am 19. kommt Herr Prantl schon um 9.00 Uhr. – Der Flug nach Hamburg geht eine Stunde später. – Herr Sommer ist nicht bis Freitag in Hamburg, sondern nur bis ... – Er ist schon ab dem 22. Juli in München, seine Rückkehr ist erst am Wochenende ...

Ein verrückter Tag – nichts hat geklappt!

A Ihre To Dos für heute

Was wollten / sollten / mussten Sie machen?

▶ Was wolltest du heute machen?
▶ Vor dem Frühstück wollte ich Sport treiben.
▶ Hast du das gemacht?
▶ Nein, das konnte ich nicht. Ich hatte keine Zeit.

▶ Was hattest du heute zu tun?
▶ Am Vormittag sollte ich wichtige Briefe schreiben.
▶ Hast du das erledigt?
▶ Nein, das war nicht möglich. Ich musste Herrn Köhler helfen.

vor dem Frühstück: Sport treiben, Zeitung lesen, …
am Vormittag: bei Firma … anrufen, wichtige Briefe schreiben, …
in der Mittagspause: einkaufen gehen, Frau … treffen, Hausaufgaben machen, …
am Nachmittag: das Auto in die Werkstatt bringen, Herrn … helfen, zu/nach/ … … fahren/gehen, …
nach Feierabend: spazieren gehen, essen gehen, Freunde besuchen, …

vergessen | verschoben | war nicht möglich | wichtigere Sachen zu tun | keine Lust | konnte nicht | keine Zeit | …

B Wo ist denn Herr Matthäus?

1 Ordnen Sie zu.

Herr Matthäus
1 sollte zum Chef kommen.
2 wollte zu Sedlmaiers.
3 hat gedacht, er muss zu Elektrofix.
4 sollte die Geräte bei Firma Krone installieren.
5 will mit dem Chef sprechen.

Aber
a) da war niemand zu Hause.
b) das musste er nicht.
c) das hat er nicht gewusst.
d) der ist nicht da.
e) das konnte er nicht.

PRÄTERITUM

	wollen	müssen	können	dürfen	sollen	haben	sein
ich, er/sie/es	wollte	musste	konnte	durfte	sollte	hatte	war
du	wolltest	musstest	konntest	durftest	solltest	hattest	warst
wir, sie/Sie	wollten	mussten	konnten	durften	sollten	hatten	waren
ihr	wolltet	musstet	konntet	durftet	solltet	hattet	wart

2 PARTNER A benutzt Datenblatt A20, S. 159. PARTNER B benutzt Datenblatt B20, S. 171.

3 Sprechen Sie mit einem Partner.

▶ Sie sollten doch | zum Chef kommen. / die Ware auspacken. / zur Firma Krone fahren. / das Angebot schreiben. / bei Allianz anrufen. / Kopierpapier bestellen.

▶ Das | war nicht möglich. / konnte ich nicht. / wollte ich nicht. / habe ich nicht gewusst. / habe ich vergessen. / habe ich schon gemacht.

Ich | hatte keine Zeit. / hatte keine Lust.

soll = shall/should
ausrichten = to deliver

C Herr Matthäus, Rosa und die Kollegen vom Verkauf

1 Sprechen Sie den Dialog mit einem Partner.

- ▷ Sagen Sie mal, wo ist denn Herr Matthäus? Wissen Sie das?
- ▶ Ich gehe gerade zu ihm. Soll ich ihm etwas ausrichten?
- ▷ Ja. Sagen Sie ihm, er soll zu mir kommen.
- ▶ Zu Ihnen? Aber wir haben doch in zehn Minuten einen Termin bei mir im Büro!
- ▷ Also gut, dann nach der Mittagspause bei uns in der Abteilung.

Personalpronomen im Dativ

		1. Person (ich/wir)		2. Person (du/ihr/Sie)		3. Person (er/sie/es)	
	Wem?	Er antwortet	mir.	Sie antwortet	dir.	Antworten Sie	ihm!
	Mit wem?	Ihr sprecht mit	uns.	Wir sprechen mit	euch.	Du sprichst mit	ihr.
Wo:	Bei wem?	Sie ist bei		Sie sind bei	Ihnen.	Ich bin bei	ihnen.
Wohin:	Zu wem?	Sie fahren zu		Sie fährt zu		Wir fahren zu	
Woher:	Von wem?	Er kommt von		Ihr kommt von		Du kommst von	

2 Ergänzen Sie die Personalpronomen und sprechen Sie den Dialog mit einem Partner.

- ▷ Sag mal, wo ist denn Rosa? Weißt du das?
- ▶ Sie ist gerade bei mir. Soll ich ihr etwas ausrichten?
- ▷ Ja. Sag Sie ihr, sie soll zu mir kommen.
- ▶ Zu Ihnen? Aber wir haben doch in einer Viertelstunde eine Besprechung bei mir im Büro!
- ▷ Also gut, dann nach der Mittagspause bei uns in der Abteilung.

D Aussprache: *v – f – w*

Mein Vater ist nach Wien gefahren. – Wir wollen nach Frankfurt fliegen. – Wie lange? Vier Wochen. – Mittwoch oder Freitag? – Freitag um fünf. – Wohin fährt Frau Wiese? Wisst ihr das? – Das wissen wir nicht. – Frau Waldner arbeitet im Vertrieb. – Was wollt ihr von mir?

E Suchen Sie Herrn/Frau … – Ist er/sie bei …?

Spielen Sie Jutta Müller, Dr. Holm, Direktor Knoll, …
Ein Kollege/Eine Kollegin sucht einen Besucher (Herrn Sommer, Frau Schwanitz, …).
Die anderen wissen, wo er/sie ist.

Beispiel:

- ▷ Hallo Heike, ich suche Herrn Sommer. Ist er bei dir?
- ▶ Nein, bei mir ist er nicht. Frag doch mal bei Dr. Holm.
- ▷ Ist er bei Ihnen, Herr Holm?
- ▶ Nein, aber ich glaube, er ist …
- ▷ …
- ▶ Ja klar, der ist hier bei uns. Er wartet hier schon eine halbe Stunde.

Der Wert der Arbeit

Der Wert der Arbeit

Studieren Sie die Grafiken und diskutieren Sie:
1 Wie ist das bei Ihnen? Welche Aufgaben finden Sie am wichtigsten?
2 Verwenden Sie genug Zeit für die wichtigsten Aufgaben? Wie machen Sie das?
3 Oder brauchen Sie die meiste Zeit für den „Kleinkram"? Wie können Sie das ändern?
4 Was sind in Ihrer Tätigkeit:
- A-Aufgaben?
- B-Aufgaben?
- C-Aufgaben?

Die „sehr wichtigen Aufgaben" sind für den Wert der Arbeit am wertvollsten ...

... aber nur 15 % der Arbeitszeit verwenden die Mitarbeiter im Arbeitsalltag für die „sehr wichtigen Aufgaben". Den größten Teil der Arbeitszeit verwenden sie für den „Kleinkram".

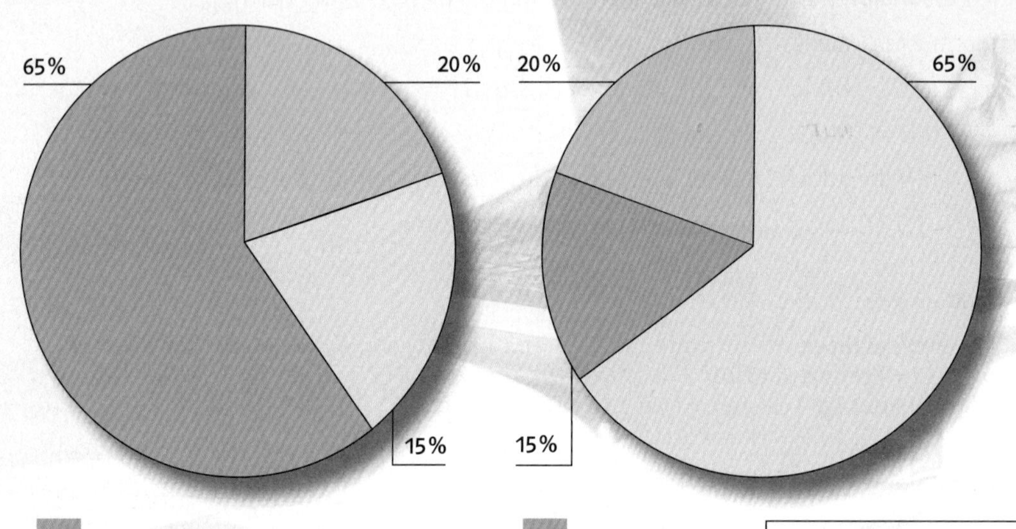

sehr wichtig = A-Aufgaben
wichtig = B-Aufgaben
Kleinkram = C-Aufgaben

A-Aufgaben
B-Aufgaben
C-Aufgaben

A-B-C-Tipp:
So organisieren Sie Ihren Arbeitstag:
ca. 4,5 Stunden: ein bis zwei A-Aufgaben
ca. 2 Stunden: zwei bis drei B-Aufgaben
ca. 1,5 Stunden: C-Aufgaben

Die meisten Arbeitnehmer in Deutschland sind mit ihrer Arbeitszeit nicht zufrieden: Fast fünfzig Prozent der Arbeitnehmer möchten länger oder kürzer arbeiten.

1 Wie lange arbeiten Sie?
2 Wie lange möchten Sie arbeiten? Warum?
3 Wie ist die Situation in Ihrem Heimatland?

Zehn Störungen bei der Arbeit – Haben Sie Stress?

Zehn Störungen bei der Arbeit – Haben Sie Stress?

Testen Sie Ihre Arbeitsorganisation.

	Kreuzen Sie an.	nie	selten	oft	immer
1	zu viele und zu lange Telefongespräche – das passiert				
2	zu viele Besucher und Kollegen unterbrechen die Arbeit – das passiert				
3	zu viele und zu lange Besprechungen – das passiert				
4	Terminverschiebungen und Änderungen im Arbeitsplan – das passiert				
5	viele Papiere und Briefe, große Unordnung auf dem Schreibtisch – das passiert				
6	alle Aufgaben selbst machen müssen, keine Teamarbeit – das passiert				
7	Missverständnisse, schlechte Kommunikation, verspätete Information, ärgerliche Nachfragen – das passiert				
8	zu viel Zeit für den dringenden täglichen Kleinkram, zu wenig Zeit für die wirklich wichtigen Aufgaben – das passiert				
9	unklare berufliche und private Ziele (für den Tag, für die Woche, für den Monat, für das Leben) – das passiert				
10	Stress, Erschöpfung, Müdigkeit – das passiert				

Auswertung:
nie = 10 Punkte
selten = 7 Punkte
oft = 2,5 Punkte
immer = 0 Punkte

100–76 Punkte	sehr gut organisiert
75–51 Punkte	gut organisiert
50–21 Punkte	Ihre Organisation könnte besser sein
25–0 Punkte	sehr schlecht organisiert

Tipp:
Überlegen Sie sich, welche Tätigkeiten A-, B-, C-Aufgaben sind. Teilen Sie Ihren Arbeitstag ein. Arbeiten Sie jeden Tag mehrere Stunden an den A-Aufgaben.

Terminplaner

1 Was können Sie mit den angebotenen Terminplanern machen?
2 Brauchen Sie einen Terminplaner für Ihre Tätigkeit?
3 Welchen Terminplaner würden Sie bestellen und warum? (Format, Preis, Menge, Qualität).

Kapitel 8 Grammatik

Satzbau: Dativ/Akkusativ

→ S. 117

		Dativ	Akkusativ
Frau Jaklova	gibt	der Praktikantin	den Praktikumsplan.
Die Kollegen	kaufen	dem Chef	ein Geschenk.
Paul	schreibt	dir	einen Brief.
Der Dativ bezeichnet oft „die andere Person“ im Satz, der Akkusativ „die Sache“.			

Personalpronomen im Dativ

→ S. 117

		1. Person (ich/wir)		2. Person (du/ihr/Sie)		3. Person (er/es/sie)	
	Wem?	Er antwortet	mir.	Sie antwortet	dir.	Antworten Sie	ihm!
	Mit wem?	Ihr sprecht mit	uns.	Wir sprechen mit	euch.	Du sprichst mit	ihr.
Wo:	Bei wem?	Sie ist bei		Ich bleibe bei	Ihnen.	Ich bin bei	ihnen.
Wohin:	Zu wem?	Sie fahren zu		Sie fährt zu		Wir fahren zu	
Woher:	Von wem?	Er kommt von		Ihr kommt von		Du kommst von	

Modalverben: *dürfen, sollen*

→ S. 110/111, 116

	Präsens		Präteritum	
ich	darf	soll	durfte	sollte
du	darfst	sollst	durftest	solltest
er/sie/es	darf	soll	durfte	sollte
wir	dürfen	sollen	durften	sollten
ihr	dürft	sollt	durftet	solltet
sie/Sie	dürfen	sollen	durften	sollten

Ursache/Grund: Nebensatz mit *weil*

→ S. 114

Hauptsatz	Nebensatz			
	weil			Verb (konjugiert)
Herr Sommer fährt nach München,	weil	Herr Fessel in Urlaub		ist.
Frau Wiese besorgt Blumen,	weil	der Chef Geburtstag		hat.
Herr Matthäus war nicht beim Chef,	weil	er zu Elektrofix	gefahren	ist.
Herr Sommer schreibt ein Fax,	weil	er den Termin	verschieben	muss.

Zeitangaben

→ S. 110

Vergangenheit — jetzt — Gegenwart und Zukunft

Vergangenheit	Gegenwart und Zukunft	
seit ----→ seit 2001/gestern/9 Uhr/heute	**ab** ----→ ab sofort/morgen/15 Uhr	
vor ←---- vor drei Tagen/Stunden/Minuten	**in** ----→ in drei Minuten/Stunden/Tagen	**Präsens:** seit, in, ab, von ... bis ... **Perfekt/Präteritum:** vor, von ... bis ...
von ... bis ... ----→ von 15 Uhr bis 18 Uhr/ von gestern bis heute/ von 2000 bis 2001 **von ...**	**bis ...** ----→ **von ... bis ...** ----→ von 15 Uhr bis 18 Uhr/ von heute bis morgen/ von Montag bis Mittwoch	

Einweisung für Frau Carlson

Was ist da passiert?

Hilfe, der Computer spinnt!

Störungen beseitigen, Defekte und Schäden beheben

Reparatur oder Neukauf?

Kapitel 9

Rund um den Computer

Hier lernen Sie:

- Anweisungen verstehen
- Geräte bedienen, mit Programmen arbeiten
- über Störungen und ihre Ursachen sprechen
- Störungen, Defekte, Schäden reklamieren
- Problemlösungen finden

Einweisung für Frau Carlson

A Die ersten Schritte

1 Den PC bedienen. Wie ist die richtige Reihenfolge? Diskutieren und nummerieren Sie.

Als Erstes muss man …
Als Zweites muss man …

- ☐ die Datei öffnen
- ☐ das Kennwort eingeben
- ☐ den Benutzernamen eingeben
- ☐ den Bildschirm einschalten
- [1] den PC anschließen
- ☐ die Eingaben bestätigen
- ☐ den Rechner einschalten

2 Kate Carlson setzt ihr Praktikum fort.

1 Wer spricht?
2 Wo ist das?
3 Was passiert da?
4 Was geht noch nicht?
5 Was geht schon?
6 Den PC benutzen:

Schritt 1: ______________________

Schritt 2: ______________________

Schritt 3: ______________________

Schritt 4: ______________________

B Einweisung

Spielen Sie die Einweisung:
Betreuer/Betreuerin und Praktikant/Praktikantin.

Betreuer/Betreuerin erklärt:
- Also, Herr/Frau …, das ist …
- Wir haben für Sie schon …
- Aber … funktioniert noch nicht.
- Wir müssen noch …
- Sie können aber schon …
- Das funktioniert so: Erstens … Zweitens …

Praktikant/Praktikantin zeigt Interesse:
- Vielen Dank.
- Aha, ich verstehe.
- Moment, könnten Sie das bitte wiederholen?
- Ist das so richtig?
- Also, als Erstes muss ich …
- Dann muss ich …

Tipp

Kulturelles
Zeigen Sie für Erklärungen und Informationen Interesse, hören Sie aktiv zu:
- Nachfragen
- Verständnis signalisieren
- Notizen machen

Aufzählung und Reihenfolge

Aufzählung	Infinitiv	Reihenfolge		Aussagesatz	Imperativ
Erstens:	den Knopf drücken	Zuerst	Als Erstes	drückt man …	drücken Sie …
Zweitens:	das … … en	Dann	Als Zweites	gibt man … ein.	geben Sie … ein.
Drittens:	die … … en	…	Als Drittes	…	…
Viertens:		…	…		
…		Zum Schluss	Als Letztes		

C Bedienungsanleitung: Der neue Scanner

1 Zu welchen Punkten in der Bedienungsanleitung gehören die Abbildungen 1–4?

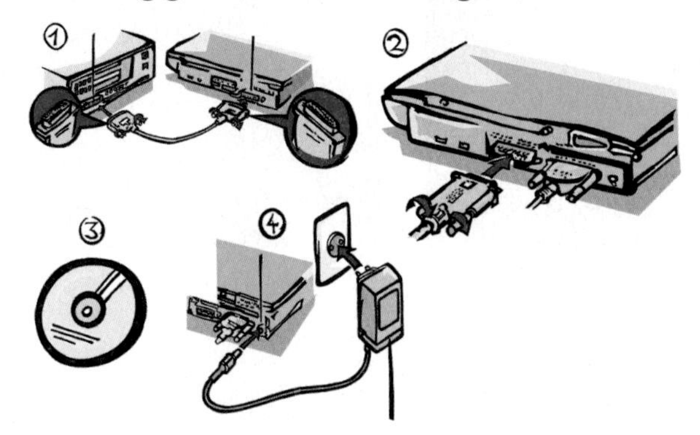

1. **Schließen Sie den Scanner mit dem Parallelkabel an den Computer an.**
   Haben Sie einen Drucker? Dann trennen Sie den Drucker vom Computer.
2. **Schließen Sie den Drucker an den Computer an.**
   Schließen Sie das Parallelkabel des Druckers an den Anschluss *Drucker* an der Rückseite des Scanners an.
3. **Schließen Sie den Netzadapter an den Scanner an.**
   Benutzen Sie nur den mit dem Scanner gelieferten AC-Netzadapter. Die Benutzung anderer Adapter kann zu Funktionsstörungen führen.
4. **Schalten Sie den PC ein, legen Sie die Installations-CD-ROM ein und starten Sie die Installation.**

2 Zählen Sie die Schritte auf.

Erstens: Den Scanner mit dem Parallelkabel an den Computer anschließen.
Zweitens: …

3 Die Software installieren. Bringen Sie die folgenden Schritte in die richtige Reihenfolge.

a) Auf die Schaltfläche „Installation beginnen" klicken

c) Computer einschalten

b) Installationssoftware-CD-ROM in das PC-Laufwerk einlegen, Startmenü abwarten

d) Auf die Schaltfläche „Software installieren" klicken

e) CD-ROM aus dem Laufwerk nehmen

f) Den Anweisungen auf dem Bildschirm folgen

g) Den PC ausschalten und neu starten

4 Partnerarbeit

Sie weisen den Partner ein:
- Als Erstes | schaltet man den Computer ein.
  | schalten Sie den Computer ein.
- Schalten Sie als Erstes den Computer ein.

Der Partner:
- zeigt Interesse: Aha!/Gut, und dann?/…
- fragt nach: Wie war das?/Moment, …
- signalisiert Verständnis: Ich verstehe./Klar!/…
- bestätigt die Information: Also, als Erstes muss ich …

D Aussprache: *st-/sp-, -st-/-sp-, -st/-sp*

Erstens: die Stopptaste drücken – Ich steige an der nächsten Station aus. – Kommst du aus Spanien? – Was kosten 500 Gramm Wurst? – Hier ist unser kostenloser Prospekt. – Wer ist der beste Student? – Im ersten Stock stehen zwei Stühle. – Herr Köster steht schon drei Stunden im Stau. – Gehen Sie die erste Straße rechts. – Darf ich vorstellen? Das ist Kerstin, das ist Stefan.

E Geräte bedienen, mit Programmen arbeiten

Mit welchen Geräten haben Sie zu tun? Mit welchen Programmen arbeiten Sie?
Erklären Sie: Wie funktionieren sie? Wie nimmt man sie in Betrieb? Wie arbeitet man mit ihnen?

DVD-Player Mobiltelefon Overheadprojektor Beamer PDA E-Mail Tabellenkalkulation Textverarbeitung

Gerät Kabel Daten PIN Nummer Akku Stecker Laufwerk Passwort

einschalten ausschalten eingeben starten bestätigen öffnen einlegen klicken anschließen einstecken

Was ist da passiert?

A Störung, Beschädigung, Defekt

1 Sehen Sie sich die Bilder an. Was ist da passiert? Berichten Sie.

1 Wo sehen Sie eine Störung/eine Beschädigung/einen Defekt?
2 Was ist gestört/beschädigt/defekt?
3 Was ist da passiert?

2 Beantworten Sie die Fragen zum Dialog.

1 Wo ist die Dame?
2 Was ist nicht in Ordnung?
3 Ist das eine Störung, eine Beschädigung oder ein Defekt?
4 Gibt es eine Lösung?

B ... funktioniert nicht. Ist er kaputt?

1 Was ist los? Ergänzen Sie.

▶ Was ist denn los? Funktioniert der Kaffeeautomat nicht?
▶ Nur eine kleine Störung: der Stecker ist nicht eingesteckt.

▶ Was ist denn los? Ist dein Auto kaputt?
▶ Ja, es ist ___________. Die Scheibe ist ___________. Ich muss sie ___________.

▶ Was ist denn mit deinem Mobiltelefon los? ___________ es nicht?
▶ Ich glaube, der Akku ist ___________. Den kann man nicht mehr reparieren.

beschädigt
funktioniert
austauschen
zerbrochen
~~eingesteckt~~
beschädigt

2 Was passt zu welchem Bild?

1 

2

3 

4 

5 

a) Der Schlauch ist undicht.
b) Die Schraube ist locker.
c) Die Birne fehlt.
d) Die Tasse ist beschädigt.
e) Der Drucker ist nicht an den PC angeschlossen.

(VERBAL-)ADJEKTIVE

			... iert	ge ... t/en	be/zer/ ... t/en	... ge ... t/en
Das Gerät Der Automat	ist	defekt kaputt	installiert	gestört	beschädigt zerbrochen	eingesteckt angeschlossen

3 Machen Sie Dialoge wie in Aufgabe B1.

C Reklamation

1 Im Elektrogeschäft

1 Was hat der Kunde gekauft?
2 Was hat der Kunde festgestellt?
3 Was stellt der Verkäufer fest?

4 Was meinen Sie: Geht es um
☐ einen Defekt?
☐ eine Beschädigung?
☐ eine Störung?

2 Ordnen Sie die Überschriften den Abschnitten im Garantieschein zu.

a) Garantieleistungen
b) Schadensfall
c) Garantiezeit

Garantie

1. Unsere Geräte sind robust und zuverlässig. Wir haben sie sorgfältig gefertigt und geprüft. Deshalb geben wir Garantie auf Material und Qualität für die Dauer von 3 Jahren ab Verkaufsdatum.
2. Innerhalb der Garantiezeit beheben wir Material- und Herstellungsfehler kostenlos durch Reparatur, durch Austausch von Teilen oder durch Austausch des Geräts.
3. Senden Sie uns das defekte Gerät zusammen mit dem Garantieschein und dem Kaufbeleg zu. Bitte machen Sie keine eigenen Versuche zur Behebung der Mängel. In diesem Fall verlieren Sie den Garantieanspruch.

3 Hören Sie den Dialog noch einmal und diskutieren Sie.

- Hat der Kunde noch Garantie?
- Hat er die Garantie verloren?

D Die neue Kamera

1 Haben die Leute Garantie? Suchen Sie die Antworten im Garantieschein. Kreuzen Sie an.

	Garantie?	Ja	Nein
1	Sie haben die Kamera vor vier Jahren gekauft.	☐	☐
2	Die Kamera von Frau Schulz ist ins Wasser gefallen und funktioniert jetzt nicht mehr.	☐	☐
3	Herr Sommer hat die Kamera erst 14 Tage.	☐	☐
4	Kate wollte den Fehler selbst beheben, aber das hat nicht geklappt.	☐	☐
5	Der Kunde hat die Bedienungsanleitung gelesen und keinen Bedienungsfehler gemacht. Aber die Kamera funktioniert nicht.	☐	☐

2 Tragen Sie Ihre Antworten vor und diskutieren Sie.

- Ich habe die Kamera vor vier Jahren gekauft.
- Die Kamera ist …
- Ich wollte …
- Ich habe …, aber …

Deshalb habe ich Garantie.
Deshalb habe ich keine Garantie.

E Aussprache: Wortakzent im Partizip

Hören Sie. Sprechen Sie nach. Unterstreichen Sie die betonten Silben.

hat angeschlossen – hat benutzt – ist installiert – hat ausgeschaltet – hat gemacht – hat funktioniert – hat eingegeben – ist beschädigt – hat zerbrochen – hat festgestellt – hat gelesen – ist passiert – hat bestätigt – ist gespeichert – ist umgestiegen

F Was ist Ihnen schon einmal passiert?

Berichten Sie über Defekte, Störungen, Beschädigungen.

Was?	Hatte was?	Was war los?	Wie ist das passiert?	Wie war es?
Gerät Maschine Fahrzeug …	einen Defekt eine Störung …	nicht mehr funktioniert kaputt stehen geblieben …	Batterie leer kein Benzin Unfall gerissen zerbrochen verstellt …	War das schlimm? Wer hat es bezahlt? Wer hat es repariert? Hatten Sie Garantie? Waren Sie versichert? Hat das lange gedauert? …

Hilfe, der Computer spinnt!

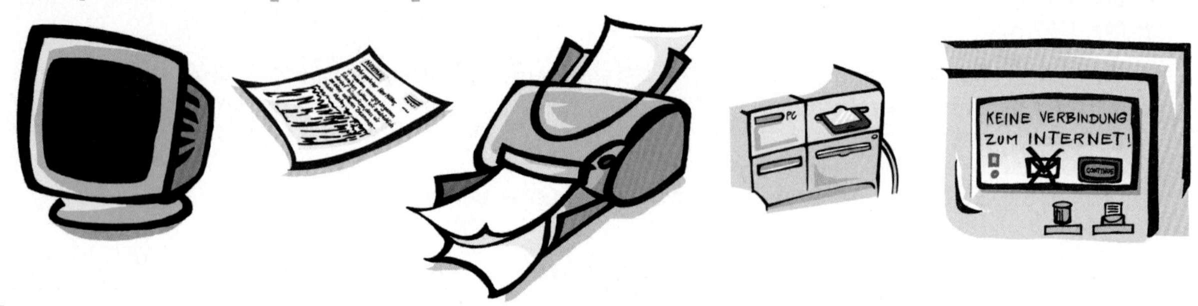

A Was ist los?

Zeigen Sie Ihrem Partner das Problem. Suchen Sie eine Erklärung.

abgestürzt	~~richtig eingelegt~~	eine Verbindung zum Internet	leer	gespeichert
installiert	im Laufwerk	den Druckkopf reinigen		

1 ▶ Ich kann die Daten nicht speichern.
▶ Haben Sie die Diskette _richtig eingelegt?_

2 ▶ Der Drucker läuft, aber er druckt nicht.
▶ Ist die Druckerpatrone ________________?

3 ▶ Der PC startet nicht.
▶ Ist vielleicht noch eine Diskette __________?

4 ▶ Der Ausdruck ist nicht sauber.
▶ Vielleicht musst du ____________________.

5 ▶ Plötzlich ist der Bildschirm schwarz!
▶ Dann ist der Computer ________________.

6 ▶ Ich bekomme keine Mail mehr.
▶ Hast du denn ________________________?

7 ▶ Der Text ist weg!
▶ Dann hast du ihn nicht ________________.

8 ▶ Der Drucker funktioniert nicht.
▶ Vielleicht ist er nicht ________________.

B Kannst du mir helfen?

1 Hören Sie das Gespräch und beantworten Sie die Fragen.

1 Welche Vermutungen über die Ursache haben die Leute?
2 Finden die Leute die Ursache für den Fehler?
3 Welche Vermutungen über die Ursachen finden Sie im Benutzerhandbuch unten?

Störungen, Fehler

Problem	Ursache
Der Monitor zeigt kein Bild.	– Helligkeit und Kontrast am Monitor nicht richtig eingestellt – Netzkabel nicht angeschlossen – Signalkabel zwischen PC und Monitor nicht richtig angeschlossen
– Der Computer reagiert nicht auf Tastatureingaben. – Einige Tasten ergeben nicht die aufgedruckten Zeichen. – Der Computer gibt die Meldung *Keyboard error* aus.	– Tastaturkabel nicht an den PC angeschlossen – Tastaturkabel nicht an der richtigen Schnittstelle angeschlossen – kein Tastaturtreiber installiert – falscher Tastaturtreiber installiert – eine Taste klemmt – Gegenstände (Bücher, Zeitschriften) auf der Tastatur
Der Computer gibt beim Start die Meldung aus: *Kein System oder Laufwerksfehler, wechseln und Taste drücken*	Diskette in Laufwerk A: eingelegt

2 Bitten Sie um Hilfe. Geben Sie Rat. Das Benutzerhandbuch in Aufgabe B1 hilft Ihnen.

Beispiel:

Kannst du mir mal helfen? Der Computer reagiert nicht auf Tastatureingaben.

- Hast du Helligkeit und Kontrast richtig eingestellt?
- Vielleicht hast du Helligkeit und Kontrast nicht richtig eingestellt.
- Ich vermute, du hast Helligkeit und Kontrast nicht richtig eingestellt.
- Ich vermute, dass du Helligkeit und Kontrast nicht richtig eingestellt hast.

NEBENSÄTZE MIT *dass*

Wir vermuten,	die Festplatte ist defekt. dass die Festplatte defekt ist.

3 Schreiben Sie Vermutungen. Zu Ihrer Hilfe können Sie die Angaben im Benutzerhandbuch benutzen.

Hauptsatz	Nebensatz: dass			Verb (konjugiert)
Ich glaube,	dass	eine Diskette im Laufwerk A	eingelegt	ist.
Wir vermuten,	dass	Sie die Helligkeit nicht richtig	eingestellt	haben.
Es ist möglich,	dass			
Es kann sein,				
Ich meine,				
Wir denken,				

C

PARTNER A benutzt Datenblatt A21, S. 159. PARTNER B benutzt Datenblatt B21, S. 171.

D Aussprache

1 Trennen Sie die zusammengesetzten Nomen in einzelne Nomen.

Bedienungs|anleitung – Benutzername – Laufwerk – Tastatureingabe – Festplatte – Netzadapter – Funktionsstörung – Stopptaste – Bildschirm – Druckkopf – Benutzerhandbuch – Netzkabel – Geschäftsleitung – Marketingabteilung – Arbeitsorganisation

2 Hören Sie und sprechen Sie nach. Machen Sie Pausen an den Trennungen.

E Störungen und Defekte melden – über Ursachen sprechen

Machen Sie Dialoge.

Der Computer reagiert nicht auf Tastatureingaben.

Ist vielleicht kein Tastaturtreiber installiert?

Doch, der ist installiert. | Richtig, der Tastaturtreiber ist nicht installiert.

Dann vermute ich, dass ein falscher Treiber installiert ist.

Das habe ich schon überprüft. | Tatsächlich! Da ist ein falscher Treiber installiert.

Ist vielleicht das Netzkabel nicht angeschlossen?

Nein, das stimmt nicht. Das Netzkabel ist angeschlossen. | Das stimmt. Es ist nicht angeschlossen.

Störungen beseitigen, Defekte und Schäden beheben

A Was kann man da machen?

Erklären Sie einem Partner Ihr Problem. Der Partner nennt eine Lösung.

Problem	**Lösung**
Der Monitor zeigt kein Bild.	– Helligkeit und Kontrast am Monitor richtig einstellen – Netzkabel und Signalkabel überprüfen, eventuell anschließen
– Der Computer reagiert nicht auf Tastatureingaben. – Einige Tasten ergeben nicht die aufgedruckten Zeichen. – Der Computer gibt die Meldung *Keyboard error* aus.	– Anschluss Tastaturkabel an den PC überprüfen, gegebenenfalls befestigen / an der richtigen Schnittstelle anschließen – Tastaturtreiber überprüfen, evtl. kompatiblen Treiber installieren – Tasten funktionsfähig machen – Gegenstände (Bücher, Zeitschriften) auf der Tastatur entfernen
Der Computer gibt beim Start die Meldung aus: *Kein System oder Laufwerksfehler, wechseln und Taste drücken*	Diskette aus Laufwerk A: entfernen und eine beliebige Taste drücken

▶ Was ist mit dem Computer los? Der Monitor zeigt kein Bild.
▶ Vielleicht ist die Helligkeit am Monitor nicht richtig eingestellt. Moment mal …
Tatsächlich! Deshalb zeigt er kein Bild. Sie müssen die Helligkeit richtig einstellen.
▶ Ach so. Vielen Dank.

B Antwort vom Fachmann

1 Suchen Sie die Antworten im Brief von der Firma SysServe.

- Was hat die Firma SysServe festgestellt?
- Welche Lösungen sind möglich?

2 Wie finden Sie die angebotenen Lösungen?

- Würden Sie lieber …?
- Oder hätten Sie gern …?

SysServe Systemhaus · Andernacher Str. 23 · 90411 Nürnberg

Kolbe GmbH
Herrn Sommer
Kaiserstr. 98
90403 Nürnberg

28.10.2004

Sehr geehrter Herr Sommer,
wir haben Ihren PC überprüft und festgestellt, dass die Festplatte defekt ist. Eine Reparatur ist nicht mehr möglich. Wir können Ihnen anbieten, die Festplatte komplett auszutauschen. Der Preis einer 40 GB Festplatte beträgt EUR 67,– zzgl. MwSt. Die gesamte Reparatur inkl. Dateninstallation kostet ca. EUR 320,– (zzgl. MwSt.). Einen neuen gleichwertigen Rechner können wir Ihnen betriebsbereit zum Preis von EUR 699,– anbieten.
Bitte teilen Sie uns Ihre Entscheidung baldmöglichst mit.

Mit freundlichen Grüßen

G. Neumann

URSACHE UND FOLGE	
Störung, Beschädigung, Defekt	**Ursache**
Der PC startet nicht. Der PC startet nicht,	Die Festplatte ist defekt. weil die Festplatte defekt ist.
Ursachenvermutung	**Folge**
Vielleicht ist die Festplatte defekt. Wir vermuten, dass die Festplatte defekt ist.	Der PC startet nicht. Deshalb startet der PC nicht.
Ursachenfeststellung	**Folge**
Die Festplatte ist defekt. Er hat festgestellt, dass die Festplatte defekt ist.	Wir müssen die Festplatte austauschen. Deshalb müssen wir die Festplatte austauschen.

C Rollenspiel

1 Finden Sie eine passende Lösung zu den Feststellungen.

1 Der Druckkopf ist verschmutzt.
2 Da fehlt ein wichtiges Teil.
3 Die Schraube am Gerät ist gebrochen.
4 Der Drucker ist nicht angeschlossen.
5 Die Leitung ist undicht.
6 Der Filter ist verstopft.
7 Das Kabel ist locker.
8 Die Patrone ist kaputt.
9 Der Akku ist leer.

Deshalb müssen wir …
a) ihn reinigen.
b) sie austauschen.
c) ihn anschließen.
d) sie ersetzen.
e) es befestigen.
f) sie abdichten.
g) es installieren.
h) ihn aufladen.
i) ihn säubern.

- Dann funktioniert er wieder.
- Dann geht es wieder.
- Dann ist es wieder in Ordnung.

2 Problem, Ursachenvermutung, Problemlösung

Der Drucker …
▶ … funktioniert nicht.
▶ Was ist denn los? Ist der Ausdruck schlecht?
▶ Er druckt gar nicht.
▶ Ich vermute, dass die Druckerpatrone leer ist. Deshalb druckt er nicht.
▶ Richtig, die Druckerpatrone ist leer. Wir müssen die Druckerpatrone austauschen.

Der Scanner …
▶ Störung
▶ scannt nicht?
▶ reagiert nicht
▶ falsche Software installiert
▶ …

Der Motor …
▶ defekt
▶ etwas gebrochen?
▶ läuft nicht
▶ Benzinleitung verstopft
▶ …

D Aussprache: *b – w/v*

Die Bedienungsanleitung ist wichtig. – Das Benutzerhandbuch gibt die richtige Antwort. – Der Bildschirm ist schwarz. – Der Service hat das Laufwerk ausgebaut. – Wir beheben Mängel und Fehler. – Vor zwei Wochen wollte er mit der Bahn nach Berlin fahren. – Wie funktionieren Overheadprojektor und Beamer? – Wann wollen wir den Betrieb besichtigen? – Bald, am Mittwoch.

E Was hat bei Ihnen in letzter Zeit nicht geklappt? Berichten Sie.

Beispiel:

Vor zwei Wochen wollte ich mit dem Auto zur Arbeit fahren. Aber das Auto hat nicht funktioniert. Ich habe vermutet, dass der Starter kaputt ist. Aber das war es nicht. Der Kundenservice hat festgestellt, dass die Batterie alt war. Deshalb habe ich eine neue Batterie gebraucht. Der Service hat die Batterie ausgetauscht.

Wann: Gestern …
Defekt: …
Vermutung: Ich habe vermutet, dass …
Feststellung: Aber …
Folge: Deshalb …
Maßnahme: …

Reparatur oder Neukauf?

A Da ist etwas schiefgegangen.

1 Sehen Sie sich die beiden Schreiben an und berichten Sie.

Am ... hat ... ein Angebot geschickt.
Am ... hat ...
Dann hat SysServe ...
...
Jetzt ...

2 Was ist schiefgegangen? Welcher Schaden ist entstanden?

3 Was meinen Sie: Wie konnte das passieren?

SysServe Systemhaus · Andernacher Straße 23 · 90411 Nürnberg

Kolbe GmbH
Herrn ...
Kaisers...
90403 ...

Sehr ge...
wir hal...
defekt ...
Ihnen a...
einer 4...
Repara...
MwSt. ...
betrieb...
Bitte te...
Mit fre...

G. N...

SysServe Systemhaus
Herrn Neumann
Andernacher Straße 23
90411 Nürnberg

Lieferung vom 5.11.2004, Rechnung Nr. 0744-11

07.11.04

Sehr geehrter Herr Neumann,
vielen Dank für Ihre o.g. Lieferung. Leider mussten wir feststellen, dass Sie den defekten Rechner nun doch repariert haben. Wir haben Sie aber ausdrücklich gebeten, uns einen neuen Rechner zum Nettopreis von EUR 699,– zu liefern. Diesen Auftrag hat Ihr Mitarbeiter Herr Kramer am 29.10. telefonisch entgegengenommen und bestätigt.

Hiermit bestellen wir noch einmal ein neues Gerät und bitten um baldige Lieferung.

Mit freundlichen Grüßen

Sommer

B Was sagen die Leute dazu?

Herr Kempowski, Reparaturannahme:
Das stimmt. Herr Sommer hat mich angerufen.

Herr Neumann, Verkauf:
Ja, ich habe das Angebot geschrieben. Eine Bestellung haben wir nicht bekommen.

Frau Schöller, Sekretariat:
Damit habe ich nichts zu tun. Ich weiß von nichts.

Herr Kramer, Kundenservice:
Am 29. Oktober war ich krank.

Frau Fröhlich, Werkstatt:
Eine Kopie vom Angebot hat bei dem Gerät gelegen. In der EDV habe ich dazu nichts gefunden. Ich habe das Gerät dann repariert.

1 Schreiben Sie Sätze und berichten Sie.

Hauptsatz	Nebensatz: dass			Verb (konjugiert)
Herr Kempowski weiß noch,	dass	Herr Sommer ihn	angerufen	hat.
Herr Neumann vom Verkauf bestätigt,	dass			

2 Hat ein Mitarbeiter etwas falsch gemacht? Welcher? Was? Hat auch Herr Sommer von der Kolbe GmbH einen Fehler gemacht? Welchen?

vergessen – mündlicher Auftrag – Panne in der betrieblichen Kommunikation – nicht aufgepasst – keine klare Information – Regeln nicht beachtet – Störung in der EDV – den Chef nicht gefragt – ...

Kulturelles TIPP
Zahlen, Daten, Preise, Termine, Namen, Aufträge usw. nie mündlich, sondern immer schriftlich übermitteln

C PARTNER A benutzt Datenblatt A22, S. 159. PARTNER B benutzt Datenblatt B22, S. 171.

D Was ist passiert? Warum ist das passiert? Was müssen wir tun?

1 Das ist passiert. Wählen Sie einen Fall.

1	2	3	4	5
Firma Alsco ist ein alter Kunde. Aber jetzt ist Alsco sehr verärgert und sucht einen neuen Lieferanten.	Wir haben das alte Gerät repariert. Jetzt zahlt der Kunde die Reparaturrechnung nicht.	Herr Matthäus sollte um 10 Uhr beim Kunden sein. Aber er ist viel zu spät dort angekommen.	Die Sitzung war nicht erfolgreich. Sie war anstrengend und die Teilnehmer waren müde.	Wir haben pünktlich geliefert. Aber der Kunde war nicht mit der Ware zufrieden.

2 Problem und Lösung: Wählen Sie eine Ursache 1 – 5 und eine passende Lösung a – e.

weil …
1 Aufgaben waren nicht klar
2 hat die Adresse verwechselt
3 Ware hatte Fehler
4 wartet seit vier Wochen auf die Lieferung
5 wollte ein neues Gerät

Deshalb …
a) die Qualitätskontrolle verbessern
b) klare Tagesordnung
c) Kundenadressen aufschreiben
d) mit dem Kunden sprechen
e) sofort liefern

3 Tragen Sie Ihren Fall, die Ursache und die Problemlösung vor. Die anderen schreiben mit.

Beispiel:

Die Firma Alsco ist verärgert, weil sie seit vier Wochen auf die Lieferung wartet. Deshalb müssen wir sofort liefern.

E Aussprache: *-tion*

1 Hören Sie und unterstreichen Sie den Wortakzent.

die Kommunikation – kommunizieren
die Qualifikation – qualifizieren
die Funktion – funktionieren
die Installation – installieren
die Produktion – produzieren
die Information – informieren
die Organisation – organisieren
die Reklamation – reklamieren

2 Wir schreiben *-tion* – wir sagen *-zion*. Sprechen Sie nach.

Wir verbessern die betriebliche Kommunikation.
Ich hätte gern eine Information.
Ich habe eine Reklamation.
Das Gerät hat eine Funktionsstörung.
Die Produktion ist in Halle 1.
Welche Qualifikationen haben Sie?
Frau Wiese, übernehmen Sie die Organisation?
Die Installation erledigt unser Techniker.

F Fehler, Störungen …

… und Fehler-, Störungsmanagement: Problem nennen, Ursache ermitteln, Lösung erarbeiten.
Diskutieren Sie einen Fall. Arbeiten Sie in Gruppen.

Drucker kaputt
kein Geld mehr
zu viele Termine
…

1 Herr Burkhardt kommt immer zu spät. Zur Sitzung heute Vormittag ist er gar nicht gekommen. Er hat die Kollegen auch nicht informiert.
2 In letzter Zeit hatten wir viele Probleme mit unseren Computern.
3 …

Störung

Störung

1 Wo finden Sie diese Hinweise?
2 Geht es um Störungen oder Defekte?
3 Was geht nicht?
4 Was müssen Sie tun?

Bedienungsanleitung

Bedienungsanleitung

Installation eines Faxgerätes
1 Welche Schritte finden Sie hier? Zählen Sie auf: 1., 2., 3., ...
2 Was fehlt? Können Sie etwas ergänzen?

EASY INSTALL

Ihr Faxgerät schnell und einfach installieren!

1. Standort

Der richtige Standort Ihres neuen Faxgerätes ist in der Nähe der Telefonanschlussdose und Netzsteckdose. Das Faxgerät soll sicher und stabil auf einer ebenen, glatten Oberfläche stehen. Vermeiden Sie unbedingt direkte Sonneneinstrahlung, unmittelbare Nähe zu Heizungen, Radio- und Fernsehgeräten, PCs und Klimaanlagen.

Stellen sie keine Gegenstände vor das Faxgerät, da sich der Blattauslass an der Vorderseite Ihres Gerätes befindet. Um einen Papierstau zu vermeiden, sollten Sie Ihre Gerät auf einer glatten Unterlage abstellen (keine Unterlagen aus Gummi oder Teppich). Bei Betrieb erwärmt sich Ihr Faxgerät. Decken Sie daher Ihr Gerät nicht ab. Installieren Sie Ihr Gerät so, dass freie Luftzirkulation rund um das Gerät gewährleistet ist.

2. Installation

Zuerst stecken Sie ein Ende des Spiralkabels an den Telefonhörer an.

a) Anschluss an die Telefonleitung
Schließen Sie das Telefonkabel an das Faxgerät an, indem Sie es in die mit LINE gekennzeichneten Buchse am Geräteboden stecken. Legen Sie das Kabel in die dafür vorgesehene Rille am Geräteboden. Stecken Sie den Telefonstecker in die linke Buchse mit der Bezeichnung N.

b) Anschluss des Hörers an das Faxgerät
Stecken Sie das andere Ende des Spiralkabels in die mit einem Telefonhörer bezeichneten Buchse auf der Unterseite des Gerätes und drücken Sie es in die dafür vorgesehene Kabelrille.

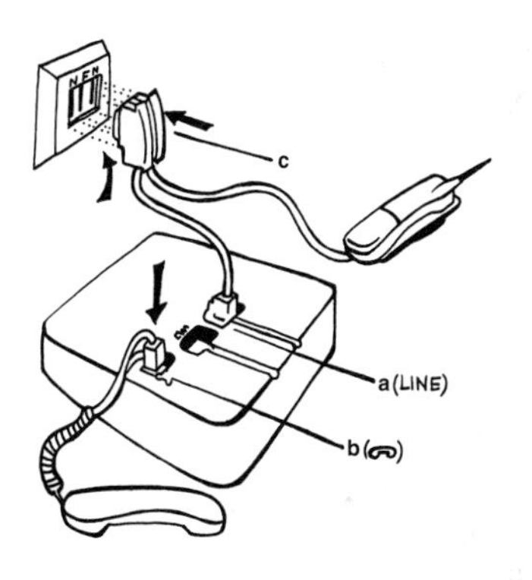

c) Anschluss weiterer Telekommunikationsgeräte
Wenn Sie weitere Geräte an derselben Telefonsteckdose anschließen möchten, beachten sie bitte die richtige Reihenfolge.

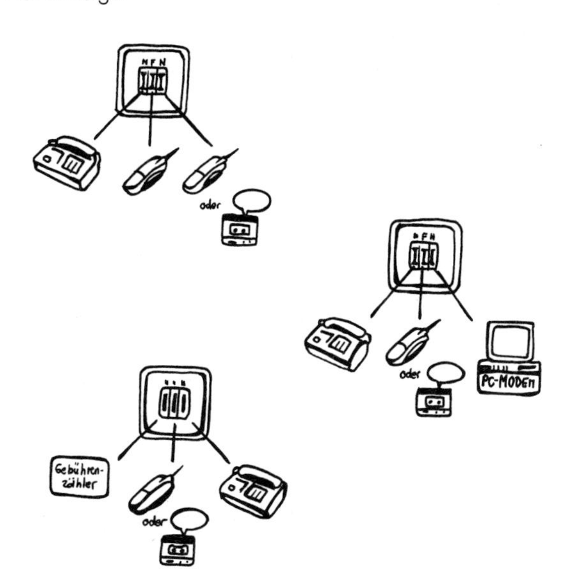

Kapitel 9 Grammatik

(Verbal-)Adjektive

→ S. 124

		...iert	ge...t/en	be/ver/zer...t/en	...ge...t/en
Das Gerät	defekt	installiert	gestört	beschädigt	eingesteckt
Der Automat ist	kaputt	repariert	gerissen	verstellt	ausgeschaltet
Das Teil	locker			zerbrochen	angeschlossen

Ursache und Folge

→ S. 129

Störung, Beschädigung, Defekt	Ursache
Der PC startet nicht.	Die Festplatte ist defekt.
Der PC startet nicht,	weil die Festplatte defekt ist.
Ursachenvermutung	**Folge**
Vielleicht ist die Festplatte defekt.	Der PC startet nicht.
Wir vermuten, dass die Festplatte defekt ist.	Deshalb startet der PC nicht.
Ursachenfeststellung	**Folge**
Die Festplatte ist defekt.	Wir müssen die Festplatte austauschen.
Wir haben festgestellt, dass die Festplatte defekt ist.	Deshalb müssen wir die Festplatte austauschen.

Satzbau: Nebensatz mit *dass*

→ S. 127

Hauptsatz	Nebensatz			
	dass			Verb (konjugiert)
Er meint,	dass	das Kabel locker		ist.
Wir vermuten,	dass	die Festplatte defekt		ist.
Sie sagt,	dass	der Akku leer		ist.
Die Firma findet schlecht,	dass	wir so spät		liefern.
Ich glaube,	dass	du die Patrone	ersetzen	musst.
Herr Sommer schreibt,	dass	er einen Rechner	bestellt	hat.
Herr Kempowski weiß,	dass	Herr Sommer	angerufen	hat.

Nach Verben wie *denken, meinen, glauben, schreiben, sagen, wissen, gut/schlecht finden* kommen oft Nebensätze mit *dass*.

Aufzählung und Reihenfolge

→ S. 122

Aufzählung	Infinitiv	Reihenfolge		Aussagesatz	Imperativ
Erstens:	den Kopf drücken	Zuerst	Als Erstes	drückt man …	drücken Sie …
Zweitens:	das … … en	Dann	Als Zweites	gibt man … ein.	geben Sie … ein.
Drittens:	das … … en	…	Als Drittes	…	…
Viertens:		…	…		
…		Zum Schluss	Als Letztes		

Willkommen bei uns!

Kleine Feiern

Ach, das ist ja interessant ...

Das Betriebsrestaurant

Die Verabschiedung

Kapitel 10

Neu im Betrieb

Hier lernen Sie:
- einen Mitarbeiter und seine Aufgaben vorstellen
- Glückwünsche aussprechen
- eine Einladung schreiben
- Smalltalk machen
- eine Speisekarte lesen
- einen Mitarbeiter verabschieden
- Wünsche, Dank, Bedauern und Hoffnungen ausdrücken

Willkommen bei uns!

A

Liebe Kollegen, das ist Herr Gül! Sie wissen ja, dass ich bald in Rente gehe. Herr Gül macht meine Arbeit weiter. Herr Gül arbeitet schon lange in unserem Bereich. Zuletzt war er bei Brunata. Er ist also bestimmt ein sehr guter Ersatz für mich. Ich arbeite ihn jetzt noch eine Woche lang ein. Aber das kann ich natürlich nicht allein. Sie alle helfen bestimmt gern mit.

B

Guten Tag, mein Name ist Gül, Idris Gül. Ich soll die Stelle von Frau Wössner übernehmen.
Ich bin Ingenieur für Messtechnik und arbeite schon seit fünf Jahren im Bereich Energiemessung. Ich freue mich, dass ich jetzt mit Ihnen zusammenarbeiten kann. Ich bin zur Körner AG gekommen, weil ich gern bei einer großen Firma arbeiten wollte. Ich hoffe, dass Sie am Anfang Geduld mit mir haben und mir helfen. Dafür danke ich Ihnen jetzt schon.

C

Ich möchte Ihnen Herrn Gül vorstellen. Er übernimmt die Stelle von Frau Wössner. Sie geht ja leider in den Ruhestand. Herr Gül ist Diplomingenieur für Messtechnik und hat viel Erfahrung in unserem Bereich. Er war zuletzt in Süddeutschland bei Brunata tätig.
Wir freuen uns, dass er jetzt zu uns kommt. Ich bin sicher, dass er gut zu unserem Team passt. Und ich hoffe, dass es ihm bei uns gut gefällt und er hier bald zu Hause ist. Frau Wössner macht in den nächsten Tagen noch die Übergabe an Herrn Gül. Ich wünsche Herrn Gül jetzt schon viel Erfolg.

A Darf ich Ihnen Herrn Gül vorstellen?

1 Was kann man welchem Text entnehmen?

	Text A	Text B	Text C
1 Der Abteilungsleiter stellt einen neuen Mitarbeiter vor.	☐	☐	☒
2 Eine Kollegin stellt Herrn Gül vor.	☐	☐	☐
3 Die Firma heißt Körner AG.	☐	☐	☐
4 Die Körner AG ist größer als die Fa. Brunata.	☐	☐	☐
5 Herr Gül ist der Nachfolger von Frau Wössner.	☐	☐	☐
6 Frau Wössner arbeitet Herrn Gül ein.	☐	☐	☐
7 Die Übergabe an Herrn Gül dauert eine Woche.	☐	☐	☐
8 Die Firma stellt Geräte für die Energiemessung her.	☐	☐	☐
9 Herr Gül arbeitet schon einige Jahre in diesem Bereich.	☐	☐	☐

2 Spielen Sie …

den Abteilungsleiter:

Ich möchte Ihnen … vorstellen.
… übernimmt die Stelle von …
… hat viel Erfahrung in unserem Bereich.
… war zuletzt bei … tätig.

die Mitarbeiterin:

Das ist …
… macht meine Arbeit weiter.
… arbeitet schon … in unserem Bereich.
Zuletzt war er bei …

den neuen Kollegen:

Mein Name ist …
Ich übernehme …
Ich arbeite seit … im Bereich …
Zuletzt war ich …

3 Spielen Sie ähnliche Rollen. Stellen Sie vor:

- Herrn Fernandez, Diplomkaufmann, Vertrieb, zuletzt bei der Firma Binol Messtechnik
- eine Kursteilnehmerin oder einen Kursteilnehmer

B Aussprache: *au – eu/äu*

1 Sprechen Sie nach.

1 Raum – Räume 2 Schlauch – Schläuche 3 Kauf – Käufe 4 Maus – Mäuse 5 Haus – Häuser
6 teure Häuser 7 eure Mäuse 8 neue Schläuche 9 neun Räume

2 Was hören Sie? Kreuzen Sie an.

☐ Bräuer ☐ Brauer
☐ Glauber ☐ Gleuber
☐ Keuner ☐ Kauner
☐ Dausert ☐ Däusert
☐ Häuler ☐ Hauler
☐ Lautner ☐ Leutner

C Das Intranet

1 Berichten Sie.

- Haben Sie schon einmal ein Intranet benutzt?
- Wozu braucht ein Unternehmen ein Intranet?
- Was findet man in einem Intranet?
- Wie kommt man in ein Intranet?

2 Jetzt zeige ich Ihnen zuerst einmal unser Intranet.

1 Wo ist das?
2 Wer spricht hier?
3 Worüber sprechen die beiden? Haken Sie die Themen auf dem Merkzettel der Kollegin ab.
4 Welches Problem tritt auf?
5 Wo findet man allgemeine firmeninterne Nachrichten?

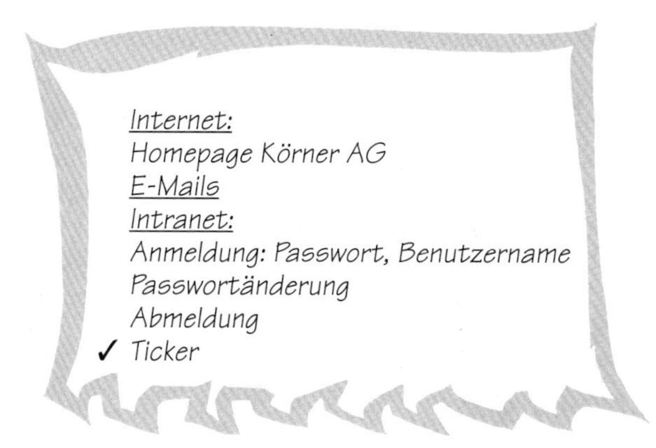

3 Hier sind wir in der Infothek.

1 Worüber sprechen die beiden Kollegen? Markieren Sie die Punkte auf der Bildschirmseite.
2 Welche Symbole neben dem Firmenlogo können Sie erklären?
3 In welchem Betriebsbereich soll Herr Gül arbeiten?

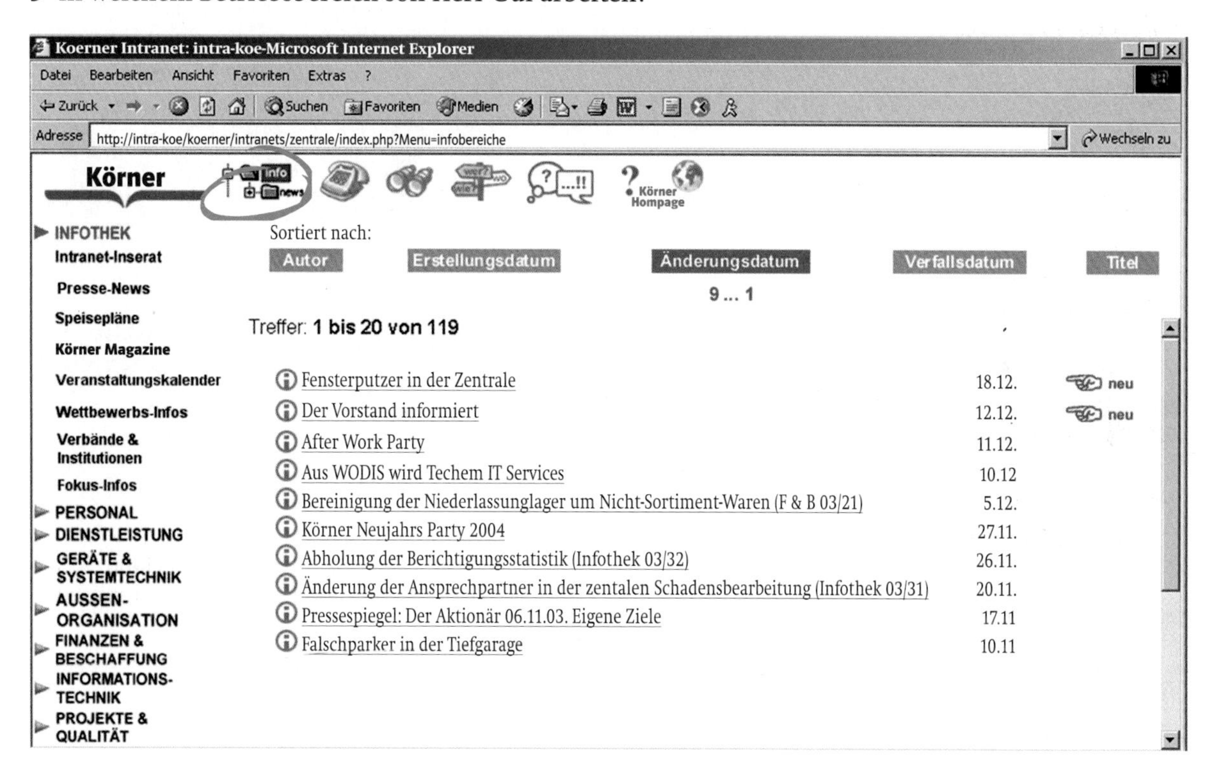

D

PARTNER **A** benutzt Datenblatt A23, S. 160. PARTNER **B** benutzt Datenblatt B23, S. 172.

E Vortrag

1 Bereiten Sie einen kurzen Vortrag über das Intranet der Firma Körner vor. Machen Sie vorher Notizen.
2 Sprechen Sie über eigene Erfahrungen mit einem Intranet.

Kleine Feiern

A Gute Wünsche

1 Sehen Sie sich die Bilder an. Welche Wünsche passen zu welchem Bild?

A

B

C

Herzlichen Glückwunsch | zum Geburtstag! / zu Ihrer Hochzeit! / zur Beförderung! / zum Nachwuchs!

Alles Gute | zum Geburtstag! / für | das neue Lebensjahr! / den neuen Job! / die Prüfung!

Ich möchte Ihnen herzlich | zum Geburtstag / zu Ihrer Hochzeit / zur Beförderung | gratulieren.

Viel Erfolg | in der neuen Abteilung! / in der neuen Firma! / im neuen Beruf!

Gutes neues Jahr!
Guten Rutsch!
Ein frohes Fest!
Ich wünsche Ihnen | frohe Weihnachten! / schöne Feiertage!

D

E

2 Hören Sie die vier Dialoge.

1 Welche Glückwünsche kommen vor?
2 Zu welchem Bild passen sie?
3 Wie reagieren die Leute? Was sagen sie?

3 Was sagen Sie in folgenden Situationen?

1 Sie wissen/haben gehört, dass …
- Ihre Nachbarin 25 Jahre alt wird.
- Ihr Kollege geheiratet hat.
- Ihre Kollegin Abteilungsleiterin wird.
- Ihr Kollege in eine andere Abteilung geht.

2 Sie treffen am Morgen vor der Arbeit im Aufzug Kollegen. Heute ist der …
- 2. Januar
- 23. Dezember
- 28. Dezember

4 Gehen Sie im Unterrichtsraum umher, sprechen Sie Glückwünsche aus und reagieren Sie auf die Wünsche Ihrer Kollegen.

5 Sammeln Sie Daten in der Klasse und berichten Sie. Wann haben Ihre Kolleginnen und Kollegen Geburtstag? Wann sind die wichtigsten Feste in welchem Land?

WERDEN				
ich	werde	**wir**	werden	Nächstes Jahr werde ich Abteilungsleiter!
du	wirst	**ihr**	werdet	Heute werde ich leider schon 31.
er/sie/es	wird	**Sie/sie**	werden	Ich studiere noch. Ich möchte Geschäftsführer werden.

6 Erzählen Sie: Wie alt werden Sie nächstes Jahr? Was möchten Sie werden? Was wollten Sie mit 10 Jahren werden?

B Eine Einladung

1 Lesen Sie die E-Mail. Wer schreibt wem? Warum schreibt er oder sie? Was sollen die Empfänger tun? Was plant der Absender?

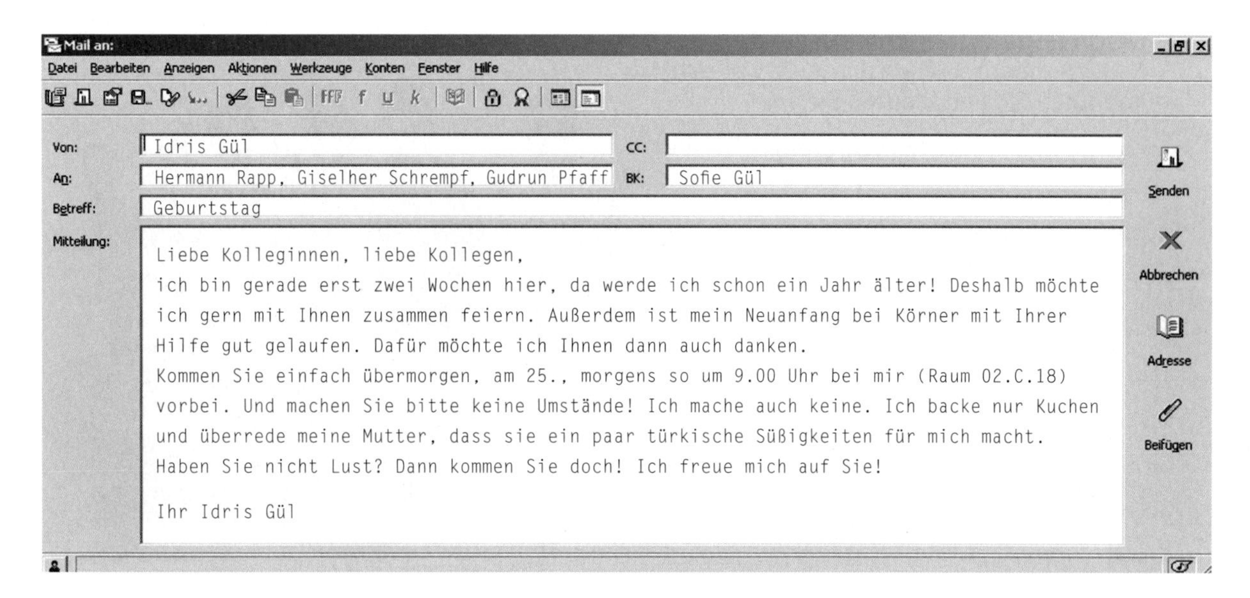

Mail an:

Datei Bearbeiten Anzeigen Aktionen Werkzeuge Konten Fenster Hilfe

Von: Idris Gül
CC:
An: Hermann Rapp, Giselher Schrempf, Gudrun Pfaff
BK: Sofie Gül
Betreff: Geburtstag
Mitteilung:

Liebe Kolleginnen, liebe Kollegen,
ich bin gerade erst zwei Wochen hier, da werde ich schon ein Jahr älter! Deshalb möchte ich gern mit Ihnen zusammen feiern. Außerdem ist mein Neuanfang bei Körner mit Ihrer Hilfe gut gelaufen. Dafür möchte ich Ihnen dann auch danken.
Kommen Sie einfach übermorgen, am 25., morgens so um 9.00 Uhr bei mir (Raum 02.C.18) vorbei. Und machen Sie bitte keine Umstände! Ich mache auch keine. Ich backe nur Kuchen und überrede meine Mutter, dass sie ein paar türkische Süßigkeiten für mich macht.
Haben Sie nicht Lust? Dann kommen Sie doch! Ich freue mich auf Sie!

Ihr Idris Gül

Senden
Abbrechen
Adresse
Beifügen

2 Antworten Sie.

1 Was feiert Herr Gül?
2 Wofür dankt er den Kolleginnen und Kollegen?
3 Was meint der Absender vermutlich mit dem Satz: *Und machen Sie bitte keine Umstände!*
4 Ist Ihre Vermutung richtig? Suchen Sie im Wörterbuch!
5 Schreibt man die E-Mail mit diesem Bildschirm oder empfängt man sie hier?
6 Was bedeutet „BK“?
7 Welchen Knopf müssen Sie anklicken? Sie möchten …

a) einen Empfänger einfügen. *Adresse*
b) die E-Mail abschicken. ____________
c) eine Datei mitschicken. ____________
d) die E-Mail doch nicht abschicken. ____________

C Aussprache: *-ng*

1 Sprechen Sie nach.

Einladung – Einladungen – Unterstützung – Anfang – anfangen – Empfang – empfangen – Abteilung

2 Was hören Sie? Kreuzen Sie an!

☐ sinken	☐ singen
☐ bringen	☐ trinken
☐ bedanken	☐ begangen
☐ Tank	☐ Tang

D Schreiben Sie eine E-Mail an Herrn Gül.

- Danken Sie ihm für die Einladung.
- Warum können Sie nicht kommen?
- Was wünschen Sie ihm?

TIPP

Feiern im Betrieb

In Deutschland ist es ganz verschieden, was und wie man im Betrieb feiert. Ziemlich sicher gibt es Feiern
- bei einer Verabschiedung in den Ruhestand,
- bei einem Dienstjubiläum und
- bei einer Beförderung.

Vor allem Weihnachtsfeiern gibt es fast immer. In größeren Betrieben organisieren das die Abteilungen meist selbst, in kleineren gibt es Feiern für die ganze Belegschaft.
Auch Geburtstage feiert man fast überall, aber meistens nur ganz einfach mit den nächsten Kollegen. Das Geburtstagskind lädt zum Beispiel zu Kaffee und Kuchen ein. Man bleibt ungefähr eine halbe Stunde zusammen und dann geht man wieder an die Arbeit.

Ach, das ist ja interessant ...

A Smalltalk

1 Beschreiben Sie die Situation auf dem Bild! Worüber sprechen die Leute vielleicht? Vermuten Sie und kreuzen Sie an.

	Ihre Vermutung	Dialog
Wetter	☐	___
Politik	☐	___
Freizeit	☐	___
Essen und Trinken	☐	___
Sport	☐	1
Urlaub	☐	___
Familie	☐	___
Gesundheit	☐	___
Arbeit	☐	___
Dienstreisen	☐	___
Probleme in der Firma	☐	___
Einkommen	☐	___

2 Sie hören vier kleine Dialoge. Über welche Themen sprechen die Leute? Tragen Sie oben die Dialognummern ein.

3 Worüber macht man bei Ihnen gern Smalltalk?

B Das Wetter

1 Verbinden Sie die Satzteile. Sie können dazu Dialog 2 und 3 aus Aufgabe A2 noch einmal hören.

1 Ich hoffe,	a) manchmal 35 Grad!
2 Ich hoffe,	b) und abends wird es immer schön kühl.
3 Es hat hier	c) dass es hier zu oft Regen gibt.
4 Jedes Jahr wird	d) dass es morgen endlich regnet.
5 Das Wetter ist	e) als zu kalt.
6 Ich finde,	f) nicht mehr normal.
7 Dort scheint viel die Sonne	g) dass das Wetter so bleibt.
8 Besser zu warm	h) der Sommer heißer.

2 Wie wird das Wetter?

	heute	morgen
die Hitze:	*Heute ist es heiß.*	*Morgen wird es bestimmt noch heißer.*
die Wärme:		
die Kälte:		
der Regen:		*Morgen wird es noch regnerischer.*
___:	*Heute ist es ziemlich sonnig.*	
der Wind:		*Morgen wird es vielleicht noch windiger.*

3 Machen Sie Smalltalk über das Wetter.

- Wie finden Sie das Wetter heute?
- Wie ist das Wetter bei Ihnen im Frühling, im Sommer, im Herbst, im Winter?
- Wie finden Sie das Wetter in Deutschland, in Österreich oder in der Schweiz?

C Aussprache: *-ig* oder *-ige (-r)*

Heute ist es windig – ein windiger Tag. Gestern war es wolkig – ein wolkiger Tag.
Heute ist es sonniger als gestern. – Das ist eine schwierige Aufgabe. Nein, das ist nicht schwierig. –
Hier ist es ganz ruhig. Ja, eine ruhige Straße. – Wirklich ein günstiger Preis! Ja, richtig billig! –
Ist der Film lustig? Es gibt lustigere.

D Alles Gute!

1 Was feiern die Leute?

2 Welche Personen sprechen?

eine andere Kollegin
~~der Abteilungsleiter~~ Herrn Gül
ein Kollege und eine Kollegin
~~Herrn Gül~~ eine Kollegin

plaudern mit
~~sprechen mit~~
eine kleine Rede halten
auf Wiedersehen sagen

Zuerst *spricht der Abteilungsleiter mit Herrn Gül.*

Dann ______________________________.

Danach ______________________________.

Schließlich ______________________________.

3 Beantworten Sie die Fragen.

1 Was möchte der Abteilungsleiter von Herrn Gül?
2 Was loben die Kolleginnen und Kollegen?
3 Machen die Kollegen Herrn Gül ein Geschenk?
4 Wo leben die Eltern von Herrn Gül?
5 Kocht Herr Gül zu Hause?
6 Hat er Kinder?
7 Was sagen Herr Gül und die Kollegin am Schluss bei der Verabschiedung? Schreiben Sie das auf.

Herr Gül, ich muss leider ...

E Ich bin ein bisschen nervös ...

1 Der Abteilungsleiter hat gesagt, dass er mit Herrn Gül einen Termin vereinbaren will. Herr Gül weiß nicht warum und ist etwas nervös. Er spricht mit einem Kollegen darüber. Der beruhigt ihn.

- Der AL möchte mit mir reden. Haben Sie eine Ahnung, was er von mir will?
- Ich finde komisch, dass der AL jetzt schon mit mir reden möchte. Meinen Sie, es gibt ein Problem?
- Warum will der AL mit mir sprechen? Ich bin doch erst zwei Wochen hier.

▼

- Das ist kein Problem.
- Das ist ganz normal.
- Kein Grund zur Aufregung.
- Machen Sie sich keine Sorgen.

Er möchte | Sie nur besser kennen lernen. / nur Ihre Meinung hören.

2 Spielen Sie kleine Dialoge.

Partner A ist nervös, weil ...

- der Chef mit ihm reden will.
- er eine Besprechung leiten soll.
- er die neue Software nicht kennt.
- er eine Rede halten soll.

Partner B beruhigt ihn:

- Das schaffen Sie schon!
- Das ist nicht schwierig.

F Spielen Sie eine Geburtstagsfeier am Arbeitsplatz.

Herzlichen Glückwunsch!
Vielen Dank für die Einladung!
Herzlichen Dank!
Das ist aber nett, dass Sie gekommen sind.
Das schmeckt aber gut!
Vielen Dank! Das wäre nicht nötig gewesen.
Bitte, hier ist Kuchen. Und hier sind ein paar Spezialitäten aus meiner Heimat.
Wie läuft es bei Ihnen?
Wie finden Sie unsere Firma?

Das Betriebsrestaurant

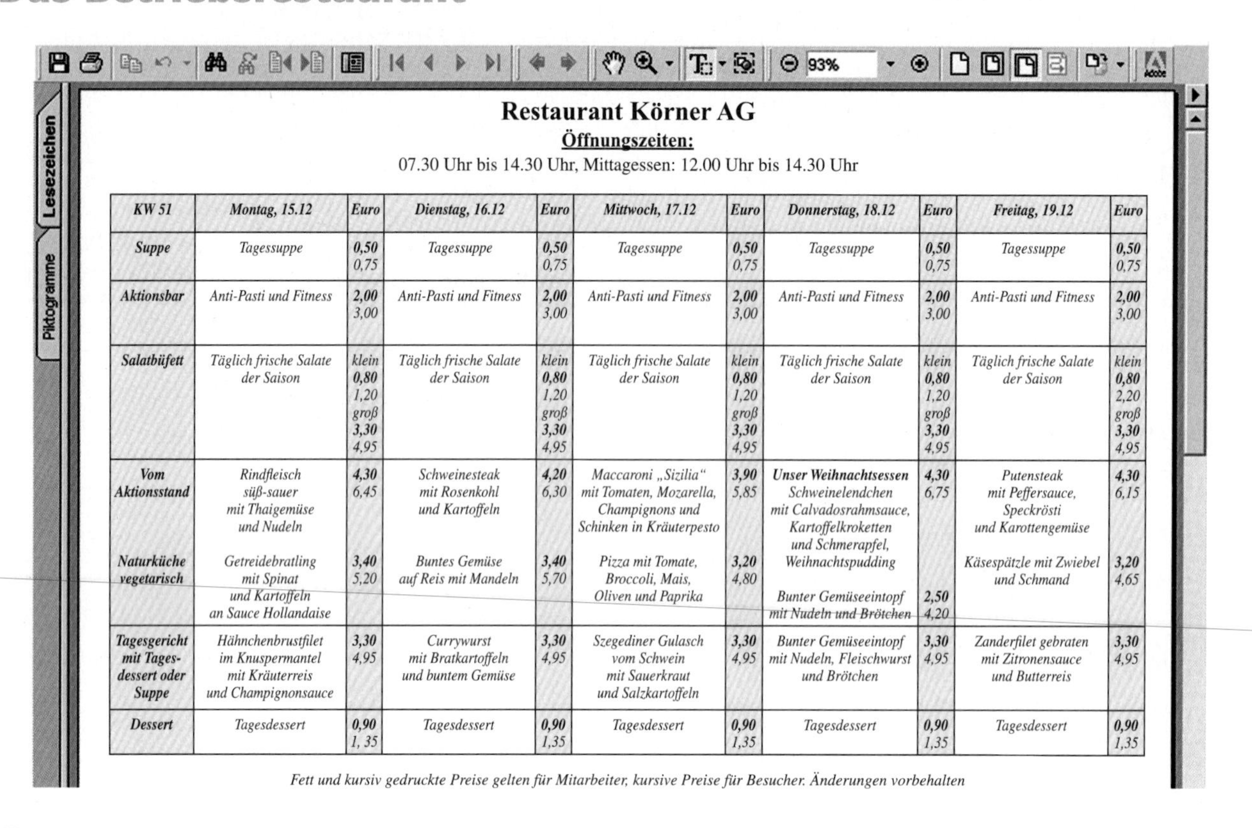

Restaurant Körner AG

Öffnungszeiten:

07.30 Uhr bis 14.30 Uhr, Mittagessen: 12.00 Uhr bis 14.30 Uhr

KW 51	Montag, 15.12	Euro	Dienstag, 16.12	Euro	Mittwoch, 17.12	Euro	Donnerstag, 18.12	Euro	Freitag, 19.12	Euro
Suppe	Tagessuppe	**0,50** 0,75	Tagessuppe	**0,50** 0,75	Tagessuppe	**0,50** 0,75	Tagessuppe	**0,50** 0,75	Tagessuppe	**0,50** 0,75
Aktionsbar	Anti-Pasti und Fitness	**2,00** 3,00	Anti-Pasti und Fitness	**2,00** 3,00	Anti-Pasti und Fitness	**2,00** 3,00	Anti-Pasti und Fitness	**2,00** 3,00	Anti-Pasti und Fitness	**2,00** 3,00
Salatbüfett	Täglich frische Salate der Saison	klein **0,80** 1,20 groß **3,30** 4,95	Täglich frische Salate der Saison	klein **0,80** 1,20 groß **3,30** 4,95	Täglich frische Salate der Saison	klein **0,80** 1,20 groß **3,30** 4,95	Täglich frische Salate der Saison	klein **0,80** 1,20 groß **3,30** 4,95	Täglich frische Salate der Saison	klein **0,80** 2,20 groß **3,30** 4,95
Vom Aktionsstand	Rindfleisch süß-sauer mit Thaigemüse und Nudeln	**4,30** 6,45	Schweinesteak mit Rosenkohl und Kartoffeln	**4,20** 6,30	Maccaroni „Sizilia" mit Tomaten, Mozarella, Champignons und Schinken in Kräuterpesto	**3,90** 5,85	**Unser Weihnachtsessen** Schweinelendchen mit Calvadosrahmsauce, Kartoffelkroketten und Schmerapfel, Weihnachtspudding	**4,30** 6,75	Putensteak mit Peffersauce, Speckrösti und Karottengemüse	**4,30** 6,15
Naturküche vegetarisch	Getreidebratling mit Spinat und Kartoffeln an Sauce Hollandaise	**3,40** 5,20	Buntes Gemüse auf Reis mit Mandeln	**3,40** 5,70	Pizza mit Tomate, Broccoli, Mais, Oliven und Paprika	**3,20** 4,80	Bunter Gemüseeintopf mit Nudeln und Brötchen	**2,50** 4,20	Käsespätzle mit Zwiebel und Schmand	**3,20** 4,65
Tagesgericht mit Tagesdessert oder Suppe	Hähnchenbrustfilet im Knuspermantel mit Kräuterreis und Champignonsauce	**3,30** 4,95	Currywurst mit Bratkartoffeln und buntem Gemüse	**3,30** 4,95	Szegediner Gulasch vom Schwein mit Sauerkraut und Salzkartoffeln	**3,30** 4,95	Bunter Gemüseeintopf mit Nudeln, Fleischwurst und Brötchen	**3,30** 4,95	Zanderfilet gebraten mit Zitronensauce und Butterreis	**3,30** 4,95
Dessert	Tagesdessert	**0,90** 1, 35	Tagesdessert	**0,90** 1,35	Tagesdessert	**0,90** 1,35	Tagesdessert	**0,90** 1,35	Tagesdessert	**0,90** 1,35

Fett und kursiv gedruckte Preise gelten für Mitarbeiter, kursive Preise für Besucher. Änderungen vorbehalten

A Das Mittagessen

Wo essen Sie normalerweise zu Mittag? In einer Kantine? Im Restaurant? In der Mensa? Oder bringen Sie etwas von zu Hause mit? Fragen Sie Ihre Kollegen und berichten Sie.

B Was gibt es zu essen?

1 Welches Wort passt in die Lücke? Ergänzen Sie.

1 a) früher	b) jetzt	4 a) Hilfe	b) Bedienung	7 a) Internet	b) Intranet
2 a) keine	b) eine	5 a) kaufen	b) bezahlen	8 a) praktisch	b) interessant
3 a) Und	b) Oder	6 a) Speisekarte	b) Kantine	9 a) überlegt	b) wählt

Herr Gül hat (1) früher ______ in einer kleinen Firma gearbeitet. Dort gab es (2) ______ Kantine. Mittags ist er mit einigen Kollegen in ein Restaurant gegangen und hat dort ein preiswertes Menü gegessen. (3) ______ er hat Brote mitgebracht. In seiner neuen Firma gefällt ihm, dass es eine Kantine gibt. Das ist billig und bequem.

Im Betriebsrestaurant gibt es keine (4) ______. Man muss das Essen selbst an der Essensausgabe holen und dann an einer Kasse (5) ______. Herr Gül hat bemerkt, dass seine Kollegen die (6) ______ schon vorher kennen. Woher haben sie diese Information? Seine Kollegin, Frau Schlauder, sagt ihm, dass er den Speiseplan für eine Woche im (7) ______ in der „Infothek" finden kann. Herr Gül findet das sehr (8) ______. Heute (9) ______ er die italienischen Nudeln. Sie sind teurer als das Gulasch, aber er isst nicht gern Schweinefleisch.

2 Suchen Sie auf dem Speiseplan.

1 Wie lange gibt es Mittagessen?
2 An welchem Tag gibt es italienische Nudeln?
3 Herr Gül nimmt auch noch einen kleinen Salat und einen Nachtisch. Wie viel muss er bezahlen?
4 Was kann man an diesem Tag noch essen?
5 Frau Schlauder isst kein Fleisch. Was kann sie am Montag nehmen?

C Welches Gericht essen Sie gern, welches nicht?

Ich esse gern italienische Nudeln, z. B. Maccaroni. Aber Bratwurst mag ich nicht.

Schweinesteak mit Rosenkohl – das ist sicher lecker!

Ich bin Vegetarier. Deshalb esse ich zum Beispiel Getreidebratling mit Spinat.

Ich esse am liebsten Rindfleisch. Rindfleisch mit Thaigemüse schmeckt sicher gut!

D Ordnen Sie den Dialog. Wer sagt was? Spielen Sie dann diesen oder einen ähnlichen Dialog.

- ☐ Direkt unter „Infothek“. Da ist immer der Plan für die ganze Woche.
- ☐ Na, und worauf haben Sie heute Lust?
- ☐ Woher wissen Sie, dass es heute Pizza gibt?
- ☐ Richtig, hier ist er.
- ☐ Ich habe im Speiseplan nachgesehen. Der steht im Intranet.
- 1 Ich habe schon Hunger! Ich esse heute Pizza. Die machen sie hier ganz gut.
- ☐ Ach, das ist ja praktisch. Wo finde ich den Speiseplan?
- ☐ Ich glaube, ich nehme …

E Aussprache: *r* wie in *Betrieb* oder wie in *für*?

Wo hören Sie ein *r* wie in *Betrieb*? Markieren Sie. Sprechen Sie nach.

1 Betrieb Unternehmen Gespräch er Restaurant Herr Gericht Körner
2 verreisen vermuten oder erzählen bringen Wurst Bratwurst Kartoffeln
3 teuer – teurer für – Büro dir – direkt Intranet – Internet vor – voran

F

PARTNER A benutzt Datenblatt A24, S. 160. PARTNER B benutzt Datenblatt B24, S. 173.

G Im Betriebsrestaurant

1 Hören Sie und bringen Sie die folgenden Zwischenüberschriften in die richtige Reihenfolge

- ☐ Frage: „Ist hier noch frei?“
- ☐ An der Theke bzw. Essensausgabe
- ☐ Gespräch über die Kantine
- ☐ Gespräch über das Essen

2 Machen Sie zu den einzelnen Abschnitten Notizen: Wie kommt Herr Gül ins Gespräch? Wie bleibt er im Gespräch?

3 Spielen Sie ähnliche Situationen in der Kantine. Zwei von Ihnen stehen an der Theke und bedienen, andere holen sich etwas zu essen und wieder andere sitzen an Tischen und essen schon. Führen Sie kleine Gespräche und wechseln Sie den Partner und die Gesprächsthemen.

Die Verabschiedung

A Abschiede

1 Ordnen Sie zu.

1 Ich wünsche Ihnen alles Gute! Die Zusammenarbeit mit Ihnen war sehr angenehm.
2 Also, ich gehe jetzt! Nächsten Donnerstag bin ich wieder da. Und sagen Sie Herrn Müller noch einen schönen Gruß.
3 So, das wär's dann. Ab morgen können Sie mich in Gebäude C, Zimmer 309 finden.
4 So, jetzt müssen Sie drei Wochen ohne mich leben! Auf Wiedersehen.
5 So, ich mache Schluss für heute. Ich wünsche Ihnen noch einen schönen Abend.

a) Viel Erfolg! Und gute Reise! Sie fahren doch mit der Bahn, oder?
b) Danke. Ich war immer gern hier. Aber jetzt habe ich endlich mehr Zeit für meine Familie und meinen Verein.
c) Tschüss, danke gleichfalls!
d) Wir wünschen Ihnen einen guten Start! Und nicht so viel Anfangsstress.
e) Gute Erholung! Schreiben Sie uns mal eine Ansichtskarte.

2 Zu welcher Gelegenheit passen die kurzen Dialoge oben?

Urlaubsbeginn Rentenbeginn Dienstreise Mittagspause
Feierabend Arbeitsplatzwechsel Wochenende

Dialog 1b) ist eine Verabschiedung vor dem Rentenbeginn.

3 Gehen Sie im Unterrichtsraum umher und spielen Sie verschiedene Verabschiedungen.

B Die Abschiedsfeier

1 Eine Kollegin oder ein Kollege verlässt die Firma. Sie/Er geht in den Ruhestand oder zu einem anderen Unternehmen. Wie läuft das ab? Gibt es eine Abschiedsparty, einen Stehempfang, ein gemeinsames Essen? Wie ist das bei Ihnen, in Ihrem Unternehmen, in Ihrem Land?
Fragen Sie Ihre Kollegin oder Ihren Kollegen.

2 Was hören Sie? Kreuzen Sie an.

1 Wer spricht zuerst?
a) ein Kollege
b) der Abteilungsleiter
c) der Geschäftsführer

2 Wie lange kennt der Sprecher die Kollegin?
a) seit 22 Jahren
b) seit 23 Jahren
c) seit 4 Jahren

3 Wie lange hat Frau Wössner in dem Unternehmen gearbeitet?
a) 22 Jahre
b) 23 Jahre
c) 4 Jahre

4 a) Der Sprecher hat der Kollegin viel geholfen.
b) Die Kollegin hat dem Sprecher viel geholfen.
c) Die Kollegen haben der Kollegin viel geholfen.

5 Was hat Frau Wössner in Zukunft vor?
a) Im Sportverein tätig sein.
b) Die Enkelin betreuen.
c) Das sagt Frau Wössner nicht.

6 Bei der Abschiedsfeier gibt es ...
a) nur Kaffee und Kuchen.
b) nichts zu essen.
c) warme Gerichte.

C Hoffnungen und Wünsche

1 Bilden Sie Sätze mit *dass*. Welches Verb passt?

1 Frau Wössner hat ihm am Anfang sehr viel geholfen.
2 Frau Wössner muss schon in Rente gehen.
3 Frau Wössner hat viele Jahre lang für die Körner AG gearbeitet.
4 Frau Wössner bleibt gesund.
5 Frau Wössner hat auch Kollegen aus anderen Abteilungen oft beraten.
6 Frau Wössner verlässt die Körner AG.
7 Frau Wössner ist mit ihrem Berufsleben zufrieden.
8 Frau Wössner wird es nicht langweilig im Ruhestand.
9 Frau Wössner geht es in Zukunft gut.

Der Redner Der Abteilungsleiter	hofft, wünscht ihr, dankt ihr, glaubt, bedauert,	dass …

Hauptsatz	dass (Nebensatz)		Verb (konjugiert)
Der Redner dankt Frau Wössner,	dass sie ihm am Anfang sehr viel	geholfen	hat.
Der Abteilungsleiter			

2 Sie sind der Abteilungsleiter. Sagen Sie, was Sie wünschen, hoffen, bedauern usw.

Beispiel:
Es tut mir leid, dass Sie uns verlassen müssen.

D Aussprache: *r* oder *l*?

1 Welches Wort hören Sie? Sprechen Sie dann alle Wörter nach.

Reise – leise   viel – vier   Klothen – Knoten   halt – hart   knallen – knarren   lichten – richten

2 Hören Sie und ergänzen Sie *l* oder *r*.

Be_r_ufs_l_eben, Möbe__, vie__, übe__, __eise, e__ha__ten, A__te__sve__so__gung, Ab__ageko__b

E Drücken Sie Wünsche, Dank, Bedauern und Hoffnungen aus!

- Ich hoffe, dass wir uns bald/morgen/nächstes Jahr … wiedersehen.
- Ich danke Ihnen, dass Sie mir/uns immer beim Deutschlernen geholfen haben.

- wiedersehen
- gesund bleiben
- Kurs zu Ende
- Deutschland verlassen
- Wetter besser werden
- im nächsten Kurs wieder zusammen lernen
- beim Deutschlernen helfen
- weggehen
- weiterhin viel Erfolg

F Ihre Feier

- Spielen Sie eine Verabschiedungsfeier mit kleinen Reden, guten Wünschen und Smalltalk.
- Feiern Sie Ihren Kursabschluss: mit ein paar Getränken, mit etwas Musik, mit Gesprächen über Ihre Zukunft, über das Deutschlernen, das Wetter usw.

Arbeiten mit E-Mails

Arbeiten mit E-Mails

Versuchen Sie, die beiden Artikel ungefähr zu verstehen.

1 Wer hat sie für wen geschrieben?
2 Zu welchem Abschnitt im Text unten passt der Text rechts?
3 Schreiben Sie einen kleinen Text: *Wie spare ich Zeit beim Verarbeiten von E-Mails?* Benutzen Sie den letzten Teil des Textes unten und die Grafik.

Reden ist Gold

In einer Londoner Firma wurde neulich den Mitarbeitern verboten, miteinander per E-Mail zu kommunizieren. Sie sollen stattdessen miteinander telefonieren, da das viel Zeit spare. Es könne nämlich zehnmal so lange dauern, eine Mail zu schreiben, als direkt miteinander zu telefonieren.
Ein Anruf sei wesentlich effektiver, da man die Antwort auf seine Frage direkt bekäme und gegebenenfalls direkt rückfragen könne.

Rationelle Kommunikation durch E-Mails

E-Mails haben gegenüber Briefen, Faxen und Telefongesprächen wichtige Vorteile:
E-Mails sind die einfachste, schnellste und flexibelste Form der Übermittlung von Daten und Informationen.
Der Empfänger kann die Dateien direkt weiterbearbeiten. E-Mails sind genauso schnell wie Fax und Telefon, müssen den Empfänger aber nicht stören. Er kann entscheiden, wann und wie er reagieren möchte.
Die größte Gefahr bei E-Mails ist, dass man zu viele davon erhält. Manche erhalten täglich bis zu hundert E-Mails. Wenn Sie mit dem Kommunikationsmittel falsch umgehen, kommen sie kaum noch zu ihrer eigentlichen Arbeit.

Man sollte folgende Regeln beachten:

Als Absender:
Versenden Sie nur notwendige Informationen. Schicken Sie keine Kopien an Empfänger, die diese nicht unbedingt brauchen.
Formulieren Sie einen klaren Betreff. Er hilft dem Empfänger bei der Sortierung und Bearbeitung.
Kommen Sie gleich zur Sache, damit der Empfänger nicht lange scrollen muss, um das Wesentliche zu erfassen.
Hängen Sie unten an die E-Mail Ihre Adresse an, sodass Sie der Empfänger sicher identifizieren kann.

Als Empfänger:
Halten Sie den Posteingang für neu eingehende und ungelesene Nachrichten frei.
Gehen Sie bei der regelmäßigen Durchsicht Ihrer Post folgendermaßen vor:
Betreffzeile lesen – 1. Entscheidung: Öffnen Sie das Dokument überhaupt oder löschen Sie es ungeöffnet?
Mail öffnen und querlesen – 2. Entscheidung: Beschäftigen Sie sich maximal drei Minuten mit der Mail – ganz egal, wie lang sie ist. Dann treffen Sie wieder eine Entscheidung. Sie haben genau fünf Alternativen:

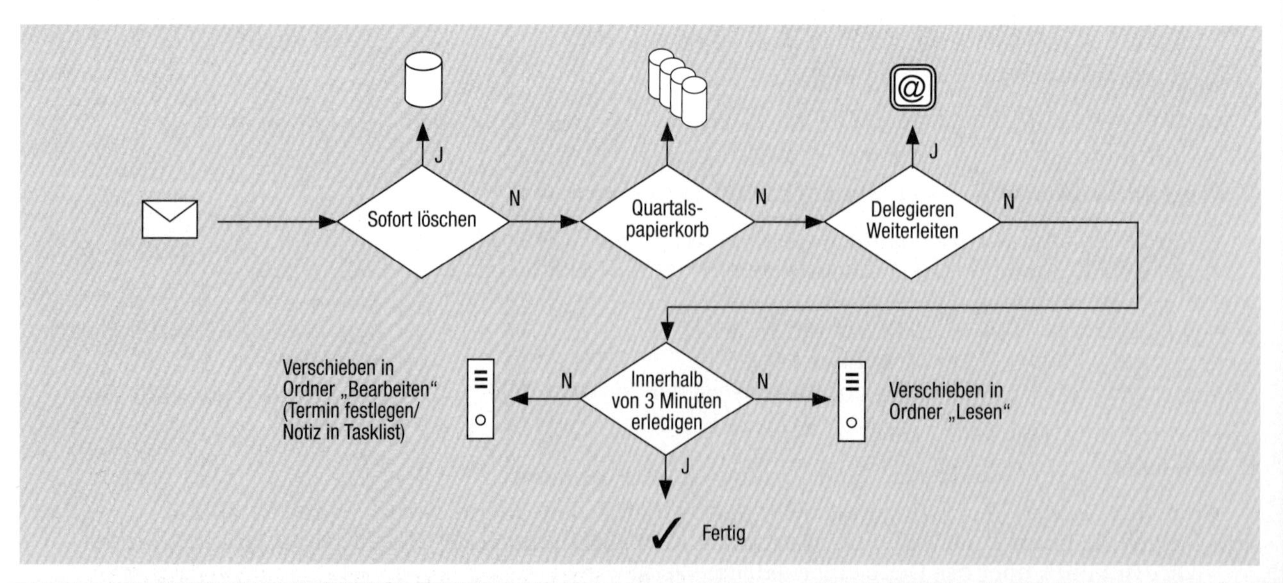

Eine Einladung

Eine Einladung

Im Intranet der Körner AG steht folgende Einladung, lesen Sie:
1 Was ist ein After Work Party?
2 Wann findet die After Work Party bei der Körner AG statt?
3 Die Veranstaltung heißt in der Überschrift: After Work Party. Im Text hat sie einen anderen Namen. Wie heißt sie dort? Versuchen Sie, diesen Namen zu erklären.
4 Herr Gül ist neu im Betrieb. Soll er hingehen?
5 Kennt man After Work Partys auch in Ihrem Land?

After Work Party

Liebe Körner-Mitarbeiter
das Jahr geht langsam zu Ende!
Wir laden Sie herzlich zum
Advent After Work-Treff ein!!!
Termin: Donnerstag, 18.12.
Beginn: 16.30 Uhr
Ende: 20.00 Uhr
Ort: Cafeteria
Essen: belegte Brötchen
Getränke: Glühwein, Sekt, Wein, Bier, Alkoholfreie Getränke

After Work Partys und ähnliche Veranstaltungen geben den Mitarbeitern und Führungskräften die Möglichkeit, sich zu treffen und locker miteinander zu reden. Das ist vor allem für neue Mitarbeiter eine gute Gelegenheit, Kollegen (besser) kennen zu lernen und mehr über ihre Firma zu erfahren.

Kapitel 10 Grammatik

werden

→ S. 138

	werden	
ich	werde	Nächstes Jahr werde ich Abteilungsleiter.
du	wirst	Was wirst du von Beruf?
er/sie/es	wird	Idris hat morgen Geburtstag, er wird 32 Jahre alt.
wir	werden	Wir werden gesund.
ihr	werdet	Ihr werdet alt.
sie/Sie	werden	Sie studieren Messtechnik. Sie werden Ingenieur.

es ist ... / es wird ...

→ S. 140

heute	morgen
Es ist warm.	Es wird warm.
Es ist heute kalt.	Es wird morgen kalt.
Heute ist es kalt.	Morgen wird es kalt.
Heute ist es sonnig.	Morgen wird es sonnig.

Satzbau: Nebensatz mit *dass*

→ S. 145

Hauptsatz	Nebensatz			
	dass			Verb (konjugiert)
Sie hofft,	dass	sie eine neue Stelle		findet.
Ich wünsche ihr,	dass	sie gesund		bleibt.
Er dankt Frau Wössner,	dass	sie ihm am Anfang viel	geholfen	hat.
Wir bedauern,	dass	sie die Firma	verlassen	hat.
Es tut mir leid,	dass	ich nicht	kommen	kann.
Nach Verben wie *danken, hoffen, wünschen, bedauern, leidtun* kommen oft Nebensätze mit *dass*.				

Datenblätter für Partner A

Datenblatt A 1
S. 13/F

Sie stellen Fragen an PARTNER B.

Ihre Fragen: Wie heißen Sie?
Wie ist Ihr Vorname?
Wie ist Ihr Familienname?
Wo wohnen Sie?
Woher kommen Sie?
Was sind Sie von Beruf?
Sind Sie verheiratet oder sind Sie ledig?
Haben Sie Kinder?
Wie viele Kinder haben Sie?

PARTNER B antwortet und fragt zurück mit „Und Sie?".

Beispiel:
A Wie heißen Sie?
B Ich heiße ... Und Sie?
A Ich heiße ...

Datenblatt A 3
S. 19/E2

Sie fragen PARTNER B und kontrollieren seine Antwort.
Es ist 11.00 Uhr. Sonja ist schon drei Stunden da und bleibt noch eine Stunde. Bela ist erst eine halbe Stunde da. Er bleibt bis 16.00 Uhr. Karin und Lars sind schon zwei Stunden da. Lars bleibt noch 45 Minuten. Aber Karin bleibt noch 3 Stunden und 10 Minuten. Bernd ist erst 30 Minuten da und bleibt noch 20 Minuten. Helmut kommt um drei Uhr und bleibt bis sechs.

Wie viele Leute sind um 8.00 Uhr da? Wer ist da?
Wie viele Leute sind um 9.00 Uhr da? Wer ist da?
Wie viele Leute sind um 10.00 Uhr da? Wer ist da?
Wie viele Leute sind um 11.00 Uhr da? Wer ist da?
Wie viele Leute sind um 12.00 Uhr da? Wer ist da?
Wie viele Leute sind um 13.00 Uhr da? Wer ist da?
Wie viele Leute sind um 14.00 Uhr da? Wer ist da?
Wie viele Leute sind um 15.00 Uhr da? Wer ist da?
Wie viele Leute sind um 16.00 Uhr da? Wer ist da?
Wie viele Leute sind um 18.00 Uhr da? Wer ist da?

PARTNER B antwortet. Sie kontrollieren.

Datenblatt A 2
S. 17/G

Situation 1

Sie fragen PARTNER B:
Wer hat die Telefonnummer 9 11 21-0?
Wie ist die Handynummer von Heike Heß?
Wer hat die Telefonnummer 36 43?
Wer wohnt in der Kapellenstraße?
Wie heißt die Frau von Andreas Höfflin?
Wie ist die Telefonnummer von Susanne Hoch?
Wo wohnt Dieter Hermann?
Wer hat die Faxnummer 94 02 32?
Wer hat die Handynummer 01 70 / 4 86 51 22?

PARTNER B macht Notizen und antwortet.

Situation 2

Sie fragen PARTNER B:
Wie ist die Vorwahl von Italien?
Die Vorwahl ist 00 81. Wie heißt das Land?
Wie ist die Vorwahl von Schweden?
Die Vorwahl ist 00 48. Wie heißt das Land?
Wie ist die Vorwahl von Österreich?
Die Vorwahl ist 0 03 58. Wie heißt das Land?
Wie ist die Vorwahl von den USA?
Die Vorwahl ist 00 33. Wie heißt das Land?
Wie ist die Vorwahl von Irland?
Die Vorwahl ist 00886. Wie heißt das Land?

PARTNER B macht Notizen und antwortet.

Situation 3

Sie fragen PARTNER B:
Wie viel ist 8 + 6? (acht und sechs)
Wie viel ist 16 und 7?
Wie viel ist 24 + 13?
Wie viel ist 73 und 19?
Wie viel ist 47 + 26?
Wie viel ist 38 und 41?
Wie viel ist 18 + 47?
Wie viel ist 74 und 16?

PARTNER B antwortet.

Datenblatt A 4
S. 24/B2

Sie begrüßen PARTNER **B**. Notieren Sie ein oder zwei Stichwörter.

Dialog 1	**Dialog 2**
A Guten Morgen, Herr/Frau …	A Guten Abend Frau/Herr …
B	B
A Ja, aber das macht nichts.	A Nein, es ist 9.00 Uhr.
B	B
A Wie war die Reise?	A War die Reise angenehm?
B	B
A Das ist Ihr Programm.	A Das ist Herr Berner.
B	B
A Möchten Sie etwas trinken?	A Was möchten Sie trinken?
B	B

Datenblatt A 5
S. 27/F

Situation 1

Geburtstag: Kurt Strobel – Karl Strohm – Petra Wegener – Tim Roden – Eva Berg – Anne Wasa – Bela Vargas – Grit Kooge – Silvia Morina

Sie fragen z.B. PARTNER **B**: Wann hat Kurt Strobel Geburtstag?
PARTNER **B** antwortet: Kurt Strobel hat am neunzehnten September Geburtstag.
Sie tragen am 19. September ein: Kurt Strobel.

Situation 2

Termin: Anne Wasa – Bela Vargas – Karl Strohm – Petra Wegener – Tim Roden – Eva Berg – Silvia Morina

Sie hören die Frage von PARTNER **B** und antworten: Ja, Anne Wasa kommt im Juli./ Nein. Anne Wasa kommt nicht im August.
PARTNER **B** fragt weiter: Kommt Anne Wasa am siebten/achten/neunten/… Juli?
Sie antworten: Nein, Anne Wasa kommt nicht am siebten/achten … Juli/Ja, Anne Wasa kommt am neunten Juli.
PARTNER **B** fragt weiter: Kommt Anne Wasa am Morgen/am Vormittag/am Nachmittag/ am Abend?
Sie antworten: Anne Wasa kommt am Vormittag/nicht am Morgen/am Nachmittag/ am Abend.
PARTNER **B** trägt am 9. Juli ein: Anne Wasa (Vormittag)

September	Oktober
17	17
18	18
19 Kurt Strobel	19
20	20
21	21
22	22
23	23
24	24
25	25
Juli	**August**
7	7 Karl Strohm (7.00)
8 Silvia Morina (15.00)	8
9 Anne Wasa (10.00)	9
10 Eva Berg (16.00)	10 Bela Vargas (8.00)
11	11 Tim Roden (23.00)
12 Petra Wegener (21.00)	12

Datenblatt A 6
S. 31/E2

Situation 1

Sie fragen z.B. PARTNER B: Was habe ich um acht Uhr dreißig?
PARTNER B antwortet: Um acht Uhr dreißig haben Sie eine Begrüßung.
Sie tragen ein: Begrüßung.

Dienstag, 17. November

8.30	Begrüßung
9.00	
10.30	
12.30	
13.30	
15.30	
16.00	

Situation 2

PARTNER B fragt Sie: Wie lange dauert die Begrüßung?
Sie antworten: Von acht Uhr dreißig bis neun Uhr, also dreißig Minuten.
PARTNER B trägt ein: 8.30 – 9.00: 30 Minuten

Dienstag, 17. November
Begrüßung: 8.30 – 9.00 (30 Minuten)
Gespräch mit
Frau Biller: 9.00 – 10.30 (90 Minuten)
Präsentation: 10.30 – 12.30 (2 Stunden)
Mittagessen: 12.30 – 13.30 (1 Stunde)
Besichtigung: 13.30 – 15.30 (2 Stunden)
Kaffeepause: 15.30 – 16.00 (30 Minuten)
Präsentation: 16.00 – 17.00 (1 Stunde)

Datenblatt A 7
S. 39/G

Informationen fehlen. Fragen Sie PARTNER B!
Fragen Sie zum Beispiel: Wie heißt der Vater von Peter Böger?
Wer ist Christian Grüber?

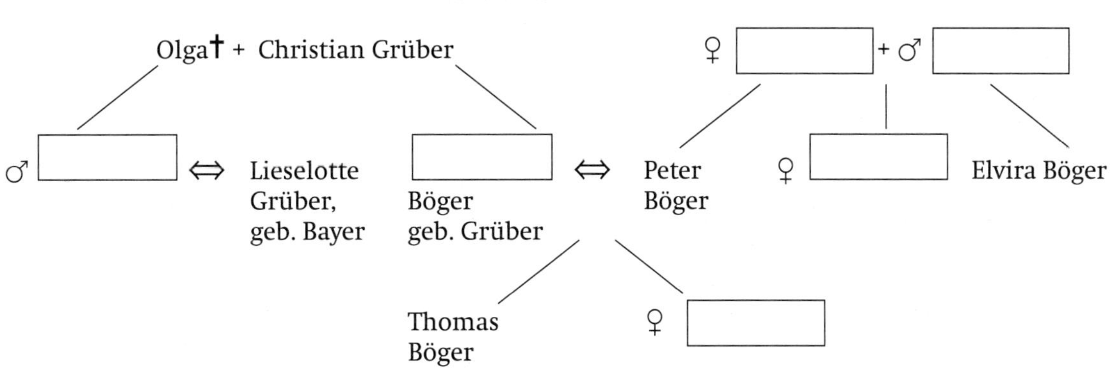

Datenblatt A 8
S. 43/D2

Sie sind Praktikant/in bei der Firma Duogema. Sie essen in der Kantine zu Mittag. Ihr Kollege/Ihre Kollegin (PARTNER B) ist auch da. Sie essen zusammen. Sie benutzen „du".

Ihre Daten:	**Ihre Fragen:**
21 Jahre	Praktikum: Wie lange schon / noch?
aus Polen	Beruf?
technischer Zeichner / technische Zeichnerin	Woher?
verheiratet, keine Kinder	Spricht er / sie eine Fremdsprache?
Familie: Eltern, keine Geschwister	Alter?
lernen Deutsch am Abend	Familienstand?
Praktikum schon 2 Monate	Familie: noch Großeltern / Geschwister?
noch 1 Monat	Wie findet er / sie die Kollegen?
Kollegen: alle nett	Wie findet er / sie den Chef?
Die Chefin: ein bisschen unfreundlich.	

Datenblatt A 9
S. 53/E

Sie arbeiten im Einkauf. PARTNER B ist Mitarbeiter in Ihrer Firma. Sie fragen PARTNER B:

Situation 1

Was braucht er / sie?
Wie ist die Bestellnummer?
Wie viel braucht er / sie?
Wie viel kostet das?
Braucht er / sie noch Klebeband?
Was noch?

Situation 2

Was braucht er / sie?
Wie ist die Bestellnummer?
Wie viel braucht er?
Wie viel kostet das?
Braucht er / sie noch Kugelschreiber?
Was noch?

Datenblatt A 10
S. 55/F

Situation 1

Rufen Sie bei der Firma Alsco an. Finden Sie einen Termin mit PARTNER B.

1. Ihr Wunsch: Termin bei der Firma Alsco
2. Ihre Absicht: Ihren PARTNER B sprechen
3. Planung:
   - Tag: Morgen
   - Zeit: 11.30 Uhr
   - Anreise: mit dem Zug
   - Dauer von dem Termin: eine Stunde

Situation 2

Sie sind Mitarbeiter bei der Firma Technet GmbH. PARTNER B möchte Sie besuchen. Finden Sie einen Termin mit PARTNER B.

Wann?
Das geht nicht. / Das geht.
Anreise?
Wie lange?
Das geht nicht. / Das geht.

Datenblatt A 11
S. 71/D

Situation 1

Sie fragen Ihren PARTNER B: Wo ist / steht / liegt / hängt ...
Benutzen Sie die Angaben rechts. PARTNER B antwortet.
Tragen Sie das Wort und / oder eine Handskizze in Ihren Raumplan ein.
Zum Schluss vergleichen Sie Ihren Eintrag mit dem Raumplan von PARTNER B.

Beispiel:
A: Wo hängt das Bild?
B: (Das Bild hängt) an der Wand vorne rechts.
A: trägt das Wort und / oder seine Handskizze an der Wand vorne rechts ein.

... das Bild?
... der Tisch?
... die Garderobe?
... die Bücher?
... der Schreibtisch?
... das Regal?
... die Stühle?
... der Mantel?

Situation 2

PARTNER B fragt:
Wohin kommt der / die / das ...?
Sie antworten nach den Angaben rechts.
PARTNER B trägt das Wort und / oder eine Handskizze in seinen Raumplan ein.
Zum Schluss überprüfen beide die Einträge von PARTNER B.

Beispiel:
B: Wohin kommt der Schreibtisch?
A: Den Schreibtisch stelle ich hinten rechts in die Ecke.
B: trägt das Wort und / oder die Handskizze ein.

den Schreibtisch	hinten links in die Ecke
das Telefon	auf den Schreibtisch
den Besprechungstisch	links ans Fenster
den Terminkalender	auf den Schreibtisch
die Garderobe	in die Ecke vorne rechts
den Mantel	an die Garderobe
das Regal	an die Wand vorne links
die Bücher	oben links ins Regal
den Papierkorb	unter den Arbeitstisch

Datenblatt A 12
S. 75/E

Was wollten Sie machen?		Warum haben Sie es nicht gemacht?
Ich wollte die Gäste begrüßen.		... ich habe sie nicht gefunden.
Ich wollte um 15.00 Uhr nach Hause gehen.		... die Leute sind nicht gekommen.
Ich wollte eine Mail schreiben.		... ich hatte Verspätung.
Ich wollte pünktlich ankommen.	Aber ...	... ich hatte keine Zeit.
Ich wollte die Liste korrigieren.		... ich konnte nicht.
Ich wollte Firma Berg besichtigen.		... Herr Berger hat das gemacht.
Ich wollte Ordnung machen.		... ich musste einen Kunden besuchen.

Sie kombinieren einen Satz in der linken Spalte mit einem Satz in der rechten Spalte.
Beispiel: Ich wollte die Gäste begrüßen. Aber Herr Berger hat das gemacht.
Ihr PARTNER B hört zu und macht Notizen. Zum Schluss fasst er zusammen und fragt: „Richtig?"
Sie sagen „Ja" oder „Nein". Bei „Nein" korrigieren Sie.

Datenblatt A 13
S. 83/F

Situation 1

Sie lesen folgenden Text langsam und mit kleinen Pausen vor:
Vorne links sitzt Herr Prado. Hinter Herrn Prado sitzen Herr und Frau Waldner. Anna Bellini sitzt neben Frau Waldner. Herr de Boor sitzt ganz hinten rechts. Vor ihm sitzt Herr Brinkmann. Zwischen Frau Nowak und Herrn de Boor sitzen zwei Studenten. Neben Herrn Prado sind drei Plätze frei. Einer ist für Nicole Bellac reserviert.

Ihr PARTNER B hat drei leere Stuhlreihen mit insgesamt zwölf Plätzen. Er hört zu und schreibt die Namen der Personen auf die Stühle. Zum Schluss kontrollieren Sie.

Situation 2

Hören Sie, was Ihr PARTNER B sagt, und tragen Sie die Namen von den Abteilungen und Räumen in die Zeichnung ein. Zum Schluss vergleichen Sie Ihre Eintragungen zusammen mit Ihrem PARTNER B.

Datenblatt A 14
S. 85/C

Situation 1

Sie lesen Ihrem PARNTER B den Arbeitsplan langsam vor. Ihr PARTNER B trägt die Angaben in eine Übersicht ein. Zum Schluss kontrollieren Sie die Einträge von PARNTER B.

Arbeitsplan
Der erste Auftrag dauert insgesamt neun Stunden. Sie brauchen vier Stunden zum Auspacken und drei Stunden für die Eingabe der Daten in die EDV. Dann schreiben Sie die Aufträge für die Montage. Das dauert zwei Stunden.
Der zweite Auftrag ist relativ klein. Das Auspacken dauert zweieinhalb Stunden, die Eingabe eineinhalb Stunden und die Aufträge haben Sie in einer halben Stunde fertig.
Für den dritten Auftrag brauchen Sie drei, zwei und eine Stunde, also insgesamt sechs Stunden.

Auspacken	In die EDV eingeben	Aufträge schreiben
4	3	2
2,5	1,5	0,5
3	2	1

Situation 2

Sie hören den Arbeitsplan von PARNTER B und tragen die Zahlen in die Übersicht ein. Zum Schluss kontrollieren Sie Ihre Einträge zusammen mit Ihrem PARNTER A.

Auspacken	In die EDV eingeben	Aufträge schreiben
5		

Datenblatt A 15
S. 89/D

Situation 1

Sie hören, was Ihr PARTNER B sagt, und sagen:
Ich glaube, der Kunde ist ein …-Typ.

Beispiel:
PARTNER B: Der Kunde kommt mit einem Porsche Carrera Cabrio.
Sie: Ich glaube, der Kunde ist ein Gelb-Typ.

Blau-Typ	Gelb-Typ
modern, technisch perfekt, intelligent, kompetent, klar, kalt, informiert	elegant, repräsentativ, exklusiv, flexibel, dynamisch, erfolgsorientiert, sportlich
Grün-Typ	**Rot-Typ**
zuverlässig, vorsichtig, praktisch, sparsam, pünktlich, wirtschaftlich, ordentlich	treu, liebevoll, sozial, nett, hilfsbereit, friedlich, freundlich

Situation 2

Sie lesen Ihrem PARTNER B die Sätze 1 bis 8 nacheinander vor.
Ihr PARTNER B sagt: Ich glaube, der Kunde ist ein …-Typ.

Beispiel:
Sie: Der Kunde fragt nach dem genauen Liefertermin.
PARTNER B: Ich glaube, der Kunde ist ein Grün-Typ.

4 Der Kunde hat den Katalog genau gelesen.
5 Der Kunde will alles ganz genau wissen.

Blau-Typ	Gelb-Typ
modern, technisch perfekt, intelligent, kompetent, klar, kalt, informiert	elegant, repräsentativ, exklusiv, flexibel, dynamisch, erfolgsorientiert, sportlich
Grün-Typ	**Rot-Typ**
zuverlässig, vorsichtig, praktisch, sparsam, pünktlich, wirtschaftlich, ordentlich	treu, liebevoll, sozial, nett, hilfsbereit, friedlich, freundlich

2 Der Kunde trägt eine sportliche Jacke von Armani.
7 Der Kunde zahlt mit der MasterCard Gold.

6 Der Kunde fragt nach der Garantie.
1 Der Kunde fragt nach dem genauen Liefertermin.

8 Der Kunde ist sehr nett zu dem Verkäufer.
3 Der Kunde hat dem Verkäufer ein kleines Geschenk mitgebracht.

Datenblatt A 16
S. 97/E

Stellen Sie mit Ihrem PARTNER B die Informationen aus einer Stellenanzeige zusammen. Welche Informationen fehlen? Fragen Sie Ihren PARTNER B.

Das Unternehmen:	**Das Stellenangebot:**
Name	
Wie viele Mitarbeiter?	2650 Mitarbeiter in ganz Deutschland
Umsatz	1154 Mio. € Umsatz
Wie viele Verträge mit Kunden?	
Arbeitsort	
Arbeitsbereich	
Kunden	KMU (Kleine und mittlere Unternehmen)
Außen- oder Innendienst?	
Anforderungen:	
Qualifikation	Versicherungskaufmann / Frau
Alter	
Erfahrungen	Außendienst
Sprachen	
sonstige Anforderungen	flexibel, kontaktfreudig, kundenorientiert
Angebote:	
Sozialleistungen	
Arbeitszeit	flexible Arbeitszeit
Urlaub	
sonstige Angebote	Firmen-Pkw

Datenblatt A 17
S. 102/C

Betrachten Sie die Grafik.
Beantworten Sie dann die Fragen von PARTNER B.

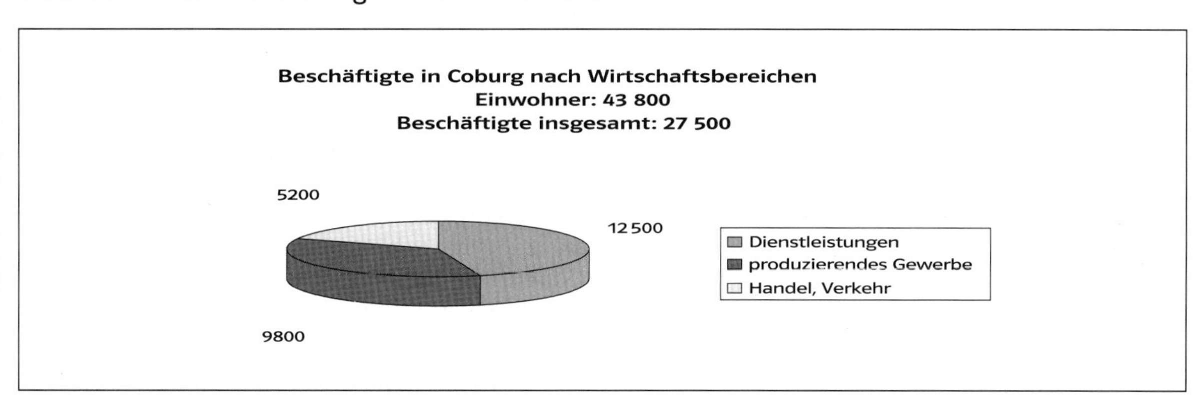

Fragen Sie dann selbst. Zeichnen Sie mit den Informationen von Ihrem PARTNER B eine Grafik zu der Stadt von PARTNER B!
Wie heißt die Stadt?
Wie viele Einwohner hat sie?
Wie viele ...

Datenblatt A 18
S. 109/D

Situation 1

Fragen Sie PARTNER B: Was machst du an deinem Arbeitstag …?

… zuerst?
… dann?
… danach?
… von zwölf bis eins?
… dann?
… um vier Uhr?
… danach?
… am Abend?

Situation 2

PARTNER B fragt: Was machen Sie heute? Antworten Sie:

Um neun	– Besprechung im Vertrieb
Um zehn	– bei Firma Kolbe anrufen
Um …	– Begrüßung Frau Röder
…	– Mittagspause
…	– Blumen kaufen
…	– die Post lesen

Datenblatt A 19
S. 113/E

Situation 1

PARTNER B hat einige Fragen, geben Sie ihm bitte die gewünschten Informationen:

Dann nehmen Sie den … um …
Da | sind Sie um … in …
können Sie …
müssen Sie nicht …
Der kostet nur …

Zeit	Dauer	Umst.	Zug	Normalpreis
ab 22:04 an 07:04	9:00	0	NZ	Preisauskunft nicht möglich
ab 22:28 an 07:04	8:36	1	IC, NZ	Preisauskunft nicht möglich
ab 23:05 an 09:46	10:16	2	IC, EC, ICE	104,20 EUR
ab 23:05 an 09:46	10:41	1	IC, ICE	123,80 EUR (Reserv. Pflicht)
ab 05:02 an 11:00	5:58	0	ICE	107,00 EUR
ab 06:09 an 12.15	6:06	1	ICE	107,00 EUR
ab 07:02 an 13:00	5:58	0	ICE	107,00 EUR
ab 09:02 an 15:02	6:00	0	ICE	107,00 EUR
ab 10:07 an 16:15	6:08	0	ICE	107,00 EUR

Situation 2

Sie arbeiten in einem Reisebüro und rufen bei der Bahnauskunft an. Sie haben einige Kunden mit besonderen Reisewünschen nach Berlin:

- Frau Wolf hat um 17.00 Uhr einen Termin in Berlin.
- Herr Senger möchte den schnellsten Zug nach Berlin.
- Maria Gruber möchte nicht in der Nacht fahren.
- Herr und Frau Bell wollen so früh wie möglich am Morgen abfahren.
- René Groß muss am Morgen gegen acht Uhr ankommen.

Fragen Sie PARNTER B: Welche Züge können die Kunden nehmen?

Datenblatt A 20
S. 116/B2

Situation 1

Was sollte PARNTER B machen? Sagen Sie ihm das. Notieren Sie seine Antwort in Stichworten.

1 zum Chef kommen. (Antwort von B:

______________________________)

2 Geräte reparieren. (Antwort von B:

______________________________)

3 Briefe zur Post bringen. (Antwort von B:

______________________________)

4 ins Lager gehen. (Antwort von B:

______________________________)

Situation 2

PARNTER B gibt Ihnen Aufträge. Antworten Sie ihm:

- war ich schon
- keine Zeit
- habe gedacht, das soll Frau Wiese machen
- konnte erst um … abfahren

Datenblatt A 21
S. 127/C

Situation 1

Sie sollen neue Software installieren. Tragen Sie PARTNER B die Schritte vor. Ist das so richtig?

	richtig?
1 den Computer einschalten	
2 auf die Schaltfläche „Installation" klicken	
3 die Installations-CD-ROM einlegen	
4 die Installation starten und den Anweisungen folgen	
5 die Installation beenden	
6 die CD-ROM aus dem Laufwerk nehmen	
7 den PC neu starten	
8 das System herunterfahren	

Situation 2

Vergleichen Sie die Angaben von PARTNER B mit der Bedienungsanleitung unten. Ist alles richtig? Bestätigen Sie oder korrigieren Sie die Angaben.

1 Ja, es ist richtig, dass man als Erstes den Drucker und den PC ausschaltet.
2 Ja, es ist richtig, dass man als Zweites …
3 Nein, als Drittes schließt man …

1. Drucker und Computer ausschalten
2. den Drucker ans Stromnetz anschließen
3. den Drucker an den PC anschließen
4. den PC starten
5. im Menu Datei auf „Ausführen" klicken
6. Treiberdiskette ins Laufwerk A: einlegen
7. A:\Setup eingeben
8. den Anweisungen auf dem Bildschirm folgen

Datenblatt A 22
S. 130/C

Situation 1

Wo ist der Chef?
Welche Informationen haben die Mitarbeiter?
Fragen Sie PARTNER B.

1 Was meint die Sekretärin?
2 Hat Frau Sommer ihn gesehen?
3 Weiß Kollege Kempowski etwas?
4 Was denken die Mitarbeiter?
5 Ist er zum Termin mit dem Vertriebsleiter wieder da?
6 Was glauben Sie?

Situation 2

Wir haben zu spät geliefert.
Was glauben / denken / meinen, … die Mitarbeiter?
Antworten Sie PARTNER B.

1 … glaubt,	dass	(EDV ist zu alt)
2 … sagt,		(Transport immer pünktlich)
3 … denkt,		(mehr Zeit braucht)
4 … meint,		(Kommunikation schlecht)
5 … berichtet,		(Versandpapiere nicht fertig)
6 Ich vermute,		(jemand hat die Sache einfach vergessen)

Datenblatt A 23
S. 137/D

Situation 1

Sie sind Herr Gül. Sie erhalten einen Anruf von der Abteilungssekretärin (PARTNER B). Sie muss Ihre Personaldaten durch das Intranet an die Personalabteilung schicken. Sie hat noch einige Fragen. Benutzen Sie die folgenden Informationen für die Antwort.

- Familienname: Gül
- Vorname: Idris
- Geburtstag: 04.02.1980
- Ausbildung: Diplomingenieur (= Dipl.-Ing.) für Messtechnik
- Adresse: Katharinenstraße 25, 06484 Quedlinburg
- Telefon privat: 03946/532904
- letzter Arbeitgeber: Brunata GmbH, Karlsruhe
- Arbeitsbeginn: 01.10.2005
- Raum: 02.C.18
- Durchwahl: -18

Situation 2

Sie sind Herr Gül. Ihre Kollegin/Ihr Kollege (PARTNER B) zeigt Ihnen den Zugang zum Intranet Ihrer Firma. Sie stellen viele Fragen, z.B.: Wie komme ich ins Intranet?
Ab Frage 6) können Sie auch die Abbildung des Bildschirms auf S. 137 benutzen!

1 wie ins Intranet?
2 mein Benutzername?
3 u-Umlaut (= ü) möglich?
4 Passwort?
5 wie Passwort ändern?
6 wo Informationen über Telefonnummern und Räume von Kollegen?
7 was in Infothek?
8 wie Informationen in Infothek sortiert?
9 anders sortieren möglich?
10 Vielen Dank, jetzt probiere ich mal selbst!

Datenblatt A 24
S. 143/D

Situation 1

Auf dem Speiseplan gibt es Lücken. Fragen Sie Ihren PARTNER B, was es gibt, und schreiben Sie es auf. Fragen Sie, bis Sie alle Lücken gefüllt haben.

Fragen Sie zum Beispiel so:

- Was gibt es am Dienstag als Menü 2?
- Gibt es am Dienstag als Menü 2 Salate?
- Gibt es am Dienstag im Menü 2 Kartoffeln?

Beantworten Sie die Fragen von Ihrem PARTNER B.

Situation 2

Benutzen Sie den ausgefüllten Speiseplan. Jetzt ist Donnerstagnachmittag. Fragen Sie Ihren PARTNER B:

- Was hat es (vor)gestern/heute Mittag (als Menü 2) gegeben?
- Was/Welches Menü hast du vorvorgestern gegessen?

Beantworten Sie die Fragen von Ihrem PARTNER B.

Speiseplan 22.03. bis 26.03.
Waak Catering GmbH

	Menü 1	*Menü 2*
Montag	________ ________ ________ ________ ________	*Schweinesteak* *Apfelrotkohl* *Salzkartoffeln*
Dienstag	*süß-saures* *Schweinefleisch* *(chinesisch)* *verschiedenes* *Gemüse* *Reis*	________ ________ ________ ________ ________
Mittwoch	________ ________ ________ ________ ________	*Milchreis* *mit Zucker + Zimt* *Apfelkompott*
Donnerstag	*Champignons* *á la Creme* *grüne Nudeln* *Salat*	________ ________ ________ ________ ________
Freitag	________ ________ ________ ________ ________	*Bitte bedienen* *Sie sich an* *unserem Salatbüfett*

Datenblätter für Partner B

Datenblatt B 1
S. 13/F

Sie antworten auf die Fragen von PARTNER **A** und fragen zurück mit „Und Sie?".

Beispiel:
A Wie heißen Sie?
B Ich heiße … Und Sie? Wie heißen Sie?
A Ich heiße …

Datenblatt B 2
S. 17/G

Situation 1

Sie hören die Fragen von PARTNER **A**, machen Notizen und antworten.

Dieter Hermann Im Spitzen Eck 68	9 11 21-0 Fax 94 02 32
Heike Heß Hinterm Knick 7	37 58 14 mobil 01 76 / 5 54 87 13
Susanne Hoch Burgstr. 93	8 81 56 mobil 01 70 / 4 86 51 22
Andreas und Silke Höfflin Kapellenstr. 5	36 43 Fax 8 97 89 78

Situation 2

Sie hören die Fragen von PARTNER **A**, machen Notizen und antworten.

00 45 Dänemark
00 358 Finnland
00 33 Frankreich
00 44 Großbritannien
00 353 Irland
00 39 Italien
00 81 Japan
00 43 Österreich
00 48 Polen
00 46 Schweden
00 41 Schweiz
00 34 Spanien
00 886 Taiwan
00 420 Tschechische Republik
00 1 USA

Situation 3

Sie hören die Fragen von PARTNER **A**, machen Notizen und antworten.

8 + 6 = 14 (acht und sechs ist vierzehn)
16 und 7 = 23
24 + 13 = 37
73 und 19 = 92
47 + 26 = 73
38 und 41= 79
18 + 47 = 65
74 und 16 = 90

Datenblatt B 3
S. 19/E2

Sie antworten auf die Fragen von PARTNER A. PARTNER A kontrolliert Ihre Antworten.
Es ist 11.00 Uhr. Sonja ist schon drei Stunden da und bleibt noch eine Stunde. Bela ist erst eine halbe Stunde da. Er bleibt bis 16.00 Uhr. Karin und Lars sind schon zwei Stunden da. Lars bleibt noch 45 Minuten. Aber Karin bleibt noch 3 Stunden und 10 Minuten. Bernd ist erst 30 Minuten da und bleibt noch 20 Minuten. Helmut kommt um drei Uhr und bleibt bis sechs.

Uhrzeit	Name
8.00 Uhr	Sonja
9.00 Uhr	Sonja, Karin, Lars
10.00 Uhr	Sonja, Karin, Lars
11.00 Uhr	Sonja, Karin, Lars, Bela, Bernd
12.00 Uhr	Sonja, Bela, Karin
13.00 Uhr	Bela, Karin
14.00 Uhr	Bela, Karin
15.00 Uhr	Bela, Helmut
16.00 Uhr	Bela, Helmut
17.00 Uhr	Helmut
18.00 Uhr	Helmut

Datenblatt B 4
S. 24/B2

PARTNER A begrüßt Sie. Sie antworten. Notieren Sie ein oder zwei Stichwörter.

Dialog 1	**Dialog 2**
A	A
B Guten Abend. Ich glaube, ich komme etwas zu früh.	B Ich glaube, ich komme etwas zu spät.
A	A
B Gut.	B Ach, das ist gut.
A	A
B Na ja, der Zug war sehr voll.	B Sehr gut, danke. Die Autobahn war nicht voll.
A	A
B Sehr gut.	B Guten Tag.
A	A
B Ja, gern. Was haben Sie denn?	B Nichts, danke sehr.

Datenblatt B 5
S. 27/F

Situation 1

Geburtstag: Kurt Strobel – Karl Strohm – Petra Wegener – Tim Roden – Eva Berg – Anne Wasa – Bela Vargas – Grit Kooge – Silvia Morina

Sie hören z. B. die Frage von PARTNER A: Wann hat Kurt Strobel Geburtstag? und antworten: Kurt Strobel hat am neunzehnten September Geburtstag.
PARTNER A trägt am 19. September ein: Kurt Strobel.

Situation 2

Termin: Anne Wasa – Bela Vargas – Karl Strohm – Petra Wegener – Tim Roden – Eva Berg – Silvia Morina

Sie fragen z. B. PARTNER A: Kommt Anne Wasa im Juli / im August?
PARTNER A antwortet: Ja, Anne Wasa kommt im Juli. / Nein, Anne Wasa kommt nicht im August.
Sie fragen weiter: Kommt Anne Wasa am siebten / achten / neunten Juli?
PARTNER A antwortet: Nein, Anne Wasa kommt nicht am siebten / achten ... Juli. / Ja, Anne Wasa kommt am neunten Juli.
Sie fragen weiter: Kommt Anne Wasa am Morgen / am Vormittag / am Nachmittag / am Abend?
PARTNER A antwortet: Anne Wasa kommt am Vormittag / nicht am Morgen / am Nachmittag / am Abend.
Sie tragen am 9. Juli ein: Anne Wasa (Vormittag)

September	Oktober
17 Eva Berg	17
18	18 Anne Wasa
19 Kurt Strobel	19
20 Bela Vargas	20
21	21 Grit Kooge
22	22 Silvia Morina
23 Karl Strohm	23
24 Tim Roden	24
25	25 Petra Wegener
Juli	**August**
7	7
8	8
9 Anne Wasa (Vormittag)	9
10	10
11	11
12	12

Datenblatt B 6
S. 31/E2

Situation 1

PARTNER A fragt Sie: Was habe ich um acht Uhr dreißig?
Sie antworten: Um acht Uhr dreißig haben Sie eine Begrüßung.
PARTNER A trägt ein: Begrüßung

Dienstag, 17. November
8.30 Begrüßung
9.00 Gespräch mit Frau Biller
10.30 Präsentation
12.30 Mittagessen
13.30 Besichtigung
15.30 Kaffeepause
16.00 Präsentation

Situation 2

Sie fragen PARTNER A: Wie lange dauert die Begrüßung?
PARTNER A antwortet: Von acht Uhr dreißig bis neun Uhr, also dreißig Minuten.
Sie tragen ein: 8.30 – 9.00: 30 Minuten

Dienstag, 17. November
Begrüßung: 8.30 – 9.00: 30 Minuten
Gespräch mit Frau Biller: ____________
Präsentation: ____________
Mittagessen: ____________
Besichtigung: ____________
Kaffeepause: ____________
Präsentation: ____________

Datenblatt B 7
S. 39/G

Informationen fehlen. Fragen Sie PARTNER **A**!

Fragen Sie zum Beispiel: Wer ist der Bruder von Lea-Sophie?
Wie heißen die Eltern von Renate Böger?

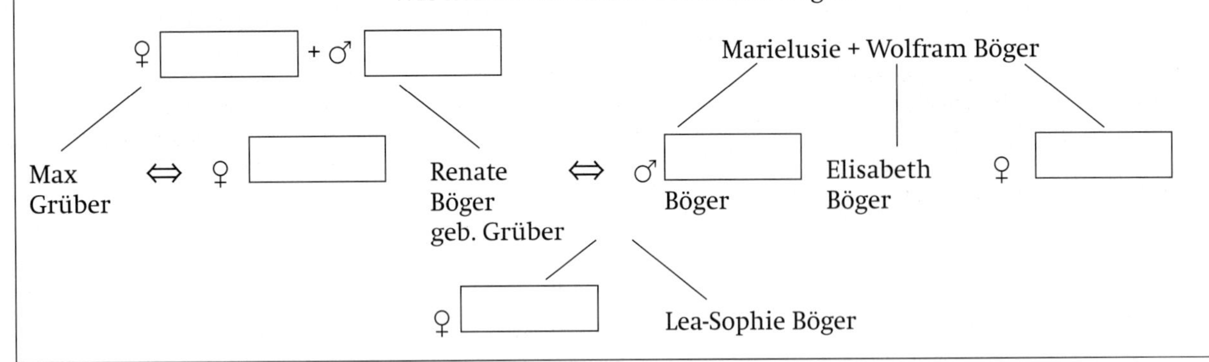

Datenblatt B 8
S. 43/D2

Sie sind Praktikant/in bei der Firma Duogema. Sie essen in der Kantine zu Mittag. Ihr Kollege / Ihre Kollegin (PARTNER **A**) ist auch da. Sie essen zusammen. Sie benutzen „du".

Ihre Daten:	**Ihre Fragen:**
19 Jahre aus Österreich, aus Wien noch kein Beruf ledig Familie: Eltern / 2 Brüder / 2 Großmütter / 1 Großvater lernen Englisch am Abend Praktikum erst 1 Monat noch 1 Monat Kollegen: nicht alle nett Chef: sehr freundlich	Praktikum: Wie lange schon / noch? Beruf? Woher? Lernt er / sie noch Deutsch? Alter? Familienstand? Familie: Kinder / Geschwister? Wie findet er / sie die Kollegen? Wie findet er / sie den Chef?

Datenblatt B 9
S. 53/E

PARTNER **A** arbeitet im Einkauf. Sie sind Mitarbeiter in der Firma. Sie sagen PARTNER **A**:

Situation 1

Sie brauchen: Kopierpapier
Bestellnummer: KP 32489
Menge: 200 Pakete zu 500 Blatt
Preis: 500 Blatt 3,82 €– Gesamtpreis …
Sie haben Klebeband
Sie haben keine Ordner und brauchen 20 Stück.
Sie haben noch zwei Druckerpatronen, brauchen 15 Stück.

Situation 2

Sie brauchen: Regale
Bestellnummer: BM 69057
Menge: zwei
Preis: ein Regal 69,90 € – Gesamtpreis ...
keine Kugelschreiber,
Bedarf: 15 Packungen Disketten zu 10 Stück

Datenblatt B 10
S. 55/F

Situation 1

Sie sind Mitarbeiter bei der Firma Alsco. PARTNER **A** möchte Sie besuchen. Finden Sie einen Termin mit PARTNER **A**.
Wann?
Das geht.
Anreise?
Wie lange?
Das geht.

Situation 2

Rufen Sie bei der Firma Technet GmbH an. Finden Sie einen Termin mit PARTNER **A**.
1. Ihr Wunsch: Termin bei Technet GmbH
2. Ihre Absicht: Ihren PARTNER **A** sprechen
3. Planung:
   - Morgen, 12.30 / Mittwoch Nachmittag
   - Anreise: mit dem Auto
   - Dauer von dem Termin: eine Stunde / 45 Minuten

Datenblatt B 11
S. 71/D

Situation 1

Ihr PARTNER **A** fragt Sie: Wo ist / steht / liegt / hängt …?
Sie antworten nach den Angaben rechts.
Ihr PARTNER **A** trägt das Wort und / oder eine Handskizze in seinen Raumplan ein.
Zum Schluss vergleichen Sie den Eintrag von PARTNER **A** mit Ihrem Raumplan.

Beispiel:
A: Wo hängt das Bild?
B: (Das Bild hängt) an der Wand vorne rechts.
A trägt das Wort und / oder die Zeichnung in seinen Raumplan ein.

• Das Bild	hängt	an der Wand vorne rechts
• Der Tisch	steht	in der Mitte
• Die Garderobe	steht	in der Ecke vorne links
• Die Bücher	liegen	auf dem Tisch
• Der Schreibtisch	steht	hinten rechts
• Das Regal	steht	in der Mitte rechts
• Die Stühle	stehen	rechts und links am Tisch
• Der Mantel	hängt	über dem Stuhl

Situation 2

Sie benutzen Ihre Angaben rechts und fragen: Wohin kommt der / die / das …?
PARTNER **A** antwortet.
Sie tragen das Wort und / oder eine Handskizze in Ihren Raumplan ein.
Zum Schluss überprüfen Sie Ihren Eintrag mit den Angaben von PARTNER **A**.

Beispiel:
B: Wohin kommt der Schreibtisch?
A: Den Schreibtisch stelle ich hinten rechts in die Ecke.
B: trägt das Wort und / oder seine Handskizze ein.

der Schreibtisch
das Telefon
der Arbeitstisch
der Terminkalender
die Garderobe
der Mantel
das Regal
die Bücher
der Papierkorb

Datenblatt B 12
S. 75/E

Sie hören, was Ihr PARTNER A sagt, und machen Notizen in die rechte und in die linke Spalte.

Was wollte Ihr PARTNER A machen?		Warum hat er es nicht gemacht?
Gäste begrüßen	Aber …	Berger hat Gäste begrüßt
______________		______________
______________		______________
______________		______________
______________		______________
______________		______________
______________		______________
______________		______________

Zum Schluss fassen Sie zusammen: Also, Sie wollten die Gäste begrüßen. Aber Herr Berger hat das gemacht. Richtig?

Datenblatt B 13
S. 83/F

Situation 1

Hören Sie, was Ihr PARTNER A sagt, und schreiben Sie die Namen auf die Stühle. Zum Schluss kontrollieren Sie Ihre Eintragungen zusammen mit Ihrem PARTNER A.

Situation 2

Sie lesen folgenden Text langsam und mit kleinen Pausen vor:
Im Erdgeschoss hinten ist das Lager. Vorne rechts ist der Empfang. Über dem Empfang sitzt der Vertrieb. In der zweiten Etage vorne links ist das Chefbüro. Hinten rechts und links sind zwei Besprechungsräume. Auf jeder Etage ist eine Damen- und eine Herrentoilette. Der Konferenzraum ist in der ersten Etage vorne links. Das Labor ist hinten rechts in der ersten Etage. Die Konstruktion ist in der Mitte der zweiten Etage.

Ihr PARTNER A hat eine Gebäudezeichnung. Er hört zu und trägt die Namen von den Abteilungen und Räumen ein. Zum Schluss kontrollieren Sie Ihre Eintragungen zusammen mit Ihrem PARTNER A.

Datenblatt B 14
S. 85/C

Situation 1

Sie hören den Arbeitsplan von PARTNER A und tragen die Zahlen in die Übersicht ein. Zum Schluss kontrollieren Sie Ihre Einträge zusammen mit Ihrem PARTNER A.

Auspacken	In die EDV eingeben	Aufträge schreiben
4		

Situation 2

Sie lesen Ihrem PARTNER A den Arbeitsplan langsam vor. Ihr PARTNER A trägt die Angaben in eine Übersicht ein. Zum Schluss kontrollieren Sie die Einträge von PARTNER A.

Arbeitsplan
Wir haben wieder drei Aufträge. Das Auspacken dauert insgesamt neun Stunden: fünf für den ersten, eine für den zweiten und drei für den dritten Auftrag.
Die Eingabe in die EDV dauert für den ersten Auftrag vier, für den zweiten eine halbe und für den dritten zwei Stunden. Das Schreiben der Aufträge dauert insgesamt vier und eine halbe Stunde. Davon sind drei Stunden für Auftrag 1, eine halbe Stunde für Auftrag 2 und eine Stunde für Auftrag 3.

Auspacken	In die EDV eingeben	Aufträge schreiben
5	4	3
1	0,5	0,5
3	2	1

Datenblatt B 15
S. 89/D

Situation 1

Sie lesen Ihrem PARTNER A die Sätze 1 bis 8 nacheinander vor.
Ihr PARTNER A sagt: Ich glaube, der Kunde ist ein …-Typ.

Beispiel:
Sie: Der Kunde kommt mit einem Porsche Carrera Cabrio.
PARTNER A: Ich glaube, der Kunde ist ein Gelb-Typ.

4 Der Kunde will Testberichte sehen.
8 Der Kunde fragt nach technischen Daten.

Blau-Typ	Gelb-Typ
modern technisch perfekt intelligent kompetent klar kalt informiert	elegant repräsentativ exklusiv flexibel dynamisch erfolgsorientiert sportlich
Grün-Typ	**Rot-Typ**
zuverlässig vorsichtig praktisch sparsam pünktlich wirtschaftlich ordentlich	treu liebevoll sozial nett hilfsbereit friedlich freundlich

1 Der Kunde kommt mit einem Porsche Carrera Cabrio.
6 Der Kunde legt sein Handy und seine Autoschlüssel auf den Tisch.

2 Der Kunde kommt sehr pünktlich.
7 Der Kunde möchte den Preis schriftlich.

3 Der Kunde fragt den Verkäufer: „Haben Sie auch Kinder?“
5 Der Kunde kommt mit Frau und Kindern.

Situation 2

Sie hören, was Ihr PARTNER A sagt, und sagen:
Ich glaube, der Kunde ist ein …-Typ.

Beispiel:
PARTNER A: Der Kunde fragt nach dem genauen Liefertermin.
Sie: Ich glaube, der Kunde ist ein Grün-Typ.

Blau-Typ	Gelb-Typ
modern technisch perfekt intelligent kompetent klar kalt informiert	elegant repräsentativ exklusiv flexibel dynamisch erfolgsorientiert sportlich
Grün-Typ	**Rot-Typ**
zuverlässig vorsichtig praktisch sparsam pünktlich wirtschaftlich ordentlich	treu liebevoll sozial nett hilfsbereit friedlich freundlich

Datenblatt B 16
S. 97/E

Stellen Sie mit Ihrem PARTNER **A** die Informationen aus einer Stellenanzeige zusammen. Welche Informationen fehlen? Fragen Sie Ihren PARTNER **A**.

Das Unternehmen:	Das Stellenangebot:
Name	Securita AG
Wie viele Mitarbeiter?	
Umsatz	
Wie viele Verträge mit Kunden?	2974 Mio. Verträge mit Kunden
Arbeitsort	Münster, Nordrhein-Westfalen
Arbeitsbereich	Betriebs- und Produkthaftpflichtversicherung
Kunden	
Außen- oder Innendienst?	Innendienst
Anforderungen:	
Qualifikation	
Alter	zwischen 25 und 30 Jahre
Erfahrungen	
Sprachen	Englisch
sonstige Anforderungen	
Angebote:	
Sozialleistungen	gute betriebliche Altersversorgung
Arbeitszeit	
Urlaub	30 Arbeitstage Urlaub
sonstige Angebote	

Datenblatt B 17
S. 102/C

Betrachten Sie die Grafik.
Ihr PARTNER **A** hat eine Grafik zu einer anderen Stadt. Fragen Sie Ihren PARTNER **A**:

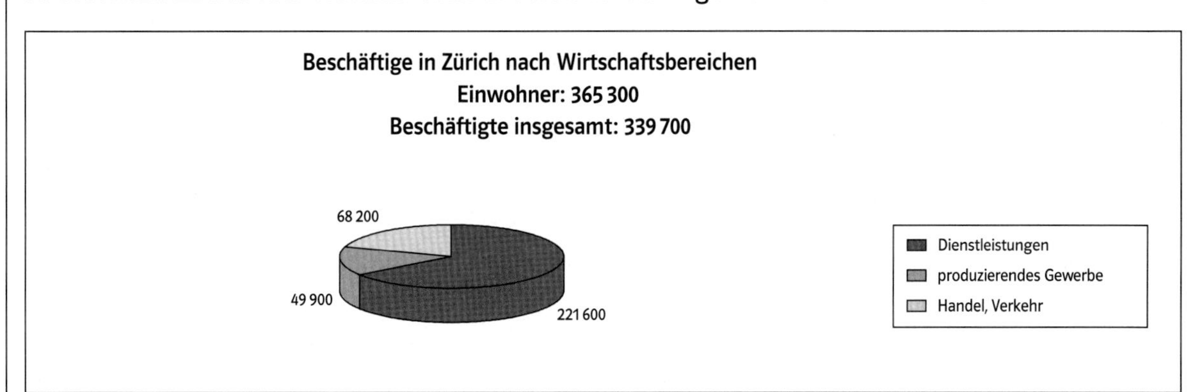

Wie heißt die Stadt?
Wie viele Einwohner hat sie?
Wie viele ...

Sammeln Sie alle Informationen. Zeichnen Sie eine Grafik zu der Stadt von PARTNER **A**!
Beantworten Sie nun die Fragen von PARTNER **A**!

Datenblatt B 18
S. 109/D

Situation 1

PARTNER **A** fragt: Was machst du an deinem Arbeitstag …?
Antworten Sie:

Zuerst	– zur Arbeit fahren.
Dann	– ins Büro gehen
Danach	– mit Kunden telefonieren
von … bis …	– Mittagspause
…	– Briefe schreiben
…	– Kaffee trinken
…	– einen Auftrag schreiben
…	– nach Hause gehen

Situation 2

Fragen Sie PARTNER **A**: Was machen Sie heute …?

(9.00 Uhr)	um neun Uhr?
(10.00 Uhr)	um zehn?
(10.15 Uhr)	um Viertel …?
(12.30 Uhr)	…
(13.00 Uhr)	…
(14.45 Uhr)	…

Datenblatt B 19
S. 113/E

Situation 1

Sie arbeiten in einem Reisebüro und rufen bei der Bahnauskunft an. Sie haben einige Kunden mit besonderen Reisewünschen nach München:

- Herr Knopp muss früh in München sein.
- Frau Blume möchte am Tag fahren und nicht umsteigen.
- Frau Grün möchte gerne in der Nacht fahren.
- Angela Vierse möchte im Zug schlafen.
- Familie Lohr möchte am Morgen abfahren.
- Momo Anders will nur etwa 100 Euro ausgeben.
- Herr Mischnik muss gegen 15.00 Uhr in München sein.

Fragen Sie PARTNER **A**: Welche Züge können die Kunden nehmen?

Situation 2

PARTNER **A** hat einige Fragen, geben Sie ihm bitte die gewünschten Informationen:

Dann nehmen Sie den … um …
Da | sind Sie um … in …
   | können Sie …
   | müssen Sie nicht …
Der kostet nur …

Zeit	Dauer	Umst.	Zug	Normalpreis
ab 21:51 an 07:29	9:38	1	ICE, NZ	Preisauskunft nicht möglich
ab 23:08 an 08:05	8:57	1	D, NZ	Preisauskunft nicht möglich
ab 05:09 an 09:46	5:52	1	ICE	89,00 EUR
ab 05:51 an 09:46	5:27	1	ICE	111,00 EUR
ab 07:51 an 13:17	5:26	1	ICE	111,00 EUR
ab 09:51 an 15:17	5:26	1	ICE	111,00 EUR
ab 10:05 an 13:00	5:56	2	IC, ICE	Preisauskunft nicht möglich
ab 10:51 an 16:19	5:28	0	ICE	111,00 EUR

Datenblatt B 20
S. 116/B2

Situation 1

PARTNER **A** gibt Ihnen Aufträge. Antworten Sie ihm:

- habe ich nicht gewusst
- schon gemacht
- vergessen
- konnte ich nicht

Situation 2

Was sollte PARTNER **A** machen? Sagen Sie ihm das. Notieren Sie seine Antwort in Stichworten.

1. nach Hamburg fahren (Antwort von **A**: ____________________)
2. Flug buchen (Antwort von **A**: ____________________)
3. Angebot an die Allianz schreiben (Antwort von **A**: ____________________)
4. um neun abfahren (Antwort von **A**: ____________________)

Datenblatt B 21
S. 127/C

Situation 1

Vergleichen Sie die Angaben von PARTNER **A** mit der Bedienungsanleitung unten. Ist alles richtig? Bestätigen Sie oder korrigieren Sie die Angaben.

1 Ja, es ist richtig, dass man als Erstes den Computer einschaltet.
2 Nein, als Zweites legt man die Installations-CD ein.
3 Nein, als Drittes …

1. den Computer einschalten
2. die Installations-CD-ROM einlegen
3. auf die Schaltfläche „Installation" klicken
4. die Installation starten und den Anweisungen folgen
5. die Installation beenden
6. die CD-ROM aus dem Laufwerk nehmen
7. das System herunterfahren
8. den PC neu starten

Situation 2

Den Drucker in Betrieb nehmen. Tragen Sie PARTNER **A** die Schritte vor. Ist das so richtig?

	richtig?
1 Drucker und PC ausschalten	
2 den Drucker ans Stromnetz anschließen	
3 den PC starten	
4 den Drucker an den PC anschließen	
5 im Menu „Datei" auf „Ausführen" klicken	
6 Treiberdiskette ins Laufwerk A: einlegen	
7 A:\Setup eingeben	
8 den Anweisungen auf dem Bildschirm folgen	

Datenblatt B 22
S. 130/C

Situation 1

Wo ist der Chef?
Antworten Sie PARTNER **A**: Was wissen / glauben / sagen / … die Mitarbeiter?

1 … vermutet,	dass	(um 10 Uhr zurück)
2 … sagt,		(ihn kurz im Büro gesehen)
3 … weiß,		(war heute morgen da)
4 … finden es gut,		(ist weg)
5 … hat bestätigt,		(trifft ihn am Nachmittag)
6 Ich glaube,		(zu einem Termin gefahren)

Situation 2

Wir haben zu spät geliefert. Was war da los? Was sagen die Mitarbeiter dazu? Fragen Sie PARTNER **A**.

1 Was denkt der Vertrieb?
2 Hat der Versand etwas zu dem Problem gesagt?
3 Was schlägt die Fertigung vor?
4 Was sagt die Geschäftsführung zu dem Fehler?
5 Weiß Kollege Kempowski etwas?
6 Haben Sie eine Vermutung?

Datenblatt B 23
S. 137/D

Situation 1

Sie sind Abteilungssekretärin. Sie müssen die Personaldaten von einem neuen Mitarbeiter (PARTNER A) durch das Intranet an die Personalabteilung schicken. Sie haben noch einige Fragen und telefonieren mit dem neuen Kollegen.

Fragen Sie so:
Wie schreibt man bitte Ihren Familiennamen?
Wie ist Ihr Vorname?

- Name: Güll oder Guell?
- Vorname?
- Geburtstag: 14.02.1980?
- Titel: Dipl.-Ing.?
- Adresse?
- private Telefonnummer?
- letzter Arbeitgeber?
- Arbeitsbeginn: 01.09.2005?
- Raum?
- Durchwahl: -19?

Situation 2

Sie zeigen einem neuen Kollegen (PARTNER A) das Intranet Ihres Unternehmens. Beantworten Sie seine Fragen!
Ab Frage 6) können Sie auch die Abbildung des Bildschirms auf S. 137 benutzen!

1. Internet Explorer öffnen – Adresse „intranet" eingeben – dann Benutzername und Passwort tippen
2. Benutzername: der erste Buchstabe vom Vornamen – Punkt – Familienname
3. Umlaute gehen nicht, also: nicht Gül, sondern Guel
4. Ihr vorläufiges Passwort: „13so"
5. Passwort ändern: auf Bildschirm steht rechts oben: „angemeldet". So wissen Sie, dass Sie angemeldet sind. Hier melden Sie sich auch ab, und hier steht auch: Passwort ändern.
6. Oben, neben „Körner AG": Symbol Telefon
7. In Infothek: eine Menge Artikel / Informationen aus dem Unternehmen, über die Spalte links kommt man zu weiteren Informationen, z. B. private Inserate, Nachrichten / News über Körner
8. Informationen in Infothek normalerweise sortiert nach Datum
9. Man kann die Informationen auch anders sortieren: Man klickt oben auf „Titel". Dann sind sie alphabetisch sortiert.
10. Bitte, gern geschehen!

Datenblatt B 24
S. 143/D

Situation 1

Auf dem Speiseplan gibt es Lücken. Fragen Sie Ihren PARTNER A, was es gibt, und schreiben Sie es auf. Fragen Sie, bis Sie alle Lücken gefüllt haben.

Fragen Sie zum Beispiel so:

- Was gibt es am Montag als Menü 2?
- Gibt es am Montag als Menü 2 Salate?
- Gibt es am Montag im Menü 2 Kartoffeln?

Beantworten Sie die Fragen von Ihrem PARTNER A.

Situation 2

Benutzen Sie den ausgefüllten Speiseplan. Jetzt ist Donnerstagnachmittag. Fragen Sie Ihren PARTNER A:

- Was hat es (vor)gestern/heute Mittag (als Menü 1) gegeben?
- Was/Welches Menü hast du vorvorgestern gegessen?

Beantworten Sie die Fragen von Ihrem PARTNER A.

Speiseplan 22.03. bis 26.03.
Waak Catering GmbH

	Menü 1	*Menü 2*
Montag	*vegetarischer Brokkoli-Käse-Bratling mit Tomatensauce, Reis und Salat*	______
Dienstag	______	*Bitte bedienen Sie sich an unserem Salatbüfett*
Mittwoch	*Nürnberger Bratwürste Sauerkraut Salzkartoffeln Salat*	______
Donnerstag	______	*Paniertes Hähnchenbrustfilet Nudeln Salat*
Freitag	*Spaghetti Bolognaise Parmesan-Käse Salat*	______

Wörterliste

A

ab K 8, S. 110/B2
abbiegen K 5, S. 69/E3
Abbildung, die, -en K 9, S. 123/C1
abdichten K 9, S. 129/C1
Abend, der, -e K 2, S. 26/B1
Abendessen, das, - K 2, S. 26/B1
abends K 10, S. 140/B1
aber K 1, S. 14/A2
abfahren K 8, S. 109/C
Abfahrt, die, -en K 4, S. 54/A3
Abflug, der, ¨-e K 8, S. 108/B1
abhaken K 10, S. 137/C2
abholen K 8, S. 113/F
Abkürzung, die, -en K 6, S. 84/A1
Ablage, die, -n K 7, S. 103/D
Ablagekorb, der, ¨-e K 7, S. 103/D
Ablauf, der, ¨-e K 8, S. 107
ablaufen K 10, S. 144/B1
Ablaufplan, der, ¨-e K 8, S. 113/F
Ablaufproblem, das, -e K 6, S. 85/D
ablehnen K 8, S. 107
Abmeldung, die, -en K 10, S. 137/C2
Abrechnung, die, -en K 7, S. 98/B1
Abreise, die, -n K 2, S. 26/B1
absagen K 8, S. 115/C2
abschicken K 10, S. 139/B2
Abschied, der, -e K 10, S. 144/A1
Abschiedsfeier, die, -n K 10, S. 144/B1
Abschiedsparty, die, -s K 10, S. 144/B1
Abschluss, der, ¨-e K 10, S. 145/F
Abschnitt, der, -e K 9, S. 125/C2
Absender, der, - K 10, S. 139/B1
Absicht, die, -en K 4, S. 59/C
absolut K 3, S. 42/A2
abstürzen K 9, S. 126/A
Abteilung, die, -en K 2, S. 32/A
Abteilungsbesprechung, die, -en K 8, S. 111/E1
Abteilungskonferenz, die, -en K 8, S. 114/A
Abteilungsleiter, der, - K 10, S. 136/A1
Abteilungsleiterin, die, -nen K 10, S. 138/A3
abwarten K 9, S. 123/C3
acht K 1, S. 16/A2
Achtung! K 5, S. 72/A1
achtzehn K 1, S. 16/A2
achtzig K 1, S. 16/A2
Adapter, der, - K 9, S. 123/C1
Adresse, die, -n K 1, S. 16/A1
After Work Party, die, -s K 10, S. 137/C3
Agentur, die, -en K 7, S. 94/B
ähnlich K 1, S. 19/C
Ahnung, die K 10, S. 141/E1
Akku, der, -s K 9, S. 123/E
Akte, die, -n K 8, S. 113/F
Aktenordner, der, - K 5, S. 66/A1
Aktenvernichter, der, - K 7, S. 98/B1
Aktion, die, -en K 10, S. 142/A
Aktionär, der, -e K 10, S. 137/C3
aktiv K 9, S. 122/B
Akzent, der, -e K 9, S. 131/E1
alle K 1, S. 15/Kasten
Allee, die, -n K 5, S. 69/E3
allein K 4, S. 60/C
alles K 1, S. 14/A2
Alles Gute! K 2, S. 24/B1
allgemein K 10, S. 137/C2
Alpen, die (*Plural*) K 7, S. 102/A1
Alphabet, das, -e K 1, S. 13/D1
als (*Vergleich*) K 6, S. 87/C
also K 2, S. 30/A1
alt K 2, S. 26/B1
Alter, das K 3, S. 47/E2
Altersversorgung, die, -en K 7, S. 97/D2
Altpapiertonne, die, -n K 5, S. 70/B2
Alufolie, die, -n K 5, S. 71/E2
am (am Vormittag) K 2, S. 26/B1
an K 2, S. 33/E1
analysieren K 3, S. 45/F
anbieten K 6, S. 82/B2
anderer, andere, anderes K 3, S. 41/F
andererseits K 7, S. 98/A1
anders K 8, S. 110/B1
Änderung, die, -en K 10, S. 137/C3
Anfang, der, ¨-e K 10, S. 136/A1
anfangen K 7, S. 100/A1
Anfangsstress, der K 10, S. 144/A1
Anforderung, die, -en K 7, S. 97/D4
Anfrage, die, -n K 2, S. 32/A
Angabe, die, -n K 6, S. 80/A3
Angebot, das, -e K 4, S. 56/A1
angenehm K 2, S. 24/A
Angestellte, der, -n K 7, S. 100/A2
anklicken K 10, S. 139/B2
ankommen K 4, S. 54/A3
ankreuzen K 2, S. 31/D1
Ankunft, die, ¨-e K 2, S. 26/B1
Anleitung, die, -en K 9, S. 123/C1
anmelden (sich) K 8, S. 109/D
Anmeldung, die, -en K 1, S. 18/B1
Annahme, die (*hier kein Plural*) K 9, S. 130/B1
Anreise, die, -n K 6, S. 80/A1
Anruf, der, -e K 8, S. 108/B1
anrufen K 4, S. 55/E1
Anruferin, die, -nen K 7, S. 99/E
anschauen K 7, S. 99/C
anschließen K 9, S. 122/A1
Anschluss, der, ¨-e K 9, S. 123/C1
ansehen K 5, S. 67/C1
Ansicht, die, -en K 10, S. 137/C3
Ansichtskarte, die, -n K 2, S. 33/D
ansprechen K 7, S. 99/C
Ansprechpartner, der, - K 10, S. 137/C3
Anspruch, der, ¨-e K 9, S. 125/C2
anstrengend K 3, S. 42/A1
Anti-Pasti, die (*Plural*) K 10, S. 142/A
Antrag, der, ¨-e K 7, S. 94/B
Antragsformular, das, -e K 7, S. 94/B
Antwort, die, -en K 3, S. 42/A2
antworten K 1, S. 14/A2
Anweisung, die, -en K 3, S. 47/C2
Anzahl, die K 4, S. 52/A1
Anzeige, die, -n K 7, S. 97/D2
Anzug, der, ¨-e K 3, S. 40/A3
Apfel, der, ¨ K 4, S. 58/B
Arbeit, die (*hier kein Plural*) K 3, S. 42/A1
arbeiten K 1, S. 16/B
Arbeitsatmosphäre, die K 7, S. 97/D2
Arbeitsbereich, der, -e K 7, S. 95/D3
Arbeitskollege, der, -n K 8, S. 115/C1
Arbeitsorganisation, die K 6, S. 84/A1
Arbeitsort, der, -e K 7, S. 95/D1
Arbeitsplan, der, ¨-e K 6, S. 85/D
Arbeitsplatz, der, ¨-e K 5, S. 75/D
Arbeitsplatzwechsel, der, - K 10, S. 144/A2
Arbeitstag, der, -e K 8, S. 112/A

Arbeitstisch, der, -e K 5, S. 66/A1
Arbeitszeit, die, -en K 7, S. 96/A2
Arbeitszimmer, das, - K 7, S. 97/C
Ärger, der K 1, S. 13/D1
Argument, das, -e K 5, S. 74/A1
Artikel, der, - K 3, S. 47/D1
Arzt, der, -̈e K 7, S. 94/A
Atmosphäre, die (*hier kein Plural*) K 7, S. 97/D2
attraktiv K 7, S. 96/A3
auch K 1, S. 14/A2
auf K 1, S. 10/A1
Auf Wiederhören! K 4, S. 54/B
Auf Wiedersehen! K 10, S. 141/D2
aufdrucken K 9, S. 126/B1
Aufenthalt, der, -e K 3, S. 46/A
Aufgabe, die, -n K 3, S. 39/F
Aufgabengebiet, das, -e K 7, S. 95/D1
aufgeregt K 2, S. 25/E
aufhängen K 5, S. 73/Kasten
aufladen K 9, S. 129/C1
Auflösung, die, -en K 6, S. 86/B
aufpassen K 7, S. 98/A1
Aufregung, die, -en K 10, S. 141/E1
aufschreiben K 9, S. 131/D2
Auftrag, der, -̈e K 2, S. 32/A
Auftragsabwicklung, die (*hier kein Plural*) K 5, S. 73/C
Auftragsbüro, das, -s K 8, S. 117/E
auftreten K 10, S. 137/C2
aufzählen K 9, S. 123/C2
Aufzug, der, -̈e K 6, S. 81/Kasten
Augenschutz, der K 6, S. 83/E
August, der K 2, S. 26/B1
aus K 1, S. 10/A1
ausbauen K 9, S. 129/D
Ausdruck, der, -e K 9, S. 126/A
ausdrücken K 10, S. 145/E
ausdrücklich K 9, S. 130/A1
Ausfahrt, die, -en K 6, S. 80/A1
ausfüllen K 3, S. 38/B2
ausgeben K 9, S. 126/B1
Auskunft, die, -̈e K 4, S. 54/A3
auspacken K 6, S. 84/A1
ausrichten K 7, S. 99/E
ausschalten K 9, S. 123/C3
aussehen K 5, S. 70/A3
außen K 10, S. 137/C3
Außendienst, der K 7, S. 95/D3
Außendienstmitarbeit, die K 7, S. 95/D1
außerdem K 5, S. 66/A1
Aussprache, die K 1, S. 11/D1
aussprechen K 10, S. 138/A4
aussteigen K 5, S. 68/B1
Ausstellung, die, -en K 2, S. 28/A1
Ausstellungsbesuch, der, -e K 4, S. 59/C
Austausch, der K 9, S. 125/C2
austauschen K 9, S. 124/B1
auswählen K 4, S. 51
Ausweis, der, -e K 1, S. 16/A1
Auto, das, -s K 3, S. 47/D1
Autobahn, die, -en K 2, S. 24/A
Autofahrer, der, - K 5, S. 72/A1
Automat, der, -en K 9, S. 124/Kasten
Autor, der, -en K 10, S. 137/C3
Autovermietung, die, -en K 4, S. 54/A2

B

backen K 10, S. 139/B1
Bahn, die, -en K 6, S. 80/A1
Bahnfahrplan, der -̈e K 8, S. 113/C
Bahnhof, der, -̈e K 4, S. 54/A2
bald K 3, S. 42/A2
baldig K 9, S. 130/A1
baldmöglichst K 9, S. 128/B1
Ball, der, -̈e K 7, S. 98/B1
Banane, die, -n K 4, S. 58/B
Bank, die, -en K 4, S. 54/A2
Bankkaufmann, der, -̈er K 1, S. 12/A1
Bar, die, -s K 3, S. 41/D1
Basketballschuh, der, -e K 5, S. 66/A1
Batterie, die, -n K 5, S. 71/E3
Bauarbeiten, die (*Plural*) K 5, S. 72/A1
bauen K3, S. 47/D1
Baujahr, das, -e K 6, S. 87/F1
beachten K 9, S. 130/B2
Beamer, der, - K 4, S. 57/C3
beantworten K 1, S. 12/A2
bearbeiten K 2, S. 33/C
Bearbeitung, die, -en K 10, S. 137/C3
Becher, der, - K 5, S. 71/E2
bedanken K 10, S. 139/C2
Bedarf, der K 4, S. 53/Kasten
bedauern K 10, S. 145/C1
bedeuten K 6, S. 84/A1
bedienen K 9, S. 122/A1
Bedienung, die (*hier kein Plural*) K 9, S. 123/C1
Bedienungsanleitung, die, -en K 9, S. 123/C1
Bedienungsfehler, der, - K 9, S. 125/D1
befestigen K 9, S. 128/A
Beförderung, die, -en K 10, S. 138/A1
begehen K 10, S. 139/C2
Beginn, der K 1, S. 18/B1
beginnen K 2, S. 29/E
Begriff, der, -e K 1, S. 17/D2
begründen K 4, S. 57/D
begrüßen K 2, S. 24/B1
Begrüßung, die, -en K 2, S. 26/B1
beheben K 9, S. 125/C2
Behebung, die K 9, S. 125/C2
bei K 1, S. 18/A1
beide (die beiden) K 6, S. 89/C2
Beispiel, das, -e K 1, S. 13/E2
Beistellwagen, der, - K 7, S. 98/B1
Beitrag, der, -̈e K 7, S. 94/A
bekannt K 6, S. 82/B2
Bekleidung, die, -en K 4, S. 60/B
Bekleidungsgeschäft, das, -e K 4, S. 60/B
bekommen K 2, S. 28/B2
belastbar K 7, S. 97/D2
Belegschaft, die, -en K 10, S. 139/Tipp
beliebig K 9, S. 128/A
beliebt K 3, S. 45/D1
bemerken K 10, S. 142/B1
benachrichtigen K 8, S. 108/A1
benötigen K 7, S. 95/D1
benutzen K 1, S. 13/F
Benutzer, der, - K 9, S. 122/A1
Benutzerhandbuch, das, -̈er K 9, S. 127/B2
Benutzername, der, -n K 9, S. 122/A1
Benutzung, die K 9, S. 123/C1
Benzin, das K 9, S. 125/F
Benzinleitung, die, -en K 9, S. 129/C2
bequem K 4, S. 56/B2
beraten K 4, S. 51
Berater, der, - K 7, S. 95/D1
Beratung, die, -en K 7, S. 95/D3
Bereich, der, -e K 6, S. 82/A1
Bereinigung, die (*hier kein Plural*) K 10, S. 137/C3
Bericht, der, -e K 8, S. 111/E1
berichten K 1, S. 13/E2
Beruf, der, -e K 1, S. 11/D1
Berufserfahrung, die K 7, S. 97/D2
Berufsleben, das K 10, S. 145/C1
beruhigen K 10, S. 141/E1
beschädigen K 9, S. 124/A1
Beschädigung, die, -en K 9, S. 124/A1
beschaffen K 7, S. 95/D1
Beschaffung, die K 10, S. 137/C3

Beschäftigte, der, -n K 7, S. 102/A3
Beschäftigung, die, -en K 3, S. 45/D1
Bescheid wissen/sagen K 2, S. 32/B1
beschreiben K 3, S. 40/A3
Beschreibung, die, -en K 5, S. 68/B1
beseitigen K 9, S. 128/A
besichtigen K 2, S. 28/A2
Besichtigung, die, -en K 2, S. 26/B1
besorgen K 8, S. 114/A
besprechen K 6, S. 83/E
Besprechung, die, -en K 1, S. 16/B
Besprechungsraum, der, ¨-e K 6, S. 83/E
Besprechungszimmer, das, - K 2, S. 33/D
bestätigen K 9, S. 122/A1
bestellen K 4, S. 52/A2
Bestellnummer, die, -n K 4, S. 52/A1
Bestellschein, der, -e K 4, S. 52/A1
Bestellung, die, -en K 2, S. 32/A
besten (am besten) K 5, S. 68/B1
bestimmen K 7, S. 103/F
bestimmt K 10, S. 136/A1
Besuch, der, -e K 2, S. 26/B1
besuchen K 2, S. 27/C
Besucher, der, - K 2, S. 24/B1
Besucherempfang, der K 4, S. 54/A2
Besucherin, die, -nen K 2, S. 24/B1
Besucherparkplatz, der, ¨-e K 6, S. 83/E
Besucherschein, der, -e K 1, S. 17/D2
Besucherservice, der K 8, S. 113/F
Besuchsprogramm, das, -e K 2, S. 27/G
Beteiligung, die, -en K 7, S. 97/D2
betonen K 9, S. 125/E
betragen K 6, S. 80/A1
Betreff, der (Betr.) K 8, S. 115/C2
betreuen K 7, S. 95/D1
Betreuer, der, - K 9, S. 122/B
Betreuerin, die, -nen K 9, S. 122/B
Betrieb (in Betrieb nehmen) K 9, S. 123/E
Betrieb, der, -e K 2, S. 26/B1
betrieblich K 9, S. 130/B2
betriebsbereit K 9, S. 128/B1
Betriebsführung, die, -en K 2, S. 26/B1
Betriebshaftpflichtversicherung, die, -en K 7, S. 95/D1
Betriebskosten, die (*Plural*) K 7, S. 98/A1
Betriebsrestaurant, das, -s K 10, S. 142/A
Beutel, der, - K 5, S. 71/E2
bewährt K 4, S. 56/A1
Bewerbung, die, -en K 3, S. 38/A2
Bewerbungsgespräch, das, -e K 3, S. 38/A2
bewerten K 7, S. 97/F
bezahlen K 7, S. 94/A
Bezahlung, die, -en K 7, S. 97/D2
Bezeichnung, die, -en K 4, S. 52/A1
Bier, das, -e K 3, S. 40/A2
bieten K 4, S. 59/C
Bild, das, -er K 1, S. 10/A1
bilden K 7, S. 103/F
Bildschirm, der, -e K 4, S. 52/A1
billig K 4, S. 56/A1
Biomüll, der K 5, S. 71/E1
Birne, die, -n (Glühbirne) K 9, S. 124/B2
bis K 1, S. 18/A1
bisschen K 3, S. 42/A1
bitte K 2, S. 26/A
Bitte, die, -n K 6, S. 85/E
bitten K 9, S. 130/A1
Blatt, das, ¨-er K 4, S. 53/D1
blau K 3, S. 40/A3
bleiben K 1, S. 18/A1
Bleistift, der, -e K 5, S. 66/B1
Blick, der, -e K 7, S. 102/A1
Blume, die, -n K 8, S. 108/A1
Bluse, die, -n K 3, S. 40/A3
Boden, der, ¨ K 5, S. 70/B1
Börse, die, -n K 7, S. 102/A1
Branchentelefonbuch, das, ¨-er K 7, S. 94/B
Bratkartoffeln, die (*Plural*) K 10, S. 142/A
Bratling, der, -e K 10, S. 142/A
Bratwürstchen, das, - K 7, S. 102/A1
brauchen K 1, S. 14/A2
braun K 3, S. 40/A3
brechen K 9, S. 129/C1
breit K 4, S. 56/B2
brennen K 8, S. 108/A1
Brief, der, -e K 2, S. 33/C
Briefumschlag, der, ¨-e K 4, S. 53/D1
Brille, die, -n K 3, S. 40/A3
bringen K 3, S. 47/C2
Broccoli, der K 10, S. 142/A
Brot, das, -e K 4, S. 58/B
Brötchen, das, - K 4, S. 58/B
Brotrest, der, -e K 5, S. 71/E2
Bruder, der, ¨ K 3, S. 38/B1
Buch, das, ¨-er K 3, S. 41/B2
buchen K 4, S. 59/D
Buchhaltung, die K 6, S. 82/A1
buchstabieren K 1, S. 12/B
Büfett, das, -s K 4, S. 58/A1
Bundesrepublik, die K 7, S. 100/A1
bunt K 10, S. 142/A
Burg, die, -en K 7, S. 102/A1
Büro, das, -s K 2, S. 32/B1
Bürobedarf, der K 4, S. 57/D
Bürogegenstand, der, ¨-e K 5, S. 65
Bürogerät, das, -e K 6, S. 86/A1
Büromarkt, der, ¨-e K 4, S. 60/E
Büromaschine, die, -n K 4, S. 57/D
Büromaterial, das, -materialien K 5, S. 70/B1
Büromöbel, die K 4, S. 57/D
Büromüll, der K 5, S. 71/E1
Büroraum, der, ¨-e K 7, S. 98/A1
Büroschlüssel, der, - K 6, S. 83/C
Bus, der, -se K 5, S. 71/C
Butter, die K 10, S. 142/A
Butterreis, der K 10, S. 142/A

C

Café, das, -s K 7, S. 100/A1
CD, die, -s K 4, S. 52/A1
CD-ROM, die, -s K 9, S. 123/C1
Champignon, der, -s K 10, S. 142/A
charakterisieren K 6, S. 88/B1
Checkliste, die, -n K 8, S. 113/F
Chef, der, -s K 3, S. 43/C3
circa (*ca.*) K 6, S. 80/A1
Cocktail-Party, die, -s K 2, S. 28/A1
Computer, der, - K 4, S. 57/C3
Computerspiel, das, -e K 3, S. 45/D1
Computerstimme, die, -n K 2, S. 25/E
Computertisch, der, -e K 5, S. 67/C2
Curry, der K 10, S. 142/A
Currywurst, die, ¨-e K 10, S. 142/A

D

da sein K 1, S. 15/E
dabei K 2, S. 29/B3
dabeihaben K 1, S. 17/D1
dafür K 7, S. 100/A1
dahin K 5, S. 69/F1
dahinten K 2, S. 32/B1

Dame, die, -n K 1, S. 14/A1
damit K 7, S. 94/B
danach K 10, S. 141/D2
Dank, der K 10, S. 145/E
danke K 1, S. 17/D3
danken K 10, S. 136/A1
dann K 1, S. 19/C
darüber K 7, S. 98/A1
dass K 3, S. 42/A2
Datei, die, -en K 9, S. 122/A1
Daten, die (*Plural*) K 6, S. 80/A1
Dateninstallation, die, -en
K 9, S. 128/B1
Datenverarbeitung, die
K 7, S. 97/D2
Datum, das, Daten K 2, S. 27/E
Dauer, die K 4, S. 60/D
dauern K 1, S. 19/E1
davon K 7, S. 102/A1
davor K 7, S. 100/A1
dazu K 7, S. 95/D2
dazwischenkommen
K 8, S. 115/C2
defekt K 9, S. 124/A1
Defekt, der, -e K 9, S. 124/A1
dein, deine K 3, S. 42/A2
denken K 8, S. 116/B1
denn K 3, S. 44/B1
deshalb K 9, S. 125/C2
Dessert, das, -s K 10, S. 142/A
deutlich K 4, S. 57/C3
Deutsch, das K 1, S. 18/B1
Deutschkurs, der, -e K 2, S. 27/C
Deutschland K 1, S. 10/A1
deutschsprachig K 8, S. 109/D
Dezember, der K 1, S. 19/C
Diagramm, das, -e K 6, S. 84/A1
Dialog, der, -e K 1, S. 13/C
dick K 3, S. 40/A3
Dienst, der, -e K 7, S. 95/D3
Dienstag, der, -e K 2, S. 26/B1
Dienstjubiläum, das, -jubiläen
K 10, S. 139/Tipp
Dienstleistung, die, -en
K 7, S. 102/A1
dienstlich K 3, S. 42/A1
Dienstreise, die, -n K 4, S. 60/
A1
dieser, diese, dieses
K 3, S. 42/A1
Digitalkamera, die, -s
K 4, S. 56/A1
Ding, das, -e K 5, S. 65
Diplom, das, -e K 10, S. 136/A1
Diplomingenieur, der, -e
K 10, S. 136/A1
Diplomkaufmann, der, ¨-er
K 10, S. 136/A2
direkt K 8, S. 113/C
Direktanschluss K4, S. 56/A1
Direktor, der, -en K 2, S. 26/A
Diskette, die, -n
K 4, S. 53/Kasten
diskutieren K 7, S. 103/F
doch K 3, S. 42/A1
doch (*Antwort*) K 7, S. 98/B2
Donnerstag, der K 2, S. 26/B1
Doppelzimmer, das, -
K 1, S. 14/A2
dort K 5, S. 73/C
dorthin K 6, S. 81/Kasten
Dose, die, -n K 5, S. 71/E2
drei K 1, S. 16/A2
dreijährig (ein-, zwei-, ...)
K 7, S. 100/A1
dreißig K 1, S. 16/A2
dreizehn K 1, S. 16/A2
dringend K 8, S. 114/A
drucken K 4, S. 57/D
drücken K 9, S. 122/Kasten
Drucker, der, - K 4, S. 52/A1
Druckerpatrone, die, -n
K 4, S. 52/A1
Druckgeschwindigkeit, die, -en
K 6, S. 86/B
Druckkopf, der, ¨-e K 9, S. 126/A
DSL K 7, S. 98/B1
DSL-Anschluss, der, ¨-e
K 7, S. 98/B1
du K 3, S. 42/A1
dunkel K 4, S. 60/B
durch K 2, S. 26/B1
Durchsage, die, -n K 5, S. 72/A1
durchstreichen K 7, S. 99/C
dürfen K 6, S. 83/B3
duzen K 4, S. 59/E
dynamisch K 6, S. 88/A

E

Ecke, die, -n K 5, S. 69/E3
EDV, die K 5, S. 73/C
Ehefrau, die, -en K 3, S. 43/C3
Ehemann, der, ¨-er K 3, S. 43/
C3
eher K 5, S. 75/Tipp
Ei, das, -er K 4, S. 58/A1
eigen K 10, S. 137/C3
Eigenschaft, die, -en
K 6, S. 89/C1
eigenverantwortlich
K 7, S. 98/A1
Eigenverantwortung, die
K 7, S. 98/A1
ein, eine K 1, S. 13/E1
einarbeiten K 10, S. 136/A1
einbiegen K 6, S. 80/A1
einfach K 10, S. 139/B1
Einfamilienhaus, das, ¨-er
K 6, S. 88/B3
einfügen K 10, S. 139/B1
Eingabe, die, -n K 9, S. 122/A1
Eingang, der, ¨-e
K 6, S. 81/Kasten
eingeben K 6, S. 84/A1
einig- K 2, S. 30/A2
Einkauf, der, ¨-e K 4, S. 51
einkaufen K 2, S. 28/A2
Einkommen, das, -
K 10, S. 140/A1
einladen K 4, S. 54/A1
Einladung, die, -en K 3, S. 42/A2
einlegen K 9, S. 123/C1
einmal K 7, S. 94/C2
einrichten K 5, S. 71/F1
Einrichtung, die, -en
K 4, S. 59/C
eins K 1, S. 16/A2
einsam K 7, S. 98/A1
einsatzbereit K 7, S. 97/D2
einschalten K 9, S. 122/A1
Einsparung, die, -en
K 7, S. 98/A1
einstecken K 9, S. 123/E
einsteigen K 5, S. 68/B1
einstellen K 9, S. 126/B1
Eintopf, der, ¨-e K 10, S. 142/A
eintragen K 1, S. 18/A1
Eintrittskarte, die, -n
K 1, S. 17/D2
einverstanden (sein)
K 8, S. 108/A2
einweisen K 9, S. 123/C4
Einweisung, die, -en
K 9, S. 122/A1
Einwohner, der, - K 7, S. 100/A1
Einwohnerzahl, die, -en
K 7, S. 100/A3
einzeln K 9, S. 127/D1
Einzelpreis, der, -e K 4, S. 52/A1
Einzelreisende, der/die, -n
K 4, S. 59/C
Einzelzimmer, das, -
K 1, S. 14/A1
einzig K 7, S. 102/A1
Einzugsgebiet, das -e
K 7, S. 95/D1
elegant K 4, S. 56/B2
Elektrogeschäft, das, -e
K 9, S. 125/C1
Elektromotor, der, -en
K 6, S. 82/B2
elektronisch K 6, S. 82/B2
elf K 1, S. 16/A2
Eltern, die (*Plural*) K 3, S. 38/C
E-Mail, die, -s K 1, S. 16/A1
Empfang, der (*hier kein Plural*)
K 4, S. 54/A2
empfangen K 10, S. 139/B2
Empfänger, der, -
K 10, S. 139/B1
Ende, das K 1, S. 18/B1
Ende, das (zu Ende) K 2, S. 31/C

F

G

Großeltern, die *(Plural)* K 3, S. 38/C
Großmutter, die, ¨ K 3, S. 38/B2
Großstadt, die, ¨e K 7, S. 103/E2
Großvater, der, ¨ K 3, S. 38/C
grün K 3, S. 40/A2
Grund, der, ¨e K 10, S. 141/E1
gründen K 3, S. 47/D1
Grundkenntnisse, die *(Plural)* K 7, S. 97/D2
Gründung, die, -en K 7, S. 101/B
Gründungsjahr, das, -e K 7, S. 101/B
Gruppe, die, -n K 1, S. 14/A1
Grüß Gott! K 3, S. 46/A
Gruß, der, ¨e K 3, S. 42/A2
Gulasch, das, -s K 10, S. 142/A
günstig K 7, S. 94/B
gut K 1, S. 18/A1
Guten Abend! K 1, S. 15/E
Guten Morgen! K 1, S. 18/A1
Guten Rutsch! K 10, S. 138/A1
Guten Tag! K 1, S. 10/A1
Gutes neues Jahr! K 10, S. 138/A1

H

haben K 1, S. 12/B
Haftpflicht, die K 7, S. 97/D2
Haftpflichtversicherung, die, -en K 7, S. 94/A
halb K 2, S. 24/A
Halbjahr, das, -e K 6, S. 84/A1
halbjährlich K 7, S. 94/C1
halbstündlich K 6, S. 80/A1
Halle, die, -n K 5, S. 74/A1
Hallo! K 1, S. 17/F
halt K 10, S. 145/D1
halten K 5, S. 68/A
Haltestelle, die, -n K 5, S. 68/B1
Handbuch, das, ¨er K 9, S. 126/B1
Handel, der K 7, S. 102/A1
handeln K 7, S. 102/A1
handlich K 4, S. 56/A1
Handy, das, -s K 6, S. 83/E
hängen K 5, S. 66/B1
hängen bleiben *(ugs.)* K 7, S. 98/A1
Hängeregistratur, die, -en K 7, S. 98/B1
hart K 10, S. 145/D1
Hauptaufgabe, die, -n K 7, S. 95/D1
Hauptbahnhof, der, ¨e K 5, S. 68/A
Hauptstadt, die, ¨e K 7, S. 100/A1
Hauptverkehrszeit, die, -en K 5, S. 72/A1
Haus, das, ¨er K 4, S. 57/C3
Hausaufgabe, die, -n K 8, S. 116/A
Haushalt, der, -e K 7, S. 95/D1
Hausnummer, die, -n K 1, S. 16/A1
Heft, das, -e K 5, S. 71/E2
Heftstreifen, der, - K 7, S. 103/D
Heimat, die K 10, S. 141/F
Heimatland, das, ¨er K 7, S. 100/A4
Heimatstadt, die, ¨e K 7, S. 103/F
heiraten K 10, S. 138/A3
heiß K 10, S. 140/B1
heißen K 1, S. 10/A1
Hektik, die K 7, S. 102/A1
helfen K 6, S. 80/A4
hell K 7, S. 103/D
Helligkeit, die *(hier kein Plural)* K 9, S. 126/B1
Hemd, das, -en K 3, S. 40/A2
heraussuchen K 8, S. 114/A
Herbst, der K 10, S. 140/B3
Herr, der, -en *(Anrede)* K 1, S. 10/A2
herstellen K 6, S. 83/B3
Hersteller, der, - K 6, S. 82/B2
Herstellungsfehler, der, - K 9, S. 125/C2
herzlich K 2, S. 24/B1
Herzlich willkommen! K 2, S. 24/B1
Herzlichen Dank! K 10, S. 141/F
Herzlichen Glückwunsch! K 10, S. 138/A1
heute K 2, S. 25/F1
hier K 1, S. 15/E
hierher K 6, S. 81/Kasten
hiermit K 9, S. 130/A1
Hilfe! K 9, S. 126/A
Hilfe, die, -n K 9, S. 127/B2
hilfsbereit K 6, S. 88/A
hin K 6, S. 81/B3
hinten K 2, S. 32/A
hinter K 5, S. 66/B1
Hinweisschild, das, -er K 7, S. 97/C
Hitze, die K 10, S. 140/B2
Hobby, das, -s K 3, S. 44/A
hoch K 6, S. 81/B4
Hochgeschwindigkeitszug, der, ¨e K 6, S. 81/B3
Hochhaus, das, ¨er K 6, S. 88/B3
Hochzeit, die, -en K10, S. 138/A1
hoffen K 10, S. 136/A1
Hoffnung, die, -en K 10, S. 145/C1
höflich K 5, S. 75/Tipp
Höhe, die *(hier kein Plural)* K 6, S. 87/D1
holen K 3, S. 47/C2
Holland K 1, S. 10/A1
Holländisch, das K 2, S. 29/B4
Home-Office, das, -s K 7, S. 95/D1
Homepage, die, -s K 10, S. 137/C2
hören K 1, S. 12/B
Hose, die, -n K 3, S. 40/A3
Hotel, das, -s K 1, S. 14/A1
Hotelbar, die, -s K 3, S. 41/D1
Hotelkauffrau, die, -en K 1, S. 12/A1
Hotelprospekt, der, -e K 4, S. 60/D
Hotelzimmer, das, - K 6, S. 89/C1
Hunger, der K 8, S. 108/A1

I

ICE, der, -s K 6, S. 80/B1
ich K 1, S. 10/A1
ihr K 3, S. 43/Kasten
ihr, ihre K 1, S. 10/A2
Ihr, Ihre K 1, S. 17/D3
Illustrierte, die, -n K 5, S. 71/E2
im Grünen K 6, S. 88/B3
immer K 3, S. 42/A1
in K 1, S. 10/A1
Individualverkehr, der K 6, S. 80/B1
individuell K 4, S. 59/C
Industrie, die *(hier kein Plural)* K 5, S. 68/A
Industriekauffrau, die, -en /leute K 1, S. 12/A1
Industriekaufmann, der, ¨er /leute K 1, S. 18/A1
Industriemechaniker, der, - K 1, S. 16/C
Info(rmation), die, -en K 2, S. 28/A2
Informatik, die K 2, S. 30/A1
Informatiker, der, - K 1, S. 12/A1
Informationsmaterial, das, -materialien K 2, S. 28/B2
Informationstechnik, die, -en K 10, S. 137/C3
Informationstechnologie, die, -n K 7, S. 97/D5
Informationszentrum, das, -zentren K 7, S. 97/C
informieren K 5, S. 70/B1
informiert K 6, S. 88/A
Infothek, die, -en K 10, S. 137/C3
Ingenieur, der, -e K 1, S. 12/A1

inklusive K 7, S. 97/D2
Innendienst, der, -e K 7, S. 95/D3
innerhalb K 7, S. 95/D1
Inserat, das, -e K 10, S. 137/C3
insgesamt K 1, S. 19/C
Installation, die (*hier kein Plural*) K 8, S. 108/B1
Installationssoftware, die K 9, S. 123/C3
installieren K 8, S. 116/B1
Institution, die, -en K 10, S. 137/C3
interessant K 3, S. 40/A3
Interesse, das (*hier kein Plural*) K 7, S. 97/D2
Interessent, der, -en K 2, S. 28/A1
intern K 8, S. 115/C1
Internet, das K 6, S. 83/E
Internet-Adresse, die, -n K 1, S. 16/A1
Interview, das, -s K 1, S. 13/E1
Interviewer, der, - K 6, S. 89/E1
Interviewpartner, der, - K 6, S. 89/C3
Intranet, das, -s K 10, S. 137/C1
ISDN K 7, S. 98/B1
Ist, das K 6, S. 84/A1
Italien K 1, S. 10/A1
italienisch K 4, S. 57/C3

J

ja (*Antwort*) K 1, S. 12/B
ja K 3, S. 44/B1
Jacke, die, -n K 3, S. 40/A3
Jackett, das, -s K 3, S. 40/A3
Jahr, das, -e K 1, S. 18/A1
Jahresumsatz, ¨-e K 7, S. 101/B
jährlich K 7, S. 94/C1
Januar, der K 10, S. 138/A3
Jeans, die, - K 4, S. 60/B
jeder, jede, jedes K 8, S. 109/D
jemand K 8, S. 110/A1
jetzt K 1, S. 19/C
Job, der, -s K 10, S. 138/A1
joggen K 3, S. 44/A
Jogurt, der, -s K 4, S. 58/A1
Jogurtbecher, der, - K 5, S. 71/E2
Jubiläum, das, Jubiläen K 10, S. 139/Tipp
Juli, der K 1, S. 13/D1
jung K 3, S. 40/A3
Juni, der K 2, S. 32/A

K

Kabel, das, - K 4, S. 53/D1
Kaffee, der, -s K 2, S. 26/A
Kaffeeautomat, der, -en K 9, S. 124/B1
Kaffeemaschine, die, -n K 4, S. 57/C3
Kaffeetasse, die, -n K 5, S. 66/A1
Kalender, der, - K 2, S. 27/Kasten
Kalendertag, der, -e K 2, S. 27/Kasten
kalt K 6, S. 88/A
Kälte, die K 10, S. 140/B2
Kamera, die, -s K4, S. 56/A1
Kantine, die, -n K 2, S. 26/B1
kaputt K 7, S. 94/A
Karotte, die, -n K 10, S. 142/A
Karte, die, -n K 1, S. 16/A1
Kartoffel, die, -n K 10, S. 142/A
Käse, der, - K 4, S. 58/B
Käserest, der, -e K 5, S. 71/E2
Käsespätzle, die (*Plural*) K 10, S. 142/A
Kasino, das, -s K 8, S. 113/F
Kasse, die, -n K 10, S. 142/B1
Kassenbuch, das, ¨-er K 4, S. 53/D1
Katalog, der, -e K 4, S. 57/D
Kauf, der, ¨-e K 4, S. 51
Kaufbeleg, der, -e K 9, S. 125/C2
kaufen K 4, S. 56/B2
Kaufmann, der, ¨-er / leute K 1, S. 13/D1
kein, keine K 1, S. 13/E1
kennen K 3, S. 41/B1
kennen lernen K 1, S. 9
Kenntnis, die, -se K 7, S. 97/D2
Kennwort, das, ¨-er K 9, S. 122/A1
Kilogramm (kg), das, - K 6, S. 86/B
Kilometer (km), der, - K 6, S. 80/A1
Kind, das, -er K 1, S. 12/B
Kino, das, -s K 3, S. 44/A
Kirche, die, -n K 7, S. 100/A1
klappen K 8, S. 115/C1
klar K 4, S. 57/C3
klären K 7, S. 98/B1
Klasse, die, -n K 3, S. 39/H2
Klassenraum, der, ¨-e K 3, S. 41/F
Klebeband, das, ¨-er K 4, S. 53/D1
Kleid, das, -er K 4, S. 60/B
Kleiderschrank, der, ¨-e K 4, S. 60/A1
Kleidung, die K 3, S. 47/F1
Kleidungsstück, das, -e K 4, S. 60/B
klein K 3, S. 40/A3
Kleinstadt, die, ¨-e K 7, S. 103/E2
klemmen K 9, S. 126/B1
klicken K 9, S. 123/C3
Klinik, die, -en K 5, S. 72/A1
knallen K 10, S. 145/D1
knarren K 10, S. 145/D1
Kneipe, die, -n K 7, S. 103/E2
Knopf, der, ¨-e K 9, S. 122/Kasten
Knoten, der, - K 10, S. 145/D1
Knuspermantel, der K 10, S. 142/A
kochen K 10, S. 141/D3
Koffer, der, - K4, S. 61/C
Kollege, der, -n K 1, S. 13/E1
Kollegin, die, -nen K 1, S. 13/E1
Kombi, der, -s K 7, S. 98/B1
komisch K 10, S. 141/E1
kommen K 1, S. 10/A1
Kommunikation, die K 9, S. 130/B2
Kommunikationskosten, die (*Plural*) K 7, S. 98/B1
kommunizieren K 7, S. 97/D2
kompatibel K 9, S. 128/A
kompetent K 6, S. 88/A
Komplettprogramm, das, -e K 4, S. 59/C
Konferenz, die, -en K 4, S. 54/A1
Konferenzraum, der, ¨-e K 4, S. 54/A1
Kongress, der, -e K 1, S. 14/A1
Kongresszentrum, das, -zentren K 2, S. 25/F1
können K 5, S. 74/A1
konservativ K 6, S. 88/A
Konstruktion, die (*hier kein Plural*) K 1, S. 18/A1
Konstruktionsabteilung, die, -en K 2, S. 27/F
Kontakt, der, -e K 1, S. 10/A1
kontaktfreudig K 7, S. 97/D2
Kontrast, der, -e K 9, S. 126/B1
kontrollieren K 4, S. 60/A1
Konzert, das, -e K 3, S. 45/D1
Kopie, die, -n K 9, S. 130/B1
Kopierer, der, - K 4, S. 56/A1
Kopiergerät, das, -e K 4, S. 56/A1
Kopierpapier, das K 4, S. 52/A1
Korb, der, ¨-e K 7, S. 103/D
korrekt K 6, S. 85/Kasten
Korrektur, die, -en K 5, S. 68/B2
korrigieren K 2, S. 33/C
kosten K 4, S. 56/B2
Kosten, die (*Plural*) K 7, S. 98/A1
Kostenbeteiligung, die, -en K 7, S. 97/D2
kostenlos K 6, S. 80/A1
Kostüm, das, -e K 4, S. 60/B
Kraftstoff, der, -e K 8, S. 112/A
Kraftstoffkosten, die K 8, S. 112/A
krank K 5, S. 67/C3
Krankenhaus, das, ¨-er K 7, S. 94/A
Krankenversicherung, die, -en K 7, S. 94/A
Kraut, das, ¨-er K 10, S. 142/A

Krawatte, die, -n K 3, S. 40/A3
Kreditkarte, die, -n K 1, S. 17/D2
Kreuz, das, -e K 6, S. 80/A1
Kreuzung, die, -en K 5, S. 69/E3
Krokette, die, -n K 10, S. 142/A
Kuchen, der, - K 10, S. 139/B1
Küche, die, -n K 6, S. 82/B2
Küchengerät, das, -e
K 6, S. 82/B2
Kugelschreiber, der, -
K 4, S. 53/D1
kühl K 4, S. 60/B
Kultur, die (*hier kein Plural*)
K 7, S. 100/A1
kulturell K 7, S. 103/E1
Kunde, der, -n K 4, S. 56/B1
Kundenberater, der, -
K 7, S. 98/A1
Kundenberaterin, die, -nen
K 7, S. 98/A1
Kundenberatung, die, -en
K 7, S. 98/A1
Kundenbesuch, der, -e
K 2, S. 31/G
Kundencenter, das, -
K 6, S. 80/A1
Kundendienst, der
K 8, S. 108/A1
Kundengespräch, das, -e
K 2, S. 26/B2
Kundenorientierung, die
K 7, S. 97/D2
Kunden-Service, der K 1, S. 16/C
Kurs, der, -e K 1, S. 18/B1
Kursabschluss, der K 10, S. 145/F
Kursende, das K 10, S. 145/E
kursiv K 10, S. 142/A
Kursteilnehmer, der, -
K 3, S. 39/F
Kursteilnehmerin, die, -nen
K 3, S. 47/F1
kurz K 1, S. 11/D1

L

Labor, das, -s K 2, S. 32/A
Lager, das, - K 10, S. 137/C3
Lampe, die, -n K 4, S. 52/A1
Land, das, ¨er K 1, S. 13/D2
lang K 1, S. 11/D1
lange K 10, S. 136/A1
Länge, die (*hier kein Plural*)
K 4, S. 53/D1
langsam K 6, S. 81/B3
langweilig K 3, S. 40/A3
Laptop, der, -s K 4, S. 52/A1
Laser, der, - K 4, S. 56/A1
Lasertechnik, die K 4, S. 56/A1
laufen (gut/schlecht)
K 7, S. 99/E
Laufwerk, das, -e K 9, S. 123/C3
Laufwerksfehler, der, -
K 9, S. 126/B1
leben K 3, S. 39/H1
Leben, das, - K 7, S. 103/E1
Lebensjahr, das, -e K 10, S. 138/A1
Lebenspartner, der, -
K 6, S. 89/C1
Lebensversicherung, die, -en
K 7, S. 94/A
lecker K 10, S. 143/C
ledig K 1, S. 13/C
leer K 9, S. 125/F
legen K 5, S. 70/B2
Lehrerin, die, -nen K 3, S. 41/B2
leicht K 4, S. 60/A2
leidtun K 2, S. 24/B1
leider K 2, S. 24/B1
leise K 10, S. 145/D1
Leistung, die, -en K 7, S. 94/B
leiten K 10, S. 141/E2
Leitung, die, -en K 9, S. 129/C1
lernen K 1, S. 18/B1
lesen K 1, S. 11/E1
Lesesaal, der, -säle K 5, S. 74/A1
letzter, letzte, letztes
K 8, S. 114/A
Leute, die (*Plural*) K 2, S. 28/A1
Lexikon, das, Lexika
K 3, S. 47/D1
Lexikonartikel, der, -
K 3, S. 47/D1
lichten K 10, S. 145/D1
lieb K 2, S. 33/C
lieber K 3, S. 44/B1
liebevoll K 6, S. 88/A
Lieferant, der, -en K 9, S. 131/D1
liefern K 9, S. 123/C1
Lieferung, die, -en K 9, S. 130/A1
liegen K 5, S. 66/A1
Linie, die, -n K 5, S. 68/A
links K 2, S. 32/A
Liste, die, -n K 1, S. 14/A2
Literatur, die (*hier kein Plural*)
K 7, S. 103/E1
loben K 10, S. 141/D3
locker K 9, S. 124/B2
Logo, das, -s K 10, S. 137/C3
Lokal, das, -e K 7, S. 103/E1
los K 7, S. 103/E1
Lösung, die, -en K 8, S. 111/E1
Lücke, die, -n K 10, S. 142/B1
Luft, die (*hier kein Plural*)
K 7, S. 103/E2
Lust, die K 8, S. 116/A
lustig K 3, S. 40/A3

M

Maccaroni, die (*Plural*)
K 10, S. 142/A
machen K 1, S. 13/E1
machen (Das macht nichts.)
K 2, S. 29/B3
Magazin, das, -e K 10, S. 137/C3
Mai, der K 2, S. 31/Kasten
Mais, der K 10, S. 142/A
mal K 3, S. 42/A1
man K 5, S. 68/B1
Management, das (*hier kein Plural*) K 9, S. 131/F
Manager, der, - K 1, S. 12/A1
manchmal K 3, S. 44/B1
Mandel, die, -n K 10, S. 142/A
Mangel, der, ¨ K 9, S. 125/C2
Mann, der, ¨er K 1, S. 12/A1
Mantel, der, ¨ K 4, S. 60/B
Marketing, das K 6, S. 82/A1
Marketingabteilung, die, -en
K 9, S. 127/D1
Marketingmanagerin, die, -nen
K 1, S. 12/A1
markieren K 3, S. 41/C
Marktplatz, der, ¨e K 5, S. 69/E3
Maschine, die, -n K 9, S. 125/F
Maschinenbau, der K 3, S. 47/D1
Maschinenbauingenieur, der, -e
K 3, S. 47/D1
Maß, das, -e K 6, S. 86/B
Maßnahme, die, -n K 9, S. 129/F
Material, das (*hier kein Plural*)
K 9, S. 125/C2
Informationsmaterial, das,
-materialien K 2, S. 28/B2
Materialanalyse, die, -n
K 2, S. 33/C
Materialfehler, der, -
K 9, S. 125/C2
Mathematik, die K 7, S. 103/E1
Maus, die, ¨e (*EDV*) K 7, S. 102/A1
Mausklick, der, -s K 7, S. 102/A1
Medium, das, Medien
K 10, S. 137/C3
mehr K 3, S. 38/C
mein, meine K 1, S. 10/A2
meinen K 3, S. 45/G
Meinung, die, -en K 6, S. 89/E2
meist(ens) K 10, S. 139/Tipp
melden K 9, S. 127/E
Meldung, die, -en K 9, S. 126/B1
Menge, die, -n K 4, S. 52/A1
Mengenangabe, die, -n
K 4, S. 53/Kasten
Mensa, die, -s/Mensen
K 10, S. 142/A
Mensch, der, -en K 6, S. 88/A
Menü, das, -s K 10, S. 142/B1
Merkzettel, der, - K 7, S. 99/C
Messe, die, -n K 2, S. 27/C
Messebesuch, der, -e
K 2, S. 26/B1
Messeplatz, der, ¨e
K 6, S. 81/Kasten

Messestand, der, ¨e K 2, S. 28/A1
Messeteam, das, -s K 4, S. 59/C
Messtechnik, die K 10, S. 136/A1
Messung, die, -en K 10, S. 136/A1
Metall, das K 5, S. 71/E2
Metalldose, die, -n K 5, S. 71/E2
Meter (m), der, - K 2, S. 31/Tipp
Metropole, die, -n K 7, S. 102/A1
Miete, die, -n K 7, S. 103/E1
mieten K 4, S. 54/A1
Milch, die K 4, S. 58/B
mindestens K 5, S. 66/A1
Mineralwasser, das K 2, S. 26/A
Minus, das K 6, S. 84/A1
Minute, die, -n K 2, S. 29/B3
mit K 1, S. 16/B
mit freundlichen Grüßen K 8, S. 115/C2
mitarbeiten K 7, S. 95/D1
Mitarbeiter, der, - K 2, S. 28/A1
Mitarbeiterin, die, -nen K 10, S. 136/A2
mitbringen K 10, S. 142/A
mithelfen K 10, S. 136/A1
mitnehmen K 4, S. 60/C
mitschicken K 10, S. 139/B2
mitschreiben K 9, S. 131/D2
Mittag, der, -e K 2, S. 27/Kasten
Mittagessen, das, - K 2, S. 26/B1
mittags K 10, S. 142/B1
Mittagspause, die, -n K 6, S. 85/D
Mitte, die K 3, S. 40/A2
mitteilen K 6, S. 89/C3
mittel K 7, S. 95/D1
mittelgroß K 6, S. 88/B2
Mittwoch, der K 2, S. 26/B1
Möbel, die K 4, S. 57/D
Möbelabteilung, die, -en K 6, S. 81/C2
Mobiltelefon, das, -e K 7, S. 98/B1
möcht- K 2, S. 26/A
modern K 4, S. 56/A1
modisch K 4, S. 60/B
möglich K 6, S. 83/B3
Möglichkeit, die, -en K 3, S. 41/Tipp
möglichst K 5, S. 67/C1
Moment, der, -e K 1, S. 12/B
Monat, der, -e K 1, S. 18/B2
Monitor, der, -en K 5, S. 67/C2
Montag, der K 2, S. 27/Kasten
Montage, die (*hier kein Plural*) K 6, S. 83/E
morgen K 2, S. 25/Kasten
Morgen, der, - K 2, S. 27/Kasten
Motivation, die (*hier kein Plural*) K 7, S. 98/A1
motivieren K 7, S. 98/A1
Motor, der, -en K 9, S. 129/C2
Mozzarella, der, -s K 10, S. 142/A
müde K 3, S. 44/B1
Müll, der K 5, S. 71/E1
Multifunktionskopierer, der, - K4, S. 56/A1
mündlich K 9, S. 130/B2
Musik, die (*hier kein Plural*) K 3, S. 44/B1
Müsli, das, -s K 4, S. 58/A1
müssen K 5, S. 75/Kasten
Mutter, die, ¨ K 3, S. 38/C

N

nach K 3, S. 47/E1
nach Hause K 6, S. 81/Kasten
Nachbar, der, -n K 7, S. 101/D1
Nachbarin, die, -nen K 10, S. 138/A3
Nachbarstadt, die, ¨e K 7, S. 100/A1
Nachfolger, der, - K 10, S. 136/A1
nachfragen K 9, S. 122/B
Nachmittag, der, -e K 2, S. 26/B1
Nachricht, die, -en K 2, S. 33/C
nachsehen K 10, S. 143/D
nachsprechen K 10, S. 136/B1
nächster, nächste, nächstes K 2, S. 33/C
nächstmöglich K 7, S. 95/D1
Nacht, die, ¨e K 2, S. 31/Kasten
Nachteil, der, -e K 7, S. 96/B
Nachtisch, der, -e K 10, S. 142/B1
Nachtzug, der, ¨e K 8, S. 112/A
Nachwuchs, der K 10, S. 138/A1
nah K 7, S. 98/A1
Nähe, die (in der Nähe) K 7, S. 103/E2
Nähmaschine, die, -n K 3, S. 47/D1
Name, der, -n K 1, S. 11/D1
Natur, die K 7, S. 103/E1
natürlich K 2, S. 29/B3
neben K 5, S. 66/B1
nehmen K 3, S. 39/H3
nein K 1, S. 13/E1
nennen K 2, S. 23
nervös K 10, S. 141/E1
nett K 3, S. 40/A3
Nettopreis, der, -e K 9, S. 130/A1
Netz, das, -e K 9, S. 123/C1
Netzadapter, der, - K 9, S. 123/C1
Netzkabel, das, - K 9, S. 126/B1
neu K 1, S. 18/A1
Neuanfang, der, ¨e K 10, S. 139/B1
Neujahr, das K 10, S. 137/C3
Neukauf, der, ¨e K 9, S. 130/A1
Neukunde, der, -n K 7, S. 95/D1
neun K 1, S. 16/A2
neunzehn K 1, S. 16/A2
neunzig K 1, S. 16/A2
nicht K 1, S. 13/C
nichts K 3, S. 40/A3
nie K 3, S. 44/B2
Niederlassung, die, -en K 7, S. 102/A1
niedrig K 6, S. 87/C
niemand K 8, S. 116/B1
noch K 1, S. 18/A1
noch einmal K 1, S. 14/A3
Nordpol, der K 1, S. 13/D1
normal K 10, S. 140/B1
normalerweise K 10, S. 142/A
Notebook, das, -s K 4, S. 56/A1
notieren K 3, S. 47/E2
nötig K 6, S. 83/B3
Notiz, die, -en K 1, S. 13/E1
Notizzettel, der, - K 5, S. 69/F1
Nudel, die, -n K 10, S. 142/A
null K 1, S. 16/A2
Nummer, die, -n K 1, S. 14/A1
nummerieren K 3, S. 44/B1
nun K 9, S. 130/A1
nur K 3, S. 39/D

O

oben K 5, S. 70/A1
oben genannt (o. g.) K 8, S. 115/C2
Obst, das K 4, S. 58/B
oder K 1, S. 14/A2
öffentlich K 6, S. 80/A2
öffnen K 9, S. 122/A1
oft K 3, S. 42/A1
ohne K 6, S. 80/A4
okay K 2, S. 29/B3
Ökonom, der, -en K 1, S. 13/D1
Oktober, der K 1, S. 19/C
Olive, die, -n K 10, S. 142/A
Onkel, der, - K 3, S. 38/B2
Oper, die, -n K 4, S. 59/C
Option, die, -en K 10, S. 139/B1
Orange, die, -n K 4, S. 58/B
Orangensaft, der, ¨e K 4, S. 58/A1
ordentlich K 6, S. 88/A
ordnen K 3, S. 46/B4
Ordner, der, - K 4, S. 53/D1
Ordnung, die (*hier kein Plural*) K 5, S. 67/D
Ordnung, die (in Ordnung) K 1, S. 14/A2
Organigramm, das, -e K 6, S. 82/A1
Organisation, die (*hier kein Plural*) K 6, S. 84/A1
organisieren K 6, S. 79

Orientierung, die (*hier kein Plural*) K 7, S. 97/D2
Ort, der (vor Ort) K 7, S. 95/D1
Ort, der, -e K 7, S. 95/D3
Österreich K 1, S. 10/A1
österreichisch K 7, S. 100/A1
Overheadprojektor, der, -en K 9, S. 129/D

P

paar (ein paar) K 5, S. 70/A1
Pack, der, - K 4, S. 53/D1
packen K4, S. 61/C
Packpapier, das K 5, S. 71/E2
Paket, das, -e K 4, S. 53/D1
Panne, die, -n K 9, S. 130/B2
Papier, das (*hier kein Plural*) K 4, S. 53/B2
Papierkorb, der, ¨e K 5, S. 66/A1
Pappe, die (*hier kein Plural*) K 5, S. 71/E3
Paprika, die, -s K 10, S. 142/A
Parallelkabel, das, - K 9, S. 123/C1
Park, der, -s K 5, S. 75/C
Parkplatz, der, ¨e K 5, S. 75/C
Partner, der, - K 1, S. 13/F
Partnerarbeit, die, -en K 5, S. 69/F1
Partnerin, die, -nen K 2, S. 27/F
Party, die, -s K 2, S. 28/A1
Pass, der, ¨e K 3, S. 46/B2
passen (zu) K 2, S. 24/A
passend K 9, S. 129/C1
passieren K 5, S. 73/B1
Passwort, das, ¨er K 10, S. 137/C2
Passwortänderung, die, -en K 10, S. 137/C2
Patrone, die, -n K 9, S. 129/C1
Pauschalpreis, der, -e K 8, S. 112/A
Pause, die, -n K 3, S. 42/A1
PC, der, -s K 4, S. 56/A1
Pendelbus, der, -se K 6, S. 80/A1
per K 7, S. 95/D1
perfekt K 6, S. 88/A
Person, die, -en K 1, S. 10/A1
Personal, das K 10, S. 137/C3
Personalabteilung, die, -en K 7, S. 98/A1
Personalausweis, der, -e K 1, S. 17/D2
Personalbüro, das, -s K 3, S. 45/F
Personalleiter, der, - K 7, S. 99/E
Personalleiterin, die, -nen K 3, S. 38/C
persönlich K 7, S. 95/D1
Pesto, das K 10, S. 142/A
Pfeffer, der K 10, S. 142/A
pflegen K 7, S. 95/D1
Pflicht, die, -en K 6, S. 83/B3
Pforte, die, -n K 3, S. 46/A
Pförtner, der, - K 2, S. 26/A
PIN, die, -s K 9, S. 123/E
Pinnwand, die, ¨e K 5, S. 66/B1
Pizza, die, Pizzen K 10, S. 142/A
Pkw, der, -s K 7, S. 97/D2
Plan, der, ¨e K 2, S. 32/A
planen K 2, S. 32/A
Planung, die, -en K 6, S. 85/D
Planungssitzung, die, -en K 9, S. 131/D1
planvoll K 6, S. 88/A
Plastik, das K 5, S. 71/E2
Plastikbeutel, der, - K 5, S. 71/E2
Plastikflasche, die, -n K 5, S. 71/E2
Platz nehmen K 2, S. 26/A
plaudern (mit) K 10, S. 141/D2
plötzlich K 8, S. 115/C1
Plus, das K 6, S. 84/A1
Polen K 1, S. 12/B
Politik, die K 10, S. 140/A1
Post, die K 8, S. 108/A1
Postleitzahl, die, -en K 1, S. 16/A1
Praktikant, der, -en K 5, S. 67/C1
Praktikantin, die, -nen K 4, S. 55/E1
Praktikum, das, Praktika K 1, S. 19/E1
Praktikumsplan, der, ¨e K 2, S. 32/A
praktisch K 4, S. 56/A1
Präsentation, die, -en K 2, S. 26/B1
Preis, der, -e K 4, S. 52/A1
Preisauskunft, die, ¨e K 8, S. 112/A
preiswert K 10, S. 142/B1
Presse, die K 10, S. 137/C3
Pressespiegel, der, - K 10, S. 137/C3
prima K 2, S. 29/B3
Priorität, die, -en K 10, S. 139/B1
privat K 1, S. 16/A1
Privatadresse, die, -n K 1, S. 16/A1
Privatkundenberater, der, - K 7, S. 95/D1
pro K 6, S. 86/B
Problem, das, -e K 2, S. 25/D
Problemlösung, die, -en K 9, S. 129/C2
Produkt, das, -e K 3, S. 47/E2
Produktentwicklung, die K 7, S. 95/D1
Produktion, die (*hier kein Plural*) K 2, S. 26/B1
Produktionsplanung, die K 1, S. 16/A1
Produktkenntnis, die, -se K 7, S. 97/D2
Produktmanager, der, - K 1, S. 16/B
produzieren K 3, S. 47/E1
Professor, der, -en K 3, S. 43/C3
Programm, das, -e K 2, S. 26/A
Projekt, das, -e K 10, S. 137/C3
Projektor, der, -en K 4, S. 57/D
Prospekt, der, -e K 2, S. 28/B2
Prozessor, der, -en K 4, S. 56/A1
prüfen K 9, S. 125/C2
Prüfung, die, -en K 10, S. 138/A1
Pullover, der, - K 3, S. 40/A3
Punkt (11 Uhr) K 8, S. 108/B2
Punkt, der, -e K 3, S. 44/A
pünktlich K 2, S. 24/A
Pünktlichkeit, die K 8, S. 109/D
Pute, die, -n K 10, S. 142/A
Putensteak, das, -s K 10, S. 142/A
putzen K 3, S. 44/B1

Q

Qualifikation, die, -en K 7, S. 97/D2
Qualität, die (*hier kein Plural*) K 9, S. 125/C2
Qualitätskontrolle, die, -n K 9, S. 131/D2
Qualitätssicherung, die K 2, S. 32/A
Quelle, die, -n K 1, S. 13/D1

R

Radio, das, -s K 5, S. 72/A1
Rahm, der K 10, S. 142/A
Rahmsauce, die, -n K 10, S. 142/A
Rat, der K 9, S. 127/B2
raten K 3, S. 47/F2
rauchen K 6, S. 83/B3
Raucherecke, die, -n K 6, S. 83/B3
Raum, der, ¨e K 2, S. 32/A
Raumplan, der, ¨e K 5, S. 66/B1
raus K 8, S. 114/A
reagieren K 9, S. 126/B1
Rechner, der, - K 5, S. 67/C2
Rechnung, die, -en K 9, S. 130/A1
rechts K 2, S. 32/A
Rechtschreibung, die K 7, S. 95/D2

Recycling-Ausstellung, die, -en K 5, S. 74/A1
Rede, die, -n (eine Rede halten) K 10, S. 141/D2
reden K 7, S. 98/A1
reduzieren K 6, S. 84/B1
Regal, das, -e K 4, S. 52/A1
Regel, die, -n K 9, S. 130/B2
regelmäßig K 7, S. 94/A
Regen, der K 10, S. 140/B1
Regenschirm, der, -e K 5, S. 70/B1
Regionalbahn, die, -en K 6, S. 80/B1
Regionalverkehr, der K 6, S. 80/B1
regnerisch K 10, S. 140/B2
Reihenfolge, die, -n K 4, S. 57/C2
Reihenhaus, das, ¨er K 6, S. 88/B3
reinigen K 9, S. 129/C1
Reis, der K 10, S. 142/A
Reise, die, -n K 2, S. 24/A
reisen K 7, S. 95/D1
Reiseplanung, die, -en K 8, S. 112/A
Reisezentrum, das, -zentren K 4, S. 54/B
reißen K 9, S. 125/F
reiten K 7, S. 103/E1
Reklamation, die, -en K 2, S. 32/A
reklamieren K 9, S. 131/E1
Rente, die, -n K 10, S. 136/A1
Rentenbeginn, der K 10, S. 144/A2
Reparatur, die, -en K 2, S. 30/B
Reparaturannahme, die, -n K 9, S. 130/B1
Reparaturrechnung, die, -en K 9, S. 131/D1
reparieren K 9, S. 125/F
reservieren K 4, S. 59/D
Reservierung, die, -en K 2, S. 25/F1
Rest, der, -e K 5, S. 71/E2
Restaurant, das, -s K 3, S. 42/A1
restlich K 5, S. 67/C2
Restmüll, der K 5, S. 71/E1
Rezeption, die, -en K 5, S. 73/C
richten K 10, S. 145/D1
richtig K 1, S. 14/A2
Richtung, die, -en K 5, S. 68/B1
Rindfleisch, das K 10, S. 142/A
robust K 9, S. 125/C2
Rock, der, ¨e K 3, S. 40/A2
Rolle, die, -n K 4, S. 53/D1
Rollenspiel, das, -e K 1, S. 19/E1
Romantik, die K 4, S. 59/C
romantisch K 7, S. 102/A1
Rosenkohl, der K 10, S. 142/A
Rösti, die (*Plural*) K 10, S. 142/A
rot K 3, S. 40/A3
Rotwein, der, -e K 3, S. 45/E
Rückflug, der, ¨e K 8, S. 111/E1
Rückkehr, die K 8, S. 115/D
Rückseite, die, -n K 9, S. 123/C1
Rückware, die K 6, S. 82/A1
Ruhe, die K 2, S. 32/B1
Ruhestand, der K 10, S. 136/A1
ruhig K 6, S. 84/B1
rund K 6, S. 80/A1

S

Sache, die, -n K 8, S. 116/A
sachlich K 6, S. 84/B1
Sachversicherung, die, -en K 7, S. 101/B
Saft, der, ¨e K 3, S. 40/A3
sagen K 1, S. 17/F
Saison, die, -s K 10, S. 142/A
Salat, der, -e K 10, S. 142/A
Salatbüfett, das, -s K 10, S. 142/A
Salz, das (*hier kein Plural*) K 10, S. 142/A
Salzkartoffeln, die (*Plural*) K 10, S. 142/A
sammeln K 6, S. 89/E2
Samstag, der K 2, S. 27/Kasten
Satz, der, ¨e K 3, S. 47/Kasten
Satzteil, der, -e K 10, S. 140/B
sauber K 9, S. 126/A
Sauce, die, -n (Soße) K 10, S. 142/A
sauer K 10, S. 142/A
Sauerkraut, das K 10, S. 142/A
scannen K 9, S. 129/C2
Scanner, der, - K 4, S. 53/Kasten
Schaden, der, ¨ K 7, S. 94/A
Schadensbearbeitung, die (*hier kein Plural*) K 10, S. 137/C3
Schadensfall, der, ¨e K 9, S. 125/C2
schaffen K 10, S. 141/E2
Schaltfläche, die, -n K 9, S. 123/C3
Scheibe, die, -n K 9, S. 124/B1
Schein, der, -e K 1, S. 16/A1
scheinen K 10, S. 140/B1
schick K 7, S. 103/E1
schicken K 7, S. 94/B
schiefgehen K 9, S. 130/A1
Schienenverkehr, der K 6, S. 80/B1
Schild, das, -er K 5, S. 66/B1
Schinken, der, - K 4, S. 58/B
schlafen K 3, S. 44/B1
schlank K 3, S. 40/A2
Schlauch, der, ¨e K 9, S. 124/B2
schlecht K 3, S. 41/B2
schließen K 8, S. 108/A1
schließlich K 5, S. 72/A4
schlimm K 2, S. 24/A
Schloss, das, ¨er K 7, S. 102/A1
Schluss, der (zum Schluss) K 8, S. 108/A2
Schlüssel, der, - K 5, S. 66/B1
Schmand, der K 10, S. 142/A
schmecken K 10, S. 141/F
Schmorapfel, der, ¨ K 10, S. 142/A
schnell K 3, S. 42/A1
Schnittstelle, die, -n K 9, S. 126/B1
schon K 1, S. 15/E
schön K 1, S. 18/A1
Schrank, der, ¨e K 4, S. 60/A1
Schraube, die, -n K 9, S. 124/B2
schreiben K 1, S. 15/D
Schreibtisch, der, -e K 4, S. 56/B1
Schrift, die (*hier kein Plural*) K 7, S. 97/D2
schriftlich K 7, S. 94/B
Schritt, der, -e K 7, S. 94/B
Schublade, die, -n K 5, S. 70/B2
Schuh, der, -e K 4, S. 60/B
Schule, die, -n K 6, S. 89/F
Schwager, der, - K 3, S. 39/E
Schwägerin, die, -nen K 3, S. 39/E
schwarz K 3, S. 40/A2
Schwein, das, -e K 10, S. 142/A
Schweinelendchen, das, - K 10, S. 142/A
Schweiz, die K 1, S. 10/A1
schweizerisch K 7, S. 102/A1
schwer K 6, S. 86/B
Schwester, die, -n K 3, S. 38/C
Schwiegereltern, die K 3, S. 38/C
Schwiegermutter, die, ¨ K 3, S. 38/C
Schwiegersohn, der, ¨e K 3, S. 38/C
Schwiegertochter, die, ¨ K 3, S. 38/C
Schwiegervater, der, ¨ K 3, S. 38/C
schwierig K 3, S. 46/B4
schwimmen K 7, S. 103/E1
sechs K 1, S. 16/A2
sechzehn K 1, S. 16/A2
sechzig K 1, S. 16/A2
See, der, -n K 7, S. 102/A2
Segeln, das K 7, S. 102/A1
sehen K 2, S. 32/B1
sehr K 1, S. 18/A1
sein K 1, S. 10/A1

sein, seine K 1, S. 10/A2
seit K 7, S. 100/A1
Seite, die, -n K 6, S. 81/Kasten
Sekretariat, das, -e K 4, S. 54/A1
Sekretärin, die, -nen K 1, S. 12/A1
selbst K 7, S. 94/A
selbstständig K 7, S. 96/A2
Selbstständigkeit, die K 7, S. 98/A1
selten K 3, S. 44/B1
Seminar, das, -e K 1, S. 14/A1
Seminarraum, der, ¨-e K 6, S. 84/B1
Seminarteilnehmer, der, - K 2, S. 28/A1
Seminarunterlagen, die (*Plural*) K 2, S. 29/B4
senden K 10, S. 139/B1
September, der K 1, S. 19/C
Service, der K 4, S. 59/C
Serviceabteilung, die, -en K 2, S. 32/A
Serviceorientierung, die K 7, S. 97/D2
Servicetechniker, der, - K 1, S. 18/A1
sicher K 6, S. 89/E1
Sie K 1, S. 10/A2
sie K 1, S. 10/A2
sieben K 1, S. 16/A2
siebzehn K 1, S. 16/A2
siebzig K 1, S. 16/A2
siezen K 4, S. 59/E
Signal, das, -e K 9, S. 126/B1
signalisieren K 9, S. 122/B
Signalkabel, das, - K 9, S. 126/B1
singen K 3, S. 45/D1
sinken K 10, S. 139/C2
Situation, die, -en K 3, S. 41/E
Sitzballstuhl, der, ¨-e K 7, S. 98/B1
sitzen K 3, S. 40/A3
Sitzordung, die, -en K 5, S. 67/D
Sitzplatz, der, ¨-e K 2, S. 24/A
Sitzung, die, -en K 9, S. 131/D1
Smalltalk, der, -s K 10, S. 140/A1
so K 2, S. 24/A
Socke, die, -n K 4, S. 60/A1
sofort K 4, S. 54/A3
Software, die K 9, S. 123/C3
Sohn, der, ¨-e K 3, S. 38/C
Soll, das K 6, S. 84/A1
sollen K 6, S. 86/A3
Soll-Stunde, die, -n K 6, S. 84/A1
Sommer, der, - K 4, S. 60/A1
Sommerhalbjahr, das, -e K 6, S. 84/A1
Sommermantel, der, ¨ K 4, S. 60/A1
sondern K 7, S. 102/A1
Sondertarif, der, -e K 6, S. 80/A1
Sonne, die (*hier kein Plural*) K 10, S. 140/B1
sonnig K 10, S. 140/B2
Sonntag, der K 2, S. 27/Kasten
Sorge, die, -n K 10, S. 141/E1
sorgfältig K 7, S. 97/D2
Sortiment, das, -e K 10, S. 137/C3
sowieso K 7, S. 98/A1
sozial K 6, S. 88/A
Sozialleistung, die, -en K7, S. 97/D1
Spanien K 1, S. 10/A1
sparen K 7, S. 98/A1
sparsam K 6, S. 86/A3
Spaß machen K 3, S. 44/B1
spät K 2, S. 24/A
Spätzle, die (*Plural*) K 10, S. 142/A
spazieren gehen K 8, S. 116/A
Spazierengehen, das K 7, S. 102/A1
Speck, der K 10, S. 142/A
Speckrösti, die (*Plural*) K 10, S. 142/A
speichern K 9, S. 125/E
Speisekarte, die, -n K 1, S. 17/D2
Speiseplan, der, ¨-e K 10, S. 137/C3
sperren K 5, S. 72/A1
Spezialität, die, -en K 10, S. 141/F
Spezialkleidung, die K 6, S. 83/B3
speziell K 4, S. 59/C
Spiegelreflexkamera, die, -s K4, S. 56/A1
spielen K 1, S. 18/A2
Spinat, der K 10, S. 142/A
spinnen K 9, S. 126/A
Sport, der K 3, S. 44/A
sportlich K 4, S. 60/B
Sportverein, der, -e K 10, S. 144/B2
Sprache, die, -n K 2, S. 29/B4
Sprachkurs, der, -e K 5, S. 75/D
Sprachkurszentrum, das, -zentren K 5, S. 75/D
sprechen K 1, S. 13/D1
Sprecher, der, - K 10, S. 144/B2
Stadt, die, ¨-e K 1, S. 13/D2
Stadtbereich, der, -e K 5, S. 72/A1
Stadtbesichtigung, die, -en K 2, S. 26/B1
Stadthalle, die, -n K 5, S. 68/A
Stadtmitte, die K 5, S. 72/A4
Stadtplan, der, ¨-e K 5, S. 69/E2
Stadtrand, der, ¨-er K 6, S. 88/B3
Stadtzentrum, das, -zentren K 6, S. 88/B3
Stand, der (*hier kein Plural*) K 6, S. 84/A1
Stand, der, ¨-e K 5, S. 74/A1
Start, der, -s K 10, S. 144/A1
starten K 9, S. 123/C1
Starter, der, - K 9, S. 129/F
Startmenü, das, -s K 9, S. 123/C3
Station, die, -en K 5, S. 68/A
stattfinden K 8, S. 115/C1
Stau, der, -s K 5, S. 72/A1
Steak, das, -s K 10, S. 142/A
Stecker, der, - K 9, S. 123/E
Stehempfang, der, ¨-e K 10, S. 144/B1
stehen K 2, S. 33/C
stehen bleiben K 9, S. 125/F
steigen K 5, S. 69/E3
Stelle, die, -n K 7, S. 95/D4
stellen K 5, S. 70/B2
stellen (Fragen stellen über/zu) K 1, S. 12/A2
Stellenangebot, das, -e K 7, S. 95/D1
Stellenanzeige, die, -n K 7, S. 95/D2
Stellensuche, die K 7, S. 94/A
Stellkarte, die, -n K 1, S. 10/B
Steuerung, die, -en K 6, S. 82/B2
Stichwort, das, -e K 8, S. 114/B
stimmen K 3, S. 41/E
Stock, der, - (1. Stock) K 5, S. 69/Kasten
Stopptaste, die, -n K 9, S. 123/D
stören K 9, S. 124/A1
Störung, die, -en K 9, S. 124/A1
Störungsmanagement, das K 9, S. 131/F
Straße, die, -n K 1, S. 16/A1
Straßenbahn, die, -en K 5, S. 69/E1
Straßenverkehr, der K 6, S. 80/B1
streichen K 7, S. 98/B1
Stress, der K 3, S. 42/A2
Stück, das, -e K 4, S. 53/D1
Student, der, -en K 1, S. 15/D
Studentin, die, -nen K 1, S. 11/D2
studieren K 1, S. 19/D
Stuhl, der, ¨-e K 4, S. 52/A2
Stunde, die, -n K 1, S. 18/A1
Suche, die K 5, S. 73/C
suchen K 4, S. 56/B1
super K 2, S. 29/B3
Supermarkt, der, ¨-e K 4, S. 60/E
Suppe, die, -n K 10, S. 142/A
süß K 10, S. 142/A
Süßigkeit, die, -en K 10, S. 139/B1

Symbol, das, -e K 10, S. 137/C3
System, das, -e K 9, S. 126/B1

T

Tabelle, die, -n K 4, S. 55/C
Tag, der, -e K 1, S. 11/D1
tagen K 8, S. 113/F
Tagesablauf, der, ¨-e K 8, S. 108/B1
Tagesgericht, das, -e K 10, S. 142/A
Tagesordnung, die, -en K 9, S. 131/D2
Tagespauschalpreis, der, -e K 8, S. 112/A
Tagesplan, der, ¨-e K 8, S. 108/A1
Tageszeit, die, -en K 2, S. 27/Kasten
täglich K 10, S. 142/A
Tagung, die, -en K 4, S. 59/C
Tagungshotel, das, -s K 4, S. 58/A1
Tang, der K 10, S. 139/C2
Tank, der, -s K 10, S. 139/C2
Tankstelle, die, -n K 6, S. 81/Kasten
Tante, die, -n K 3, S. 39/H1
tanzen K 3, S. 45/G
Tarif, der, -e K 6, S. 80/A1
Tasse, die, -n K 5, S. 70/B1
Tastatur, die, -en K 9, S. 126/B1
Tastatureingabe, die, -n K 9, S. 126/B1
Tastaturkabel, das, - K 9, S. 126/B1
Tastaturtreiber, der, - K 9, S. 126/B1
Taste, die, -n K 9, S. 126/B1
tätig K 7, S. 101/D1
Tätigkeit, die, -en K 6, S. 85/B2
tatsächlich K 9, S. 127/E
Taxi, das, -s K 1, S. 18/A1
Taxifahrer, der, - K 1, S. 13/E2
Team, das, -s K 6, S. 84/A1
Technik, die (*hier kein Plural*) K 4, S. 56/A1
Techniker, der, - K 9, S. 131/E2
technisch K 6, S. 88/A
Technische Zeichnerin, die, -nen K 3, S. 38/B1
Technologie, die, -n K 7, S. 97/D5
Tee, der, -s K 2, S. 26/A
Teil, das, -e K 9, S. 125/C2
Teil, der, -e K 7, S. 102/A1
teilnehmen K 6, S. 84/B1
Teilnehmer, der, - K 8, S. 114/A
Teilnehmerin, die, -nen K 1, S. 14/A1
Teilnehmerliste, die, -n K 1, S. 14/A1
teilweise K 7, S. 98/A1
Telefax, das, -e K 1, S. 16/A1
Telefon, das, -e K 3, S. 43/D1
Telefonanruf, der, -e K 5, S. 73/B2
Telefonat, das, -e K 7, S. 99/E
Telefonbuch, das, ¨-er K 5, S. 66/A1
Telefongespräch, das, -e K 5, S. 72/A2
telefonieren K 3, S. 40/A2
telefonisch K 7, S. 95/D1
Telefonkarte, die, -n K 1, S. 17/D2
Telefonnummer, die, -n K 1, S. 16/A1
Tendenz, die, -en K 5, S. 75/Tipp
Tennis, das K 3, S. 45/D1
Termin, der, -e K 1, S. 16/B
Terminänderung, die, -en K 8, S. 107
Terminkalender, der, - K 5, S. 66/A1
Terminplan, der, ¨-e K 2, S. 23
testen K 2, S. 32/A
Tetra-Pack, der, -s K 5, S. 71/E2
teuer K 4, S. 57/C1
Text, der, -e K 1, S. 17/F
Theater, das, - K 2, S. 26/B1
Theke, die, -n K 10, S. 143/G1
Thema, das, Themen K 7, S. 103/F
Ticker, der, - K 10, S. 137/C2
Tipp, der, -s K 2, S. 31/Tipp
Tisch, der, -e K 4, S. 56/A1
Tischkopierer, der, - K 4, S. 56/A1
Titel, der, - K 1, S. 16/A1
To Dos, die (*Plural*) K 8, S. 113/F
Tochter, die, ¨ K 3, S. 38/B2
Tod, der K 7, S. 94/A
Todesfall, der, ¨-e K 7, S. 94/A
toll K 3, S. 44/B1
Tomate, die, -n K 10, S. 142/A
Tonne, die, -n K 5, S. 71/E1
Tourist, der, -en K 2, S. 28/A1
tragen K 6, S. 83/B3
Trainer, der, - K 3, S. 41/B2
Traube, die, -n K 4, S. 58/B
treffen K 5, S. 75/B
treiben (Sport) K 3, S. 44/A
Treiber, der, - K 9, S. 126/B1
trennen K 9, S. 123/C1
Trennung, die, -en K 9, S. 127/E
Tresor, der, -e K 7, S. 98/B1
treu K 6, S. 88/A
trinken K 2, S. 28/A2
Trunk, der K 7, S. 99/D
Tschechien K 8, S. 114/A
tschüss K 10, S. 144/A1
T-Shirt, das, -s K 4, S. 60/B
tun K 5, S. 70/B2
Tür, die, -en K 4, S. 55/D1
türkisch K 10, S. 139/B1
Typ, der, -en K 6, S. 88/A

U

U-Bahn, die, -en K 5, S. 68/A
über K 1, S. 14/A1
überall K 10, S. 139/Tipp
überfliegen K 7, S. 95/D1
Übergabe, die, -n K 10, S. 136/A1
überhaupt K 7, S. 102/A1
überlegen K 8, S. 108/A2
übermitteln K 9, S. 130/Tipp
übermorgen K 8, S. 111/B3
Übermut, der K 1, S. 13/D1
übernachten K 8, S. 112/B1
übernehmen K 8, S. 110/B2
überprüfen K 8, S. 111/E1
überreden K 10, S. 139/B1
Überschrift, die, -en K 9, S. 125/C2
Übersicht, die, -en K 6, S. 85/B2
Übersichtsplan, der, ¨-e K 5, S. 68/A
übrigens K 6, S. 83/B3
Uhr (8.00 Uhr) K 1, S. 19/C
Uhrzeit, die, -en K 2, S. 27/Kasten
um (um 11.00 Uhr) K 2, S. 24/A
umfassend K 7, S. 95/D1
umhergehen K 3, S. 41/F
Umstände, die (*Plural*) K 10, S. 139/B1
umsteigen K 5, S. 68/B1
unbedingt K 8, S. 114/A
und K 1, S. 12/A1
und so weiter (usw.) K 5, S. 66/A1
undicht K 9, S. 124/B2
Unfall, der, ¨-e K 9, S. 125/F
unfreundlich K 3, S. 41/B2
ungefähr K 4, S. 54/A3
ungleich K 6, S. 87/Kasten
unhöflich K 8, S. 109/D
Universität, die, -en K 5, S. 68/A
Unordnung, die K 5, S. 66/A1
unpünktlich K 2, S. 25/D
unser, unsere K 3, S. 41/E
unsicher K 7, S. 98/A1
Unsicherheit, die, -en K 7, S. 98/A1
unten K 5, S. 70/A1
unter K 5, S. 66/A1
unterbreiten K 7, S. 95/D1
Unterlagen, die (*Plural*) K 2, S. 29/B4
Unternehmen, das, - K 7, S. 95/D1

V

W

Z

Bildquellenverzeichnis

S. 9.1: EKS – Klett Edition Deutsch, Stuttgart • S. 10.1: EKS – Klett Edition Deutsch, Stuttgart • S. 11.1: EKS – Klett Edition Deutsch, Stuttgart • S. 11.2: EKS – Klett Edition Deutsch, Stuttgart • S. 11.3: EKS – Klett Edition Deutsch, Stuttgart • S. 12.1: EKS – Klett Edition Deutsch, Stuttgart • S. 12.2: EKS – Klett Edition Deutsch, Stuttgart • S. 12.3: MEV, Augsburg • S. 12.4: EKS – Klett Edition Deutsch, Stuttgart • S. 12.5: EKS – Klett Edition Deutsch, Stuttgart • S. 12.6: EKS – Klett Edition Deutsch, Stuttgart • S. 12.7: EKS – Klett Edition Deutsch, Stuttgart • S. 12.8: EKS – Klett Edition Deutsch, Stuttgart • S. 12.9: EKS – Klett Edition Deutsch, Stuttgart • S. 15.1: EKS – Klett Edition Deutsch, Stuttgart • S. 17.1: EKS – Klett Edition Deutsch, Stuttgart • S. 17.2: EKS – Klett Edition Deutsch, Stuttgart • S. 17.3: Giesecke u. Devrient GmbH, München • S. 17.4: EKS – Klett Edition Deutsch, Stuttgart • S. 17.5: EKS – Klett Edition Deutsch, Stuttgart • S. 17.6: mit freundlicher Genehmigung der Gaststätte Sonne, Walter Stoll • S. 17.7: EKS – Klett Edition Deutsch, Stuttgart • S. 17.8: Klett-Archiv, Stuttgart • S. 19.1: Getty Images PhotoDisc, Hamburg • S. 19.2: MEV, Augsburg • S. 19.3: MEV, Augsburg • S. 20.1-2: MEV, Augsburg • S. 20.3: Getty Images RF (Photodisc), München • S. 20.4: DigitalVision (RF), Maintal-Dörnigheim • S. 20.5: EKS – Klett Edition Deutsch, Stuttgart • S. 21.1: mit freundlicher Genehmigung der Gaststätte Sonne, Walter Stoll • S. 23.1: EKS – Klett Edition Deutsch, Stuttgart • S. 24.1: Deutsche Lufthansa AG, Frankfurt • S. 24.2: Deutsche Lufthansa AG, Frankfurt • S. 24.3: MEV, Augsburg • S. 28.1: Kessler-Medien, Saarbrücken • S. 28.2: Getty Images PhotoDisc, Hamburg • S. 28.3: CSI, New Delhi • S. 28.4: Kessler-Medien, Saarbrücken • S. 28.5: Corbis (RF/ImageSource), Düsseldorf • S. 30.1: EKS – Klett Edition Deutsch, Stuttgart • S. 30.2: EKS – Klett Edition Deutsch, Stuttgart • S. 30.3: EKS – Klett Edition Deutsch, Stuttgart • S. 30.4: EKS – Klett Edition Deutsch, Stuttgart • S. 30.5: EKS – Klett Edition Deutsch, Stuttgart • S. 30.6: EKS – Klett Edition Deutsch, Stuttgart • S. 32.1: EKS – Klett Edition Deutsch, Stuttgart • S. 34.1: Hotel Freizeit In GmbH, Göttingen • S. 34.2: Hotel Freizeit In GmbH, Göttingen • S. 34.3: Hotel Freizeit In GmbH, Göttingen • S. 34.4: Hotel Freizeit In GmbH, Göttingen • S. 35.1: Deutsche Bahn, Berlin • S. 37.1: EKS – Klett Edition Deutsch, Stuttgart • S. 38.1: EKS – Klett Edition Deutsch, Stuttgart • S. 38.2: EKS – Klett Edition Deutsch, Stuttgart • S. 40.1: EKS – Klett Edition Deutsch, Stuttgart • S. 42.1: Klett-Archiv, Stuttgart • S. 46.1: Bosch, Gerlingen-Schillerhöhe • S. 46.1: EKS – Klett Edition Deutsch, Stuttgart • S. 47.1: Porsche AG, Stuttgart • S. 47.2: Adam Opel AG, Rüsselsheim • S. 47.3: DaimlerChrysler, Stuttgart • S. 47.4: Corbis (Bettmann), Düsseldorf • S. 48.1: GLOBUS Infografik, Hamburg • S. 48.2: GLOBUS Infografik, Hamburg • S. 51.1: EKS – Klett Edition Deutsch, Stuttgart • S. 52.1: MEV, Augsburg • S. 52.2: MEV, Augsburg • S. 52.3: Ingram Publishing, Tattenhall Chester • S. 52.4: Ingram Publishing, Tattenhall Chester • S. 52.5: MEV, Augsburg • S. 52.6: MEV, Augsburg • S. 52.7: Ingram Publishing, Tattenhall Chester • S. 52.8: EKS – Klett Edition Deutsch, Stuttgart • S. 52.9: EKS – Klett Edition Deutsch, Stuttgart • S. 54.1: Deutsche Bahn, Berlin • S. 54.2: Corbis (RF/Image Source), Düsseldorf • S. 54.3: Hertz Autovermietung GmbH, Eschborn • S. 54.4: Bayerische Hypo- und Vereinsbank AG, München • S. 54.5: Corbis (RF), Düsseldorf • S. 56.1: MEV, Augsburg • S. 56.2: Siemens AG, München • S. 56.3: Konica Minolta Gmbh, Hamburg • S. 56.4: MEV, Augsburg • S. 56.5: SONY, Köln • S. 56.6: Konica Minolta Gmbh, Hamburg • S. 57.1: PhotoAlto, Paris • S. 57.2: MEV, Augsburg • S. 57.3: Epson Deutschland GmbH, Meerbusch • S. 57.4: DaimlerChrysler, Stuttgart • S. 57.5: MEV, Augsburg • S. 57.6: MEV, Augsburg • S. 58.1: EKS – Klett Edition Deutsch, Stuttgart • S. 60.1: Leuwico Büromöbel GmbH, Coburg • S. 61.1: MEV, Augsburg • S. 61.2: Fotosearch RF (dynamicgraphics rf), Waukesha, WI • S. 62.1: Ingram Publishing (RF), Tattenhall Chester • S. 62.2: Leuwico Büromöbel GmbH, Coburg • S. 62.3: SIS International, Helsinge • S. 62.4: Ingram Publishing, Tattenhall Chester • S. 62.5: Lexmark Deutschland GmbH, Dietzenbach • S. 62.6: Siemens AG, SWI, München • S. 62.7: MEV, Augsburg • S. 62.8: MEV, Augsburg • S. 62.9: PhotoAlto, Paris • S. 63.1: MEV, Augsburg • S. 63.2: Getty Images RF (Photodisc), München • S. 63.3: Getty Images RF (Photodisc), München • S. 65.1: EKS – Klett Edition Deutsch, Stuttgart • S. 68.1: Verkehrsverbund Rhein-Sieg GmbH, Köln • S. 76.1: Symantec, Wien • S. 77.1: MEV, Augsburg • S. 79.1: EKS – Klett Edition Deutsch, Stuttgart • S. 80.1: MEV, Augsburg • S. 80.2: MEV, Augsburg • S. 80.3: DaimlerChrysler, Stuttgart • S. 83.1: MEV, Augsburg • S. 83.2: MEV, Augsburg • S. 83.3: Bestmedia RF, Holdorf • S. 83.4: Bestmedia RF, Holdorf • S. 83.5: Bestmedia RF, Holdorf • S. 83.6: Department for Transport/HMSO, London • S. 83.7: Bestmedia RF, Holdorf • S. 83.8: Department for Transport/HMSO, London • S. 83.9: Department for Transport/HMSO, London • S. 86.1: Avenue Images GmbH (RF/PhotoAlto), Hamburg • S. 86.2: Hewlett Packard, Böblingen • S. 86.3: Hewlett Packard, Böblingen • S. 86.4: Hewlett Packard, Böblingen • S. 88.1: Picture-Alliance (ASA/Christina Pahnke), Frankfurt • S. 88.2: Microsoft GmbH, Unterschleissheim • S. 88.3: UN/DPI Photo, New York, NY 10017 • S. 88.4: Picture-Alliance (epa afp Cheng), Frankfurt • S. 90.1: Corel Corporation, Unterschleissheim • S. 90.2: DigitalVision, Maintal-Dörnigheim • S. 90.3: MEV, Augsburg • S. 90.4: MEV, Augsburg • S. 90.5: VVS, Stuttgart • S. 91.1: DaimlerChrysler, Stuttgart • S. 93.1: EKS – Klett Edition Deutsch, Stuttgart • S. 96.1: Züricher Schweiz Versicherungsges, Zürich • S. 96.2: Allianz AG, München • S. 100.1: Fotosearch RF (dynamicgraphics rf), Waukesha, WI • S. 100.2: Fotosearch RF (dynamicgraphics rf), Waukesha, WI • S. 100.3: Fotosearch RF (dynamicgraphics rf), Waukesha, WI • S. 101.1: MEV, Augsburg • S. 102.1: Tourismus & Congress Service Coburg, Coburg • S. 102.2: Getty Images PhotoDisc, Hamburg • S. 102.3: Tourismus & Congress Service Coburg, Coburg • S. 102.4: Picture-Alliance (Keycolor keystone press), Frankfurt • S. 102.5: HuK Coburg, Stuttgart • S. 102.6: SWX Swiss Exchange, Zürich • S. 104.1: HuK Coburg, Stuttgart • S. 104.2: Tourismus & Congress Service Coburg, Coburg • S. 105.1: Avenue Images GmbH (Index Stock), Hamburg • S. 106.1: Picture-Alliance (Keycolor keystone), Frankfurt • S. 107.1: EKS – Klett Edition Deutsch, Stuttgart • S. 108.1: Corbis (RF/Image Source), Düsseldorf • S. 108.2: MEV, Augsburg • S. 110.1: EKS – Klett Edition Deutsch, Stuttgart • S. 110.2: EKS – Klett Edition Deutsch, Stuttgart • S. 112.1: Deutsche Bahn, Berlin • S. 112.2: Deutsche Lufthansa AG, Frankfurt • S. 112.3: Hertz Autovermietung GmbH, Eschborn • S. 113.1: Bananastock RF, Watlington / Oxon • S. 117.1: Image Source, Köln • S. 118.1: aus: Lothar Seiwert, Das neue 1x1 des Zeitmanagement, Gräfe und Unzer • S. 118.2: GLOBUS Infografik, Hamburg • S. 118.3: MEV Augsburg • S. 119.1-2: aus: Vinking Direct Katalog • S. 121.1: EKS – Klett Edition Deutsch, Stuttgart • S. 122.1: EKS – Klett Edition Deutsch, Stuttgart • S. 124.1: MEV, Augsburg • S. 124.2: MEV, Augsburg • S. 124.3: www.frankfurtlounge.de/Rüdiger Geissler • S. 128.1: MEV, Augsburg • S. 128.2: Avenue Images GmbH (Thinkstock RF), Hamburg • S. 133.1: www.frankfurtlounge.de/Rüdiger Geissler • S. 133.3: Fotofinder (Bilderbox), Berlin • S. 133.4: Picture-Alliance (epa PB Ericson), Frankfurt • S. 133.6: Fotofinder (Bilderbox), Berlin • S. 135.1: EKS – Klett Edition Deutsch, Stuttgart • S. 136.1: Fotosearch RF (dynamicgraphics rf), Waukesha, WI • S. 144.1: Klett-Archiv, Stuttgart • S. 145.1: Klett-Archiv, Stuttgart

Ein Teil der Aufnahmen sind entstanden mit freundlicher Unterstützung folgender Firmen:
Dorint AG-City Center, Stuttgart und Marposs GmbH, Weinstadt-Endersbach

Trotz intensiver Bemühungen konnten nicht alle Inhaber von Text- und Bildrechten ausfindig gemacht werden. Für entsprechende Hinweise ist der Verlag dankbar.